Hôpital: danger!

Signatures

DE

À

AUTEUR

Hôpital: danger!

IMPRIME au CANADA

Dépôt légal:
Bibliothèque nationale du Canada
Bibliothèque nationale du Québec

ISBN 2-9803287-5-8

André Mathieu

Hôpital: danger!

André Mathieu, éditeur
C.P. 55 Victoriaville, Qc
G6P 6S9

Couche-toi et sois malade, tu sauras
qui te veut du bien et qui
te veut du mal.

Proverbe espagnol

Note de l'auteur

Cet ouvrage ne contient pas le nom de l'hôpital dont il y est question ni les noms des médecins et autres personnes par qui je suis passé lors de ma mésaventure cardiaque provoquée.
Je ne voudrais pas que l'on pense qu'il s'agit d'un manque de courage; mes lecteurs habituels savent que je ne crains pas les mouches même si j'ai peur des microbes.
Mais je ne tiens pas les personnes responsables de mon 'accident' même si elles voudraient faire porter le chapeau à mes blocages, à mon coeur, donc à mes faiblesses.
C'est le système qui est le grand responsable.
Le grand système sur lequel se modèlent tous les autres dont le système de santé. C'est lui qui sur vingt ans m'a conduit pas à pas vers le tapis roulant et c'est la mentalité du système qui m'a valu cet exercice hors de mes limites, –pourtant dans les normes établies– ayant provoqué l'infarctus.
C'est le système qui fait qu'on soigne les symptômes et pas la personne dans son entièreté. C'est le système qui fait qu'on distribue les pilules sans discernement, sans égard pour la qualité de vie du patient. C'est le système qui nous détruit tous un peu plus chaque jour. Nommer les personnes, ce serait faire le jeu du système, ce serait le protéger, et je ne le veux surtout pas car c'est lui, le grand coupable, le grand tricheur, le grand assassin.
Il m'arrivera de citer des noms quand il s'agit de parler de gens méprisables ou de certaines personnes connues du grand public: politiciens, journalistes, écrivains.
Il appartient à d'autres de vanter les mérites des établissements hospitaliers. Chacun les connaît a pu en profiter au cours de sa vie. Moi, j'ai voulu montrer par un exemple de plus qu'il ne faut pas faire confiance aveuglément au système de santé.
Je le questionne pour qu'on le questionne et surtout que l'on remonte plus haut que lui avec nos interrogations, jusque là où il puise sa pensée !

A.M. février 1996

Avant-propos

J'aurais pu garder les noms véritables des acteurs et témoins de mon aventure à l'hôpital, mais, afin de se rassurer soi-même, on croira que ceux qui m'ont traité –parfois maltraité– sont pires que d'autres. Il est connu qu'on veut bien croire que tous les avocats sont malhonnêtes à part le sien. Je sais que les mêmes problèmes auxquels je fus confronté, essentiellement systémiques, se retrouvent partout, non seulement dans le domaine hospitalier mais dans tous les secteurs de la vie d'aujourd'hui où se côtoient les intérêts divergents d'une majorité et d'une minorité.

Tous les systèmes sont construits selon des normes et ceux qui ne sont pas faits pour s'y intégrer sont d'avance condamnés.

L'être isolé n'a droit de cité nulle part. Moins encore en démocratie. Il est toujours une bête curieuse et rare qu'on ira parfois jusqu'à applaudir pourvu qu'on sache de solides barreaux entre lui et soi-même... Et encore, faudra-t-il qu'il montre son ferme propos de se fondre à la masse et de s'intégrer à un clan qui soit dans des normes acceptables à la majorité...

Ce qui m'a conduit à la crise cardiaque avant mon temps, ce sont des blocages de la société, sténoses qui la conduiront elle-même, tôt ou tard, à ses propres infarctus.

Ses artères s'étranglent peu à peu et plutôt vite.

Démocratie malade.

Conscience sociale en régression.

Violence froide omniprésente.

Voilà qui va exiger de solides pontages à cette société morose, déclinante et décroissante pour qu'elle se remette sur les rails de la croissance globale qui ne saurait passer que par la foi en l'avenir, la solidarité et la convivialité authentique.

La valeur individuelle ne se mesure plus que par l'avoir et l'image, et cela conduit à l'abattoir non seulement les plus faibles et le groupe des non gagnants mais les gagnants eux-mêmes.

Une erreur n'étant pas une faute, je sais que j'ai agi comme il le fallait depuis quinze ans malgré toutes ces fois où je me suis trompé. On ne va donc pas me précipiter dans la fosse de la culpabilisation où les mieux pourvus en santé, en biens matériels et en pouvoir jettent sans sourciller les cadavres de celles et ceux qui ne parviennent pas à s'en sortir en les taxant de paresse, de méchanceté ou d'imbécillité. Nazis qui s'ignorent se débarrassant jusque de l'image même de ces Juifs tous azimuts et de tous âges qui ont commis le crime de se trouver parmi une minorité isolée dans la faune...

Je marchais deux milles par matin depuis des années. Je m'adonnais à la technique Nadeau. Pas de tabac depuis 1972. Une alimentation bien balancée. Un sommeil jalousement surveillé. J'ai tout fait pour éviter la crise cardiaque prématurée.

"Tu marchais trop!" m'a-t-on dit.

"Tu aurais dû cesser de fumer avant... ou ne jamais fumer..."

"Un muffin le matin: trop gras!"

Mais surtout et de partout:

"Tu l'aurais faite quand même, ta crise, et tu es chanceux qu'on te l'ait provoquée à l'hôpital où on pouvait bien mieux la contrôler."

Coupable! Coupable! Coupable!

Eh bien, je dis non!

J'ai tout fait pour éviter la crise. Mais la société m'y a poussé tout droit. Et cela remonte à loin. Et cet inutile tapis roulant qui au bout du rouleau a provoqué l'infarctus fut simplement le couronnement de son oeuvre macabre de fossoyeuse expérimentée.

Je les entends parler de paranoïa. C'est ta faute. C'est ta faute. C'est ta faute. Même si presque tout va de travers dans cette société, on a toujours pointé sur quelqu'un son doigt accusateur. Le système pyramidal dans lequel nous vivons veut qu'il en soit ainsi. Le veut plus que jamais. Les individus isolés et sans autre pouvoir que le leur doivent servir la norme, les normes de la majorité, quitte à en périr. Ne périront-ils pas tout de même sinon ?

Et le citoyen bien-pensant qui voit pourtant clairement que tout va mal autour de lui veut néanmoins que ça se poursuive ainsi. Et que cela s'accentue. Absence de conscience sociale. Approbation générale tacite de la violence froide par la bonne conscience collective qui se bourre d'antidépresseurs (les biens matériels) et de calmants pour mieux dormir dans une paix factice.

Et un pseudo esprit démocratique qui se veut un fondement nécessaire à la société en sape les meilleures valeurs en justifiant les pires excès des meneurs élus via un sacro-saint processus électoral qui n'est plus que de l'extorsion déguisée du consentement des plus faibles à leur propre oppression.

Amertume, diront d'autres.

Eh bien non! Je ne sors pas amer de cette expérience, j'en sors grandi. On est bien plus riche de pouvoir se passer de biens matériels que de ne pas pouvoir s'en passer pour en avoir trop eu. On est riche de ses erreurs et de ses douleurs. On est riche de sa misère et on est misérable de sa richesse.

Pourquoi alors écrire ce livre? Pourquoi à mon tour pointer du doigt, dénoncer, accuser les uns, autopsier le système, alerter l'opinion? Parce que le bien qui se tait fait le mal, ainsi que je l'écrivais au début de mon livre sur la petite Aurore. Celui qui ne décrie pas l'injustice est injuste par omission de faire son devoir.

Je ne vais pas inventer la roue en écrivant ce livre,

mais en ne l'écrivant pas, je piétinerais l'être qui se trouve en moi, histoire de ne rien risquer quant à mon avoir et à mon image.

C'est au moment de l'infarctus, ce 26 octobre, coincé contre la porte de la mort, que j'ai su, sans l'ombre d'un doute, que je n'étais pas responsable de ce qui m'arrivait et que j'y avais été poussé par un système. Mon esprit a vu défiler à reculons le fil de ces événements qui m'ont conduit à ce tapis et à cet infarctus. Il a fallu quelques minutes seulement pour que se fasse cette prise de conscience. En des moments pareils, plus de doutes, plus de questions, mais un long chemin de réponses qui surgissent à la vitesse de l'éclair, s'entraînent, s'enchaînent et expliquent...

Mais la porte a refusé de s'ouvrir. Des forces énormes la verrouillaient de l'intérieur. Le système a fait en sorte de me ramener dans son engrenage. Et il voudrait que je lui en sois reconnaissant.

Je lui dis non par ce livre.

Que le système s'amende et respecte chaque individu quel que soit son pouvoir financier, intellectuel, social ou politique! On ne peut ni ne doit lui laisser la paix à moins. Surtout de ce temps-là qui non seulement chez nous mais de par le monde entier vous fabrique de toutes parts et aux cent coins de sociétés plus malades que moi, l'exclusion à profusion.

Il faut beau soleil aujourd'hui...

André Mathieu

1

Voici mon premier livre au 'je' et JE m'en serais bien passé.

Raconter les mois le plus durs de sa vie et remonter vers tout ce qui les a préparés ces vingt dernières années, voilà qui est loin de vous apporter les mêmes compensations morales, spirituelles et même physiques, que de vous lancer dans la création d'un roman pour y faire vivre à votre goût et à votre guise des personnages réels ou imaginaires.

Deux mois de vie et ce qui les a amenés de longue main... Comment, malgré vos efforts maxima et constants dans la direction inverse, la société s'y prend-elle pour vous offrir un bel infarctus tout neuf au moment où vous vous y attendez le moins ? Neuf et surtout prématuré ! La réponse tient dans quelques mots fort simples: **le système vous pousse au-delà de vos limites...** et il finit par vous envoyer dans l'au-delà tout court.

Cela vaut pour bien des gens intégrés au système.

(Le substantif 'système' n'est pas ici une notion vague et absconse relevant d'une certaine confusion mentale mystificatrice, mais un concept qui va se définir clairement au cours des pages à venir.)

Cela vaut surtout pour ceux qui refusent de s'intégrer, de se laisser récupérer par le système.

J'ai un prénom et un nom: André Mathieu.

J'ai une occupation principale: écrivain.

J'ai une occupation secondaire: **éditeur** de mes livres.

L'écrivain est la plume derrière un ouvrage, sa source, son âme: qui l'ignore encore ? Certes, la plupart des gens le savent, mais le système agit comme s'il l'ignorait, lui... On le verra bien dans ce livre...

Quant à l'**éditeur professionnel**, c'est celui qui reçoit un manuscrit d'auteur, le lit, l'apprécie, juge s'il pourra en tirer bénéfice, ce qu'il exprime par les mots 'publiable' ou 'impubliable', et décide de le publier ou non. (Certains devenus arrogants parce que bourrés de prétention et de subventions avouent en pleine télévision se débarrasser des manuscrits...) Il s'entoure de gens qui voient aux corrections du texte, à la conception et à l'exécution d'une page couverture comprenant illustration, graphisme et argument bon vendeur à l'arrière. Il demande et obtient des subventions pourvu que les livres édités ne soient pas de lui. Puis il envoie manuscrit et sketch de couverture à un imprimeur qui en fera des exemplaires du livre: en général de 1,000 à 3,000 au Québec. Et il confie ce tirage initial à un **diffuseur** ou distributeur qui verra à répandre le 'produit' dans les divers points de vente. C'est donc l'éditeur qui finance le livre via des emprunts bancaires, du crédit de fournisseur et le BS sophistiqué des subventions gouvernementales.

Beaucoup de gens confondent éditeur et imprimeur. Pour comprendre ce livre, il est essentiel de démêler ces différentes notions. Bien entendu, quand on sait ce qu'est un éditeur, on sait automatiquement ce que sont imprimeur et diffuseur.

Bien intégré au grand système qui nous enveloppe et gère nos vies, le petit système du livre a néanmoins ses exceptions, ses minorités. J'en fais partie. Car je suis à la fois l'auteur et l'éditeur de mes livres. Donc non éligible aux programmes d'aide de l'État.

Un vieux préjugé répandu et entretenu par ces gens d'argent que sont les éditeurs voudrait qu'un auteur qui publie de cette façon ne soit pas un véritable auteur. Rejeté par les éditeurs, il l'est donc, selon ce jugement plutôt téméraire, par tout le système du livre.

Aucun domaine n'est plus rongé par les vers nombreux et gluants du préjugé que celui du livre, et plusieurs d'entre eux seront forcés de montrer leur tête visqueuse au cours des chapitres qui viennent.

Je suis donc écrivain... Ou auteur si on veut. Ou du moins, je prétends l'être. Car un génial journaliste de La Presse du nom de Jules Béliveau ridiculisait le fait que je me présente moi-même comme écrivain au cours de la campagne référendaire à cause de mon roman **Présidence** qui se payait la gueule des politiciens, ces premiers et puissants défenseurs du système. Du grand et des petits qui s'intègrent au grand... Ce journaliste héroïque qui brandit la massue médiatique et en frappe sans discernement pour le plus grand plaisir de ses pareils en profitait pour cracher aussi sur Victoriaville où je demeure, une ville pourtant belle où les têtes sont aussi bien faites qu'à Montréal, Victo comme on l'appelle ici que je quitterai avec regret car, Beauceron de souche, je nourris le projet de me rapprocher de mes racines pour y vivre le troisième tiers de mon parcours. Un tiers de chemin qui pourrait bien être raccourci par devinez quoi...

Ce Jules Béliveau qui a le génie de pouvoir distiller un préjugé à la ligne, croit comme beaucoup d'autres que même après 26 ouvrages de 300 à 700 pages chacun, je suis autre chose qu'un écrivain. Ou bien que ma présentation devrait être faite par quelqu'un d'autre. C'est-à-dire un éditeur. C'est-à-dire quelqu'un d'autorisé dans le petit système du livre, monde microscopique bien intégré au grand système.

Monsieur Béliveau qui a si aisément la bave à la bouche avait peut-être la morve au nez quand cette présentation fut faite en 1978 par Québec-Amérique, l'éditeur qui grâce aux subventions faramineuses du gouvernement, a pris la tête du peloton dans son domaine.

En effet, cet éditeur qui a publié *Les Filles de Caleb*, les livres de René Lévesque, *Le Matou* et le dictionnaire visuel (un excellent produit), faisait de mon manuscrit **Demain tu verras** son premier roman en 1978. Oh! que je fus alors bien présenté! Écrivain rempli de promesses! Prix du libraire. Ventes surprenantes pour un premier livre. Sans même qu'on n'en connaisse un seul chapitre, on ouvrait devant moi toutes les portes –autrement verrouillées, je le saurai plus tard– des médias. Télé-Métropole, Radio-Canada, les stations de radio, les grands journaux: tous les médias montréalais sans exception m'ont accueilli dans leurs bras longs.

Et pourtant, 26 livres plus tard et au bout d'une année où j'ai produit 5 nouveautés (*Rose, Le Trésor d'Arnold, Le Coeur de Rose, Présidence* et *Un sentiment divin* qui comprend une pièce en 2578 alexandrins), je n'ai eu droit à aucune couverture médiatique autre que locale, si ce n'est cette 'torchonnerie' de ce 'torchonneux' de minus du journal La Presse.

Pas une seule porte de média ne s'est ouverte devant mon service de presse. Le termite du préjugé les a tous atteints et infestés. Le mérite d'un homme qui se débrouille depuis 20 ans sans aide de l'État dans un petit système où tous les autres, aussi bien Stanké que Québec-Amérique, ne survivent que nourris par la généreuse mamelle étatique pourvoyeuse de lait enrichi, n'a aucune signification.

Hors du système, point de salut !

Après mon premier roman dont les ventes et l'accueil par le public furent plus que bons, j'ai refusé de poursuivre mon intégration au petit système du livre. Et le grand derrière lui, avec la complicité de ceux qui en forment la toile d'araignée, c'est-à-dire les tisserands du banco-politico-médiatique, a pris sa revanche et m'en a fait voir de toutes les couleurs depuis 1979 jusqu'à finalement me faire monter sur un tapis roulant et provoquer cet infarctus qui aurait pu m'être fatal.

Fondé sur la mentalité des gagnants et la loi du plus fort, le grand système, lui-même, redisons-le, formé d'une foule de petits à son image et à sa ressemblance, vomit, écrase, détruit ceux qui refusent d'utiliser ses moyens à lui pour survivre, s'épanouir, faire des tentatives personnelles et légitimes de recherche d'un certain bonheur auquel ces êtres différents devraient avoir droit au même titre que tous les autres.

Les moyens du système sont essentiellement la tricherie, la violence froide, l'égoïsme pur et dur, sous des brillances artificielles dont nous sommes nourris chaque semaine par quelque gala de type hollywoodien que nous sert chaud et gras la télévision, fêtes qui couronnent la célébrité et la livrent à l'adoration du petit peuple. Veaux d'or transformés en vaches sacrées... et consacrées que l'on encense pour se glorifier soi-même et oublier qu'on est petit. Rien n'est plus représentatif du grand système que le star-system!

Sports professionnels et jeux olympiques ont adhéré à ce jeu diabolique grâce auquel l'humanité s'en va tout droit et vite chez le diable. Tous le savent; personne ne s'en croit responsable; personne ne dénonce; tous se laissent posséder par le pouvoir maléfique de la télévision, cet ange de lumière qui sait camoufler sous des dehors étincelants et prestigieux tout le mal qu'il répand.

Eh bien non, je ne suis pas un prêcheur, pas un lecteur de la Bible, pas un doctrinaire non plus; je ne suis qu'un humain qui pense et qui est, qui ne possède ni biens matériels, ni crédit, ni image... Je suis, mais je n'ai rien. L'être versus l'avoir...

Je suis à écrire ces lignes à l'âge de 53 ans.

Je n'ai rien du révolutionnaire néophyte qui dort sous l'affiche du Che. Mes murs sont blancs. Ils ne portent rien d'autre que de l'espace pour y écrire mes pensées. Presque tous ceux (hommes) de ma génération, les 45-65 valent entre 1/4 et 1/2 million $. Pourvus d'épargne, de biens monnayables à court terme, ils ont beaucoup reçu. Et beaucoup pris. Ils se sont bien intégrés au système qui les a bien payés de retour. Et ils sont sa plus grande force. Il s'est vendu pour plus de 3 millions $ de mes livres, mais le système m'a dérobé mes gains à mesure. Et sans lui, j'en aurais vendu le double ou le triple.

Sans argent et sans image, tu n'es rien. Tes 27 ouvrages et tes 4,400 heures de travail chaque année depuis 33 ans, c'est de la merde. Car seul le résultat compte.

On pardonne facilement à un écrivain d'être pauvre. *Le métier des lettres*, disait en substance Jules Renard, *est le seul où tu peux manger de la misère sans qu'elle ne soit assaisonnée de mépris.* Sauf si tu publies à compte d'auteur au Québec.

Oui, on pardonne à un écrivain d'être pauvre et cela, souvent, ajoute à sa légende, mais on ne lui passera jamais de ne pas posséder une image médiatique. Son talent ne saurait trouver une juste mesure en dehors de son revenu ou de sa réputation auprès non pas des lecteurs mais du public en général, lecteur ou pas.

Le système l'a décidé ainsi.

Et les siècles l'ont confirmé.

27 livres avec celui-ci, plus de 200,000 exemplaires vendus (mes chiffres sont authentifiés et non de cette poudre aux yeux d'éditeur qui fait le régal des plumes de journalistes flûte-en-cul), une nomination pour le Signet d'Or catégorie vote populaire à cause de la circulation de mes livres dans les bibliothèques publiques: tout ça signifie que quelqu'un quelque part doit bien se fier au contenu de ce que j'écris et pas à l'image que je donne...

Voilà pourquoi je dis sans flagorner que mes lecteurs sont les plus intelligents qui soient. Pas parce qu'ils me lisent, mais parce qu'ils osent lire un auteur qui n'a pas un nom médiatisé, qui ne s'appelle ni Tremblay, ni Beaulieu, ni Maillet, Cousture ou Ouellette. Quelqu'un qui me choisit sur une tablette de magasin ou de bibliothèque prend une décision personnelle; celui qui choisit un nom médiatisé est trop souvent ce qu'on appelait dans mon enfance un suivant-cul. Qui au Québec aurait lu *Le Matou* si le livre n'avait été imposé en France par un Club de Livres qui l'a fait pour obtenir en retour les droits sur un dictionnaire de rêves allemand que détenait l'éditeur québécois ? Une habile campagne médiatique a ensuite imposé le livre sur le marché d'ici... Ce n'était pas un mauvais roman sauf qu'il avait moisi plus d'un an sur les tablettes des magasins puis des entrepôts avant de décoller grâce simplement à une heureuse transaction... Il ne suffisait plus que de faire glacer le gâteau par nos médias suiveux et que n'impressionnent que les gros chiffres à sensation. Et on leur en a servi à souhait dans ce cas-là !

On ne risque pas de se tromper et de se faire ridiculiser si on parle de la dernière connerie d'un auteur de renom, car tout le système présume que ça ne saurait être une connerie, mais qu'il s'agit à coup sûr d'un autre chef-d'oeuvre.

Il fallait voir dernièrement nos charmants tue-mouches de Radio-Canada (Durivage et cie) accourir chez Michel Tremblay avant même que l'ultra-étoile des lettres d'ici n'appose sa signature au bas d'un manuscrit encore raturé (qu'il vendra bien 1/2 million $ au fédéral) tandis que 900 écrivains québécois n'obtiennent jamais le moindre espace sur ces ondes ultra-pourries, faute de posséder, eux, une image médiatique.

Pourries comme pas mal tout ce qui tombe sous la gouverne de l'État.

Et nous arrivons au coeur du grand problème qui touche la plupart d'entre nous, quelques-uns pour les favoriser et la plupart pour leur nuire d'une manière ou de l'autre: l'**interventionnisme étatique**. Les gouvernements ont pris l'habitude fâcheuse, désastreuse de fourrer leurs grosses et sales pattes à peu près partout tandis que leur rôle ne devrait jamais dépasser celui de surveillants bienveillants de la société pour prévenir les abus et empêcher sa décroissance et celle des individus, et, en cas de besoin évident, pour les remettre sur les rails du véritable progrès.

Mais nous avons affaire à des bouffons qui trichent pour eux-mêmes, qui s'amusent à faire de la stratégie politique et à se tendre des pièges plutôt d'administrer sainement, et surtout qui laissent la machine étatique s'infiltrer dans notre vie pour la régler, la minuter. Et pour s'immuniser, elle, contre ceux qu'elle considère comme des inadaptés au système: des êtres à neutraliser, à stériliser.

L'État chez nous est le plus grand ennemi du citoyen. Il assassine à petit feu des millions de gens à travers la violence froide. Dans les pays totalitaires, on tue sans le consentement des gens; dans les pays démocratiques, on les tue lentement avec leur consentement. La seule différence, c'est l'apparence de liberté et la durée de l'agonie.

L'État est le premier semeur de violence froide.

Et la violence froide est la cause première et fondamentale de l'autre violence, celle à spectacle qui fait les délices du troisième membre de la troïka systémique: le monde médiatique. Crimes tous azimuts, drogues, suicide, haine etc...

Tous ces énoncés de premier chapitre paraîtront gratuits à certains, mais chaque proposition sera étayée plus loin. D'aucuns à la mentalité de gagnants et parmi les plus intégrés au système penseront que l'auteur que je suis veut régler des comptes. Dire que Patrick Roy ou Michel Tremblay en reçoivent trop et que ça leur nuit, et que leurs surplus enlèvent du nécessaire vital à d'autres, ne relève pas du règlement de comptes mais du simple réalisme. L'équilibre de toute la société se porterait mieux d'un meilleur équilibre entre les individus. J'ai toujours dit que je désirais être le deuxième meilleur auteur au Québec, laissant la première place à tous les autres ex aequo. Non, je ne veux pas vaincre celui-ci ou celle-là, je veux simplement survivre pour pratiquer un métier que j'aime, sans me faire démolir à chaque effort comme depuis deux décennies par ces gouvernements à courte vue et par un système qui semble investi d'une mission destructrice et atroce.

Il restera au bout du compte une objection que certains voire plusieurs voudront utiliser prématurément au cours de leur lecture pour méjuger le contenu de ce livre qu'ils pensent devoir leur déplaire et les pointer du doigt directement ou indirectement: "Faut pas généraliser à partir d'un cas."

Et pourtant, tout le livre concède cela: à partir de l'avant-propos lui-même. Mon cas est bel et bien celui d'une minorité. Certes, mais une minorité, au Québec par exemple, cela peut représenter un million de personnes.

Si on ne décèle dans mon cas que celui d'un écrivain que ses gouvernements détruisent systématiquement, bien sûr que je suis seul de mon espèce. Mais si on y voit un cas d'exclusion parmi les autres, on en trouvera un char d'exemplaires semblables ici comme ailleurs et sans besoin de s'éloigner des pays dits démocratiques et développés.

Pour défendre le système, politiciens, journalistes et bien nantis vont tous jouer sur la carte de la généralisation indésirable quand on leur parlera de ce livre si on devait le faire un jour.

Ce livre s'adresse aux classes moyennes en descendant vers celles de la misère matérielle mais aussi à certains favorisés à qui il reste des morceaux de conscience sociale et planétaire.

Le système m'a fait vivre une histoire d'horreur depuis vingt ans, qui a connu son sommet dans cet infarctus provoqué. La vitesse à laquelle on m'a fait marcher sur ce maudit tapis roulant correspond à la norme pour les gens de sexe masculin dans la cinquantaine. Oui, mais mes forces correspondent-elles à la norme des gens du sexe masculin dans la cinquantaine ? Ceux chez qui on provoque une crise cardiaque sont une minorité. Le jeu en vaut la chandelle. On en tue un pour en aider 99. Je m'élève contre ça. On peut agir autrement. On le pourrait si tout n'était pas fondé sur la loi du plus fort, sur la loi de la norme qui est la loi du plus fort, des plus forts, contre ceux dont les limites sont inférieures à celles des gens de la norme... gens intégrés à qui le système sied plutôt bien...

On m'a mis sur un tapis roulant et on m'a demandé de dépasser mes limites. Comme Grinkov, le patineur artistique qui s'est imposé lui-même ce dépassement dangereux et glorieux, et qui s'est écroulé mort sur la patinoire à 28 ans. Comme le coureur de Marathon, jeune soldat fort, qui s'est effondré, mort, après avoir livré son journal oral aux Athéniens. Comme le galérien aux côtés de Ben Hur, esclave de la rame, moins résistant que les autres mais qui les suit à la cadence de **combat** que sonne le bonhomme aux marteaux de bois, qui les suit encore quand est orchestrée la cadence d'**attaque**, mais qui s'écrase quand on impose la cadence d'**éperonnage**. On lui a demandé de dépasser ses limites. Il tombe. Et sert de mesure...

Je marchais deux milles par jour depuis trois ans. Et au gros pas. Sans aucun essoufflement. J'avais déjà fait un tapis roulant. Roulant et raisonnable. Mais celui-là, je l'ai raté car on m'a poussé à la quatrième vitesse, à la cadence d'éperonnage...

Cette cadence, la société me l'impose depuis près de vingt ans dans ce métier d'auteur. En me trichant. En me volant légalement. En se donnant des lois et des programmes étatiques qui favorisent les uns et me détruisent, moi. Par le mépris. Par la rebuffade. Par les préjugés incroyables auxquels l'homme seul i.e. hors système, doit faire face...

Sans les gouvernements et leurs normes et leurs maudits programmes d'enrichissement des riches, je serais prospère. Je ne demandais même pas cela. Tout ce que j'ai voulu, c'est survivre pour écrire.

Je n'ai qu'un seul souhait à propos de ce livre: qu'il serve d'éperon pour picosser un système étouffant qui choisit délibérément de faire gagner les uns et de faire perdre les autres. Qu'il serve d'éperon afin que mon acharnement à suivre la cadence n'ait pas été vain et puisse servir à autre chose qu'aux leçons qu'on tire forcément d'un infarctus, surtout quand il fut provoqué artificiellement...

2

Autopsie d'un infarctus: préparation lointaine

Les causes

Avant de vous faire entrer avec moi à l'hôpital dans un prochain chapitre, faisons tout d'abord une petite virée dans mon passé afin de suivre l'évolution des causes possibles de mon 'accident' cardiaque du 27 octobre.

Le tabagisme

Je fumais par ci par là durant mon adolescence. A mon entrée sur le marché du travail fin 1961, cette mauvaise manie est devenue une déplorable habitude qui a duré un peu plus de dix ans. Ce qui est assez **peu**. J'ai écrasé ma dernière cigarette en septembre 1972 soit 23 ans **avant** mon infarctus. Et je n'ai pas beaucoup souffert de la fumée des autres par la suite.

Les 8 médecins qui m'ont vu au cours de mon hospitalisation ont été unanimes à écarter le tabagisme de la liste des causes à long terme de ma défaillance cardiaque survenue un quart de siècle après ma dernière poffe. Toutes les études scientifiques démontrent que les séquelles du tabagisme ne risquent pas de dépasser chez quelqu'un les 5 années qui suivent le jour de la cessation de son usage du tabac.

L'alcoolisme

Désolé: jamais bu ! Mais j'aurais dû. Qui n'a entendu parler du fameux paradoxe français ? Nos cousins d'outre-mer mangent bien plus gras que les Américains et leur taux de problèmes cardiaques est nettement inférieur. On n'a pu trouver une autre raison que leur usage quotidien et à vie de l'alcool. Et la chimie a démontré que le vin ingurgité en quantité raisonnable fait du bien aux artères coronaires en les empêchant de s'encrasser. Non, plutôt en modérant leur rythme d'encrassement par le cholestérol. Et tant mieux alors pour le Beaujolais nouveau !

Le gras alimentaire

Naguère peut-être en consommais-je en trop grande quantité, mais pas depuis quinze ans. Je vis seul et je mange le plus souvent chez moi. Je mange plutôt peu, tous le disent, et je cuisine fort mal. Donc sans épices, sans gras, sans goût... Je m'alimente sans plus, et parmi les plaisirs de ma vie, la bouffe se classe loin de la première place.

Jamais de porc, très rarement de la viande rouge, et tous les jours soit du poulet sans peau soit du poisson. Fruits, légumes, légumineuses. Pas de jaune d'oeuf ni de produits laitiers sauf ceux écrémés. Et crème glacée une fois l'an. Qui dit mieux ?

Mon menu quotidien manque de variété soit, mais cela n'établit aucun lien avec un quelconque risque cardiaque.

Le cholestérol

A ce propos, j'étais sur la ligne entre le tolérable et l'inquiétant il y a 3 ans. Mon médecin a jugé bon me prescrire un médicament pour stabiliser ce problème. En fait pour le prévenir semble-t-il, puisque mon cholestérol se situait en dedans des normes recommandées. J'ai fait remplir la prescription puis j'ai mis la bouteille de pilules sur le réfrigérateur et je lui ai parlé ainsi: *"Tu ne m'auras pas. Je vais faire un bon exercice quotidien et surveiller d'encore plus près le gras alimentaire."*

Et je n'ai jamais pris le coûteux médicament.

Et je me suis mis à la technique Nadeau à toutes les aurores, exercice suivi de 2 milles de marche. Tous les matins, sept jours sur sept. Des années durant.

La veille de mon infarctus à l'urgence de l'hôpital où j'étais pour la nuit, l'interne (qui se fait des problèmes de coeur une spécialité) m'a dit en se basant sur les **mêmes** résultats d'analyse sanguine ayant servi de base à mon médecin de famille pour me prescrire du Lopid, que mon taux de cholestérol ne justifiait **pas** une intervention médicamenteuse. Pas moi qui l'invente. *"J'ai bien fait de ne pas prendre les pilules ?"* ai-je donc demandé. *"Ce fut une bonne décision de votre part !"* me fut-il aussitôt répondu. Contradiction flagrante entre deux avis médicaux. Ce ne sera pas la dernière 'divergence d'opinions' quant à mon traitement, et à ma sortie de l'hôpital, je trouverai tellement de ces cas chez d'autres gens que je déciderai d'en faire un chapitre de ce livre.

Faut dire qu'un taux de cholestérol en deçà des limites dangereuses ne signifie pas forcément l'absence de blocages coronariens. Ce cher 'cholérol' –le méchant garçon aux initiales LDL– descend parfois du train pour d'autres raisons difficiles à cerner et installe son campement le long de la voie... Ce camp a pour nom générique **athérosclérose**... Ce qui n'est pas la même chose qu'artériosclérose. Et les obstructions elles-mêmes s'appellent **sténoses**. Je ne veux pas ici faire mon scientifique, mais je veux élargir le vocabulaire faute de pouvoir agrandir mes coronaires.

Le sommeil

Les médecins n'en parlent pas et n'interrogent pas un suspect cardiaque à ce sujet, mais je crois que voilà un élément fondamental de l'équilibre physique et mental. Il faut dormir selon ses besoins sinon le corps et l'esprit subissent des contraintes. On peut faire craquer un homme à l'empêcher de dormir: les interrogateurs nazis le savaient, eux. Bien sûr que nos bons docs de chez nous ne sont pas des *docteurs Mengele...*

Je fus toujours jaloux de mon temps de sommeil. Très rarement au lit passé dix heures et j'ai le front d'éteindre la télé au beau milieu d'un film prenant, d'une soirée des élections ou d'un Bye Bye mémorable... Peut-être que je ne devrais pas, que le stress qu'alors je me cause est pire que le manque de sommeil dont la suite de l'émission pourrait me priver... Ah! culpabilité, quand tu me tiens!

Les médicaments

Très peu pour moi toute ma vie durant. De l'aspirine à l'occasion. Et depuis 3 ans, une fort petite dose de Tenormin pour contrôler une certaine hypertension. J'ai peur des remèdes. C'est viscéral.

L'hypertension

Sous contrôle comme je viens de l'écrire.

En plus du médicament léger, je prends ma pression presque tous les jours et elle est toujours 'belle'...

La solitude

On dit que de vivre seul peut ajouter au stress et que les statistiques de longévité ne favorisent pas les solitaires... Vous pensez bien que depuis 15 ans, j'ai apprivoisé cette vieille folle de mon logis. Et je la mets dans le placard au besoin quand elle m'engueule trop fort, et ce, grâce à la complicité de sa cousine, l'autre folle qu'on appelle aussi l'imagination...

Les antécédents familiaux

Ils existent bel et bien dans mon cas. Et les médecins s'appuient énormément là-dessus pour rédiger leur dossier. Mon père est mort à 65 ans à cause d'un problème cardiaque. Son infarctus se produisit à 61 ans. Ses frères sont tous morts de la même cause sauf un, et ils se sont retrouvés dans la vallée de Josaphat quelque part entre leur 55e anniversaire de naissance et leur 70e.

Le pire exemple est celui de mon frère qui, après avoir clamé pendant des années qu'il prendrait sa retraite à 45 ans, a effectivement plié bagages à cet âge, mais pour s'en aller directement au ciel. C'était en 1985.

Mais il y a de gros bémols à mettre dans l'analyse de ces cas et les bons docteurs n'en font pas de cas, de toutes ces circonstances aggravantes et fort lourdes... Voyons un peu.

Ce frère décédé à 45 ans fumait trois paquets de cigarettes par jour. Il allumait la suivante avec la précédente. Je le sermonnais chaque fois que je le voyais. Il mangeait ce qu'il y avait à manger devant lui sans se soucier le moins du monde de son taux de cholestérol. Il vidait chaque jour une grande cafetière d'aluminium : au moins vingt tasses de café, et du fort. Hôtelier de son métier, il massacrait chaque nuit son temps de sommeil. Et il se bourrait de médicaments depuis des années. Pilule pour dormir, pilule pour se réveiller, pilule pour l'estomac, pilule pour le mal de tête...

Mon père a beaucoup fumé. Du canayen fort dans une grosse pipe encrassée. Il a travaillé dur. Mangeait gras comme ça se peut pas: des 'oeuffes' à deux jaunes, du 'baloné' Fédéral pis des grillades de lard épaisses comme le pouce. Forgeron de son métier, il a respiré à pleins poumons de la poussière de charbon pendant quarante ans. Pourtant, il a fait un infarctus 8 ans plus tard que moi.

Un de ses frères est mort du coeur dans la trentaine. Je ne possède pas les détails, mais c'était forcément autre chose que par athérosclérose; on n'a pas les coronaires bloquées à 38 ans. Ou les a-t-on ?

Un autre de ses frères nous a quittés à 85-86 ans, mais des suites d'un cancer. On peut donc être un Mathieu et vivre vieux sans que le coeur vous saute.

Qu'on ne tente pas de me faire croire que mes antécédents familiaux garantissaient pratiquement une crise cardiaque à courte échéance ! C'est la cadence d'éperonnage sur le tapis roulant qui l'a provoquée prématurément. Avec pour la préparer de longue main une autre cause dont ce livre fera l'analyse par le long et le travers: **le stress**. Et quand on me dit que je l'aurais faite quand même, cette crise, je réponds: *"Oui, mais peut-être pas avant 15 ou 20 ans."*

Le coeur de deux autres membres de ma famille immédiate s'est arrêté de battre dans la cinquantaine, mais dans les deux cas, il se trouvait un grave état pathologique en arrière-plan. Pour l'une, 30 ans d'arthrite rhumatoïde et pour l'autre une sévère sclérose en plaques.

Des antécédents familiaux, ça se discute, ça se questionne ! Mais on ne l'a pas fait dans mon cas... Peut-être qu'on ne le fait jamais non plus, je ne sais pas !

Le travail

Le samedi, le dimanche, les jours de fête. Tous les jours de l'année depuis des années. Un total de 4,400 heures par an. Faut lâcher, disent d'aucuns. Faut pas lâcher, disent d'autres. Moi, je lâcherais si j'en avais envie, mais je n'en ai pas le goût. J'aime ce que je fais, un point c'est tout.

On se rapproche de la grande cause à long terme. Car une partie de mon travail faisait problème. Cependant, cette partie n'a constitué qu'un des éléments à la base du stress qui m'a conduit au tapis roulant...

Le stress

"Le questionnaire est l'élément-clé du dossier médical," me dira un des 8 médecins. Et pourtant, pas un d'entre eux n'a approfondi sur ces si importants antécédents familiaux ni ne m'a questionné sur mon stress.

Bien entendu que les praticiens n'ont pas le temps d'entendre les récits d'une vie. On soigne dans l'immédiat un problème immédiat avec une médication appropriée c'est-à-dire immédiate...

Le stress se définit ainsi. Ensemble de perturbations biologiques et psychiques provoquées par une agression quelconque sur un organisme.

Au chapitre des agressions, on tend à inclure des événements positifs, du moins en apparence, comme par exemple se marier, gagner le gros lot ou même faire une croisière. Plusieurs réduiront donc la définition du stress à: capacité de s'adapter au changement, aux nouvelles situations, bonnes ou mauvaises, auxquelles la vie nous confronte.

Mais puisque la vie est un perpétuel changement, envisageons donc le stress comme cause de ce changement, quitte à le confondre avec désir et motivation.

Le stress nous touche chaque seconde de notre vie. Moteur invisible, il nous propulse en avant, nous fait agir. Il nous poursuit et nous entraîne jusque dans notre sommeil... Pour moi, en tout cas, si la journée fut dure, les rêves seront contraignants et difficiles... Stressants quoi!

Mais tout comme il y a deux sortes de cholestérol, celui (HDL) dit le bon et l'autre (LDL) dit le mauvais, il y a aussi deux sortes de stress: le bon et le mauvais. L'un nous donne des ailes. L'autre nous les ronge et nous les coupe. En fait, c'est le stress (négatif né de l'agression subie) et l'anti-stress (positif issu de ce qui a pour effet d'apaiser dans une situation nouvelle).

Faire un travail agréable engendre un bon stress que la perspective même de ce travail a fait naître d'avance. Accomplir une tâche contraignante, recevoir une mauvaise nouvelle, subir une rebuffade, une agression, vivre un deuil, perdre une personne et même un bien, être malade, craindre pour ceux qu'on aime, déménager, voilà quelques-unes parmi les sources multiples du stress négatif.

Tout comme le désir prolongé finit par se transformer en frustration, il arrive que le bon stress disparaisse pour faire place à l'autre. Par exemple, un exercice physique vigoureux mais agréable peut, si nous dépassons nos capacités et nos limites, devenir astreignant et engendrer un stress mauvais. Et cela peut même à la limite aller jusqu'à l'infarctus...

La création artistique: source de bon stress

Même s'ils exigent un haut niveau de concentration, d'intériorisation, le travail d'écriture du romancier et par extension le travail de création de tous les artistes, induisent et nourrissent un stress positif. Je n'élabore que sur mon métier d'auteur.

Chaque fois que je prends ma plume (ordinateur) pour écrire, je traverse un miroir vers une autre dimension de mon être et j'entre dans un état d'euphorie voisin, sans doute, de celui qu'atteignent les drogués. (Jamais je n'ai tenté la plus petite expérience en ce domaine et je me fie sur les on-dit.)

La plupart des auteurs ressentent ces mêmes effets que j'attribue à l'action des endorphines du cerveau. Ce qui tend à le démontrer, c'est ce pénible sevrage par lequel je dois passer après avoir mis le point final à un nouveau livre. Je tombe alors en deuil de tous mes personnages à moins d'envisager un second tome. Surtout, je suis en manque profond de quelque chose.

La plupart des écrivains pondent un ouvrage tout d'une traite pour ne pas risquer de tomber dans ce vide moral qui engendre le vide sur la nouvelle page blanche et ramène le créateur à la case départ où il était figé par ce qu'on a appelé le syndrome de la page blanche. Si ce n'est aussi grave que cela, c'est pour le moins la crampe de l'écrivain. Crampe mentale, il va sans dire.

On s'arrête en fin de journée, certes, lorsque la pile du cerveau est à plat et qu'elle a besoin d'une recharge par une bonne nuit de sommeil et de rêves profonds; mais en douze heures, on ne quitte pas assez longtemps sa table de travail pour tomber en état de sevrage.

Finir un livre, c'est mourir un peu. Et ça donne envie de mourir. A moins qu'on en soit encore à son premier ou deuxième ouvrage et que l'euphorie de la gloire –née des félicitations, de la reconnaissance et des claques dans le dos– nous envahisse et vienne remplacer celle de la création. L'ego a aussi de grandes puissances, d'énormes besoins à satisfaire; mais dès le troisième livre, on en est déjà revenu et les présences dans les médias passent au rang des ennuyeux devoirs à accomplir pour que survive et grandisse votre nouveau-né, ce qui vous permettra à vous, si vous êtes plus qu'un auteur d'occasion, de survivre également.

Donner chaque jour naissance à du neuf n'a rien à voir avec l'ego. Encore moins avec la passion. La passion nourrit l'ego. Le plaisir d'écrire, c'est autre chose. C'est celui du chercheur scientifique qui trouve. Celui du chercheur de trésor qui met la main sur des pièces d'or. C'est captivant, fascinant: rien à voir avec l'orgueil ou la passion qui elle, rend aveugle. Or, pour chercher et trouver, il faut avoir les yeux grand ouverts... Difficile d'exprimer cela de manière abstraite. Je n'ai jamais trouvé qu'une image pour illustrer ce propos et elle est plutôt bizarre à première vue. La voici quand même.

Quand j'écris, je m'imagine être un enfant de Mexico vivant dans un dépotoir qu'il explore chaque jour à la recherche de nouvelles choses intéressantes.

Mon dépotoir mental est rempli de rebuts, images défraîchies, souvenirs noircis, notions et arrangements de concepts rendus désuets, toutes choses en partie décomposées par le temps qui a passé depuis que le cerveau les a rejetées dans un de ses nombreux coins sombres.

Voilà que je trouve quelque chose qui a gardé un côté brillant et qui me paraît devoir ajouter à la construction littéraire que j'ai entreprise, soit un nouveau livre. Je déblaie l'objet mental, le contemple, l'imagine partie de mon édifice, l'essaie. Tout cela porte excitation et fébrilité mais je demeure en contrôle, et mon jugement n'accepte pas n'importe quoi sinon je me ramasserais avec un bâtiment tout bancroche et pas regardable.

Les trouvailles sont travaillées à l'aide des mots, polies, remises à neuf, rendues plus belles que dans leur réalité originale, ajustées à l'édifice et incorporées.

Quand la journée est faite et que je jette un ultime coup d'oeil à ma construction, c'est un progrès que je vois et non pas le reflet de mon ego ou le fruit de ma passion, bien que les couleurs de l'ensemble soient issues, elles, de l'ensemble de mes passions. On ne peut écrire sans colère, sans douleur, sans volupté, sans peur... mais on ne peut pas écrire qu'avec de la couleur et sans un support où la fixer.

Le stress qui fait avancer le 'créateur' n'a rien à voir avec ce **puéril** langage du **défi** et de la **fierté** que l'on entend à peu près partout et qui infantilise tant de gens en les ramenant tout droit aux premiers pas de leur enfance. Ce stress (en fait anti-stress) est bon, stimulant, emballant. Il réduit le mauvais qu'entre-temps, des humains nous causent par agression.

Car l'enfer, pour un créateur, c'est le plus souvent les autres. Il est bien dans ce qu'il fait, comme un enfant qui se construit des châteaux dans son carré de sable; mais il se trouve plein d'autres gens pour venir les lui endommager et tenter de les détruire.

Et c'est là que commence le stress négatif. Celui qu'on appelle du mauvais sang et qui vous fabrique des **sténoses** dans les artères coronaires.

En présumant que ces charmants blocages ne dépassaient pas les 30% en 1978 et donc ne me faisaient courir alors aucun risque d'infarctus, je vais remonter jusqu'à cette année-là dans le chapitre suivant afin de suivre à la trace le mauvais stress, cet ennemi dangereux qui allié à l'autre mauvais garçon, le cholestérol LDL, commençait dès lors à fabriquer des obstructions sur mes voies artérielles pour empêcher le train (le flot du sang) de passer librement.

Et, ainsi que je l'écrivais en chapitre 1, les coups les plus violents me sont venus du **système** qui nous gère pour le pire, et des gouvernements qui nous agressent en se targuant de vouloir aider la société, ces États volontairement aveugles et foncièrement injustes qui, allègrement, **déshabillent Pierre pour enrichir Paul qui roule déjà en Cadillac.**

Quant aux bras qui m'ont asséné ces coups, je dois leur pardonner car ils ne savent pas trop ce qu'ils font, tout inféodés qu'ils sont au système qui leur donne entièrement raison de frapper tant qu'ils peuvent pour y gagner quelque chose pour eux-mêmes, ne serait-ce que pour se libérer de leurs propres traumatismes émotionnels...

3

Système du livre à l'image du grand système.

Comme il faut des décennies pour encrasser des artères, il est nécessaire de passer par ce long chapitre pour comprendre la grande cause de mon accident cardiaque: le **stress de la vie professionnelle**. Un stress jamais venu de l'écriture elle-même mais du 'business' du livre, un 'business' **infecté** par l'action gouvernementale. Il faut aller dans certains détails de mon cheminement pour faire ressortir comment la société s'y prend pour fabriquer de l'**exclusion** dans un de ses systèmes, celui du livre qui rejette les auteurs de profession et nuit à la littérature et au patrimoine pour enrichir les gens d'argent de l'industrie et donner quelques 'peanuts' chaque année à des auteurs d'occasion déjà grassement payés dans un autre domaine, auteurs pour qui ces $ sont le superflu du superflu. Le lecteur en profitera pour mieux connaître le monde du livre et se libérer de certains préjugés.

Le grand système (structure banco-politico-médiatique) dans lequel nous vivons est **pyramidal**. Les gens de la base supportent le fardeau de l'édifice mais sont exclus des privilèges et souvent victimes de la **violence froide** de l'ensemble, surtout celle organisée, pensée dans les officines gouvernementales, souvent inspirée par les banquiers et la haute finance ou à tout le moins par des gens à hauts revenus, et prônée par le monde médiatique à travers la mentalité des gagnants.

La pyramide sociale

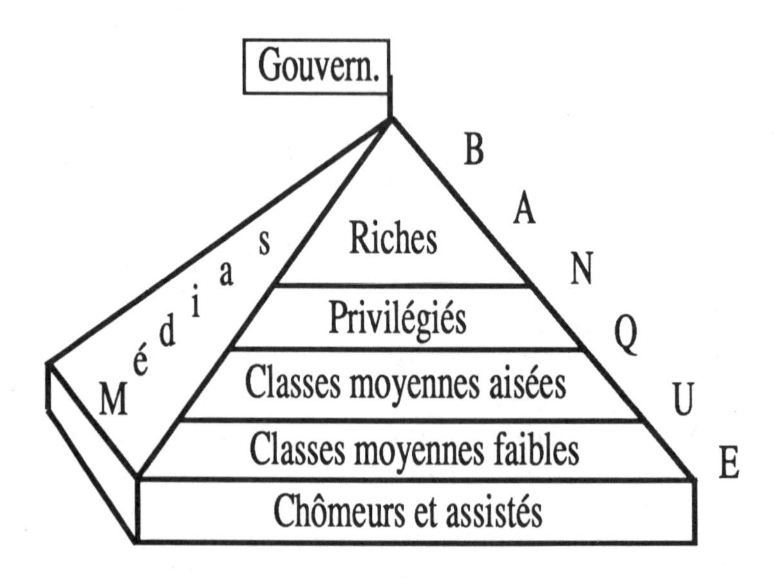

Le système est ainsi construit.
Il est fondé sur la structure banco-politico-médiatique.
Les médias ont remplacé la religion comme outil de propagande.
Les gouvernements sont la face cachée du système.
Les plus faibles doivent servir les plus nantis, s'agenouiller devant eux et les remercier de la permission de survivre qui leur est accordée par le système. Et même subir leur mépris.
L'État avec l'appui et la complicité du bancaire et du médiatique déshabille Pierre pour enrichir Paul qui roule déjà en Cadillac.
On répartit les $ d'un endettement (du futur) dans toutes les strates, ce qui devient du superflu pour les mieux nantis, puis, quand la dette est trop élevée, on ponctionne des sommes à tous les échelons pour essuyer déficit et dette. Sauf qu'alors, les seuls intérêts sur les réserves des mieux nantis leur servent à payer ce qu'on leur demande et il leur en reste beaucoup. Tandis que ceux qui n'ont pas pu engranger manquent alors du minimum vital. C'est la grande escroquerie sociale de notre temps.
Devenue tour de Babel, cette pyramide risque de s'effondrer. Car la violence froide que le système exerce se retournera de plus en plus contre lui en violence chaude.

Carrière stressante

Les sources de stress dans la vie professionnelle

C'est vers l'âge de 35 ans que m'est venu le véritable appel de l'écriture.

Véritable, car en 1970, j'avais 'commis' un roman de politique-fiction dans lequel de 'méchants terroristes' enlevaient et séquestraient un homme politique de premier plan. J'y ai mis le point final deux semaines avant la crise d'octobre. Il restait les corrections à faire.

Étonnement devant toutes ces similitudes entre ma fiction et la réalité qui alors nous sauta en plein visage. Et déception de constater que ces événements coupaient l'herbe sous le pied de ma plume déconcertée...

Bien sûr, le manuscrit fut refusé par les deux éditeurs à qui j'ai osé le faire parvenir ensuite. Les ressemblances avec la réalité donnaient au contenu un mauvais goût évident tant l'intrigue semblait plagiée sur la crise politique qui secouait le Québec et le Canada.

On ne m'a pas cru quand j'ai dit que le texte était du printemps et de l'été. À quelque chose malheur est bon. En attribuant ces refus à une cause fortuite, je pus m'en consoler rapidement et mettre à l'abri dans un coin optimiste de mon esprit la valeur de mon 'chef d'oeuvre'.

Sept ans s'écoulèrent.

Il y eut recherche créatrice dans l'enseignement que je pratiquais depuis 1961 et que je quitterai en 1975, puis dans les affaires qui me firent un clin d'oeil d'une durée de deux ans, de 1974 à 1976.

Mais le domaine choisi me déplaît royalement et je le déserte. Puis je quitte ma Beauce natale pour aller m'installer sous des cieux que j'imagine à tort plus prometteurs, imposant par là à ma jeune famille un changement de cap majeur qui devait lui peser lourdement jusqu'à son éclatement 4 ans plus tard.

En 1977, fort d'un coussin financier, je prends ma plume, histoire de faire le point sur 35 années d'une vie peu fertile en événements mais riche d'émotions.

Dès lors, je découvre à quel point écrire ce qui vous

est arrivé transforme les choses, les embellit ou les noircit, en tout cas les colore de passions plus accusées parfois, plus nuancées d'autres fois, que celles ayant accompagné la vraie vie. Le banal devient original pour peu qu'on l'examine sous tous ses angles et qu'on le présente dans sa perspective la plus intéressante.

Les problèmes familiaux augmentent. J'ai semé le vent au début des années 70 et je récolte la tempête à la fin de la décennie. Mais je ne m'en rendrai vraiment compte que plus tard. Trop tard. J'échapperai au pire du stress créé par ma séparation et ma nouvelle solitude grâce à l'écriture, et c'est pourquoi, dans cet ouvrage, je ne prendrai pas en compte les aléas de ma vie privée dans le bilan des facteurs de mauvais stress. Car il me semble que la douleur morale qui s'écoule par vos yeux traumatise moins que les agressions bêtes et méchantes du quotidien qui, elles, se multiplient envers moi durant des années et des années.

Mon seul et grand refuge donc, c'est la création littéraire qui me rend euphorique. Le passé s'ajuste à ma mesure du moment, ce qui ne le rend pas forcément rose de bout en bout. D'ailleurs, le bilan sentimental de mon premier livre sera plus noir que rose.

Et puis quand on écrit son premier livre, on croit devoir changer le monde. L'illusion vient sans doute de ce que c'est soi-même qu'on voudrait voir changer en profondeur.

Ce roman-récit 'autobiographique' finira par compter 850 pages que j'expédie à deux éditeurs. Après les refus traditionnels, surtout d'une pareille brique en un temps où les auteurs québécois avaient tous la briquette plutôt mince, je lis et relis mon texte et le ronge de 250 pages. On en viendra à un livre de 400 pages sans rien amputer de plus et en réduisant la grosseur du caractère utilisé pour en faire l'impression, de sorte qu'une page du livre comprendra 2 fois plus de texte que par exemple une page de Pélagie-la-Charrette.

Autobiographique entre guillemets car ça ne le fut qu'en apparence; mais je ne vais pas entrer sur cette voie de service...

Revenons donc à la frustration omniprésente dans ce

métier des lettres, à la rebuffade qui est notre pitance quotidienne... Venue de tous côtés...

Se faire retourner un manuscrit bêtement et simplement, sans même qu'on ait pris la peine de vous fournir la moindre explication, sans vous gratifier du plus petit commentaire, d'un minime 'non merci', constitue l'un des pires coups de poing qui se puisse imaginer pour un auteur qui a injecté sueur et sang dans chaque page de son manuscrit, dans chaque paragraphe, chaque phrase, chaque mot, des mois et des mois durant.

Bien plus que rejeté, il se sent méprisé, bafoué, frappé. Et c'est bien moins son ego qui en souffre que son coeur. Car il a fait de son mieux avec les moyens dont il disposait, héritage culturel, talent, patience. Et voilà qu'un homme d'argent détenant un pouvoir qui lui a été conféré par un arrangement social, lui crache au visage un silence hautain...

Je devais connaître bien pire dix ans plus tard quand un de nos plus subventionnés de ce groupe choyé des éditeurs, me répondra avec l'arrogance qui le caractérise : "Malgré le supplice de la tentation devant votre alléchante proposition, nous nous contentons de nos auteurs..."

Toute sa vie chez nous, cet odieux personnage a 'sniffé' tout ce qui vit des mamelles de l'État, tout les milieux où il est possible d'exercer un totalitarisme intellectuel (par exemple Radio-Canada) et il se permet de ridiculiser un auteur qui a osé lui faire une offre. Ni respect ni générosité. Pas étonnant que ce même ostrogoth prétentieux déclare à la télé d'État fin 1995 que lui, se débarrasse des manuscrits. Et ce n'était pas un lapsus puisque rappelé à l'ordre par un collègue plus généreux, il n'a rien rectifié.

Un éditeur subventionné grassement n'a-t-il pas le devoir élémentaire et ne devrait-il pas avoir la décence de respecter, d'examiner avec soin et de commenter objectivement chaque manuscrit que des créateurs lui adressent ? Pourquoi cet inconcevable mépris des gens d'argent envers les créateurs qui constituent leur 'cheap labor' ?

Mais revenons en 1978 et à mon premier roman qui aura pour titre *Demain tu verras*. Puisqu'on refuse de l'éditer, je le ferai moi-même. Un Beauceron ne baye pas aux corneilles bien longtemps après un contretemps. Le public me donnera la réponse dont j'ai besoin pour décider si je continue dans cette voie de la création littéraire qui m'a tant plu au cours de l'année 1977 malgré toutes les douleurs que m'infligeait ma vie privée.

J'entreprends le processus d'édition. A cette époque, pas d'ordinateurs personnels et il faut confier son manuscrit à une maison de composition typographique. Etape longue, coûteuse et très **frustrante**. Les filles sur les machines vous font 5 ou 6 fautes par page et vous devez ensuite lire et relire les épreuves pour corriger tout ça: jusqu'à 3,000 fautes à relever dans certains cas. Il finit toujours par en rester car le cerveau compense souvent pour les erreurs et l'oeil ne les décèle pas. Mais par la suite, c'est toi qui auras l'air d'un beau crétin devant ceux qui, souvent pour se valoriser, te feront remarquer l'abondance de coquilles dans ton livre. On me reproche encore les fautes dans *Le Bien-Aimé* paru en 1983. 3,000 erreurs avaient été injectées dans le texte par l'atelier de photocmpo et il eût fallu un correcteur professionnel pour tout repérer, mais un tel service aurait requis des **subventions**. Or, un auteur-éditeur n'est pas éligible aux programmes d'aide de l'État...

Donc je vais bientôt faire paraître mon premier roman. On est au printemps 1978. Mais le destin a de ces fantaisies... Pas même une semaine avant la fin de l'étape composition typographique, je rencontre par hasard dans un hall de l'UQUAM un cousin que je connais mieux que mes voisins et qui est p.d-g. d'une jeune maison d'édition.

Il me met en garde quant aux difficultés de l'auto-édition, demande à voir mon manuscrit. Je le lui fais parvenir le jour suivant. Ils sont deux à le lire au cours du week-end. Un homme, lui, et une femme, la sienne. C'est l'unanimité. "Un bon roman." L'opinion est si enthousiaste que j'en suis estomaqué. Pas par modestie mais parce que je fus refusé deux fois plutôt qu'une déjà...

Et le livre paraîtra en avril, à temps pour le salon du livre de Québec. Mon premier acheteur sera Robert Cliche. Le lancement a déjà eu lieu à Montréal à la maison

Ludger-Duvernay. Les médias y étaient. Photos. Claques dans le dos. Des journalistes de la Beauce viennent. Je 'passe' à toutes les émissions 'pertinentes'... *Femmes d'aujourd'hui, Parle, parle, jase, jase...* De quoi me prendre pour une tête d'affiche.

Les ventes sont surprenantes pour un premier livre et une pareille brique. 5,000 exemplaires en quelques mois. Faut dire qu'un livre québécois fait généralement de 1,000 à 2,000 et devient best-seller à 3,000 et plus.

L'éditeur, lui, parle de 25,000 exemplaires de *Demain tu verras* sous prétexte que 5 personnes au moins lisent un livre. Il gardera cette habitude. Multiplier les vrais chiffres par 5 pour faire marcher ces crétins de journalistes. C'est de bonne guerre dans un marché compétitif et ça ne fait de mal à personne, soutient-il.

Sauf à la vérité et à la concurrence dont je ferai partie très bientôt...

L'éditeur prépare sa production d'automne. Et mon nouveau-né qui n'a pourtant encore que 4 mois est déjà relégué aux oubliettes bien que la réponse du public demande un nouveau tirage voire plusieurs autres.

Cette attitude pour le moins frileuse m'offusque. De plus, je ne vois pas de survie possible dans le métier des lettres (qui m'appelle irrésistiblement) si je ne peux sortir plus de sous du ventre d'un livre. Je n'ai pas, comme beaucoup d'auteures, de conjoint sur qui me reposer pour gagner mon sel... Faut manger et payer son loyer avant de prendre sa plume... Tout le crédit bancaire de l'éditeur devait soutenir ses nouveautés. Mais il ne m'explique rien de cela, peur ou orgueil, et ce sera l'inévitable rupture.

Ai-je eu tort de demander un nouveau tirage ? Je ferai racheter les droits en 1980 et par la suite seront vendus 20,000 autres exemplaires en 5 ans.

Les droits sur les 5,000 exemplaires des 3 premiers tirages ne me seront **jamais** versés.

L'auto-édition

Je me lance à mon compte (on dit compte d'auteur) en 1979 avec *Complot*, un roman de politique-fiction sur le référendum à venir... Pas un diffuseur ne veut me voir. Alors en plus d'éditer, je diffuse moi-même avec une vieille Ford station-wagon qui m'emporte aux quatre coins du Québec. Les libraires sont très ouverts. Je suis sauvé... Pour un temps...

L'enthousiasme me porte. La naïveté est grande.

Pas un média ne m'ouvre ses portes et le seul article que j'obtiendrai sera de Normand Girard du Journal de Montréal, qui veut faire un poisson d'avril à ses lecteurs...

Mais je vends tout mon tirage et réimprimerai 2 ans plus tard. La production catégorie populaire est clairsemée. Les gouvernements n'interviennent pas trop encore.

La grande leçon de cette première aventure est de me rendre compte qu'un auteur qui n'a pas d'éditeur pour le vanter et le vendre n'a guère de crédibilité et fort peu de crédit auprès des médias. Quant au crédit bancaire, il est carrément allergique à l'entreprise du 'lone ranger'. (Dans le monde bancaire, le manque de concurrence est flagrant et il faudrait une déréglementation qui permette la naissance de nouvelles banques axées sur les vrais besoins régionaux, mais quel politicien osera proposer cela ? Pourtant, la multiplication des petites banques constitue une des grandes clefs de la réussite économique américaine tandis que le monopole de quelques grandes banques au Canada est une cause importante de nos fiascos grandissants et à répétition...

Les bonnes années

Le traumatisme que me cause l'éclatement familial en 1980 sera atténué par des années de production intense. J'aime écrire et en même temps, j'apprends à le faire. Ce sera en 1980 *Un amour éternel*, l'histoire d'une maîtresse d'école de village. Puis *Chérie* en 1981. Et *Nathalie* en 1982 de même que *L'Orage*. J'écrirai *Le Bien-Aimé* et *L'Enfant Do* en 1983. *Demain tu verras* (2) et *Poly* en 1984.

Les ventes moyennes seront de 11,000 au titre et l'un d'eux, *Nathalie,* atteindra les 35,000 exemplaires. Le milieu de l'édition s'en ronge les ongles jusqu'aux coudes.

Tout ce temps-là, j'ai plusieurs projets en tête. Deux en particulier. L'histoire d'une maîtresse d'école de rang puisque *Un amour éternel* a connu beaucoup de succès. Et un gros roman historique avec pour personnage central le plus grand héros noir de l'histoire américaine: Benedict Arnold qui s'est souvent baladé chez nous...

Et je me moque royalement des médias dont les portes restent fermées hermétiquement. Je ne leur envoie même plus de communiqués. Et je me ris encore plus des subventions qui ne m'apportent qu'un seul plaisir: celui de pouvoir m'en passer. Quant au prêt public qui vous 'communise' le cerveau et donc vous coupe d'une partie de votre clientèle, je n'y pense que les jours où on me demande de donner une conférence dans une bibliothèque.

Mais pendant que je vis sous verre, protégé par la douce euphorie d'écrire et la régularité des revenus, je ne vois pas qu'il s'en passe, des choses, dans le domaine du livre. Et qui toutes contribueront à me rapetisser la tête certes, mais pas à me détruire... tout à fait.

On est encore dans la première partie des années 80, aux heures de gloire de l'imbécile **interventionnisme**

étatique tout partout. Dépenses orgiaques de nos gouvernements. Mentalité des gagnants au pouvoir. Subventions à la pelle aux entreprises qui naissent comme des champignons et meurent aussi vite après que leurs promoteurs aient empoché les argents publics.

On assiste à une gigantesque **fraude étatique** par laquelle des centaines de milliards sont prélevés sur le futur de la société par endettement national pour devenir le **superflu** de tout un groupe de citoyens, les mieux nantis. Ces milliards refilés aux choyés de la société par le chemin des abris fiscaux tous azimuts, de l'universalité de programmes (allocations familiales, pensions de vieillesse, soins de santé et d'éducation) et surtout de subventions farfelues, éparpillées à tort et à travers en toutes directions, justifiées par une pseudo-création d'emplois, ces sommes, dis-je, deviennent des condos en Floride, des REER, divers placements, maisons luxueuses, terrains et autres propriétés payés, du luxe 'bien mérité', des voyages de par le monde et même des argents cachés en dehors du pays. Des gouvernements de **bandits** se succèdent à Ottawa. Ceux de Trudeau et de Mulroney, qui repassent la facture et l'odieux de devoir la régler à leurs successeurs. Mais leurs successeurs, plutôt d'aller chercher les réductions de déficits et de dette dans le **superflu** que leurs prédécesseurs ont répandu chez ceux du haut de la pyramide sociale, font porter la responsabilité des problèmes de la finance publique à ceux d'en bas. Chômeurs, assistés et petits salariés. La santé et l'éducation populaires seront les premiers domaines à souffrir. C'est cela, la plus impensable **fraude étatique** jamais réalisée dans un pays dit démocratique. Elle est digne de Marcos, de Duvalier, du schah d'Iran et autres dictateurs corrompus, mais est ici accomplie avec l'assentiment des populations. Et c'est pourquoi nos politiciens dont l'inconscient se sent coupable ont toujours à la bouche un langage lénifiant où abondent les deux mots 'démocratie' et 'fierté' par lesquels on peut le mieux endormir les masses et s'endormir soi-même, tête et remords.

Ce paragraphe n'est pas une digression. Tout autant que mon coeur et ses problèmes, il se situe au coeur même de ce livre. Car, comme tant d'autres, je serai victime de cette fraude barbare par laquelle **l'État** (surtout fédéral) **déshabille Pierre pour enrichir Paul qui roule déjà en Cadillac.**

De 1980 à maintenant, je fus systématiquement volé par les gouvernements et cela m'a tenu sur **haute tension** toutes ces années. On s'est attaqué à mon emploi, on me l'a fait perdre, j'ai réussi tant bien que mal à le rattraper. L'État, fédéral et provincial, est le premier et grand responsable de la précarité de ma situation depuis 1986. Et cette incertitude est vécue par des centaines de milliers de personnes voire des millions. Nous avons eu les gouvernements **les plus pourris au monde** et il n'est pas étonnant que moins de 4% des gens fassent confiance aux politiciens. Les 'séparatisses' n'ont pas eu besoin de briser le Canada, c'est les 'fédéralisses' qui ont fait la job. Et voilà que les uns veulent construire entre deux bougons de Canada un Québec indépendant dont le système et la pyramide sociale seraient comme ceux du Canada. **On a déjà assez d'un Canada, pourquoi une imitation de Canada entre deux bougons de Canada ?**

Mais revenons voir en 1984.

Je décide de me lancer dans mon vaste projet de roman historique à la base duquel se trouve une recherche de 4 ans qui fera l'objet d'une bibliographie détaillée à la fin du roman *La Sauvage* paru en 1985.

Un gros travail. 700 pages. Une tranche d'histoire qui va de 1755 à 1775 avec évolution des personnages et des événements vers un point focal: une harange de Benedict Arnold à Sartigan le 4 novembre 1775. Un non-événement (le non-dit de l'Histoire) plus porteur de conséquences que l'échec des Américains devant Québec le 31 décembre suivant.

Pendant que je suis plongé dans ce long exercice mental, les choses tournent mal à mon insu. Mon diffuseur se dirige vers la faillite. Le marché du livre change et perd des plumes en dehors des librairies. Mésadaptation du distributeur à la nouvelle donne. Maladministration. Attrait de son p.d-g vers l'édition qui est déjà grassement subventionnée.

Automne 85, *La Sauvage* paraît. 8,000 exemplaires. Le diffuseur en vend la moitié en quelques mois, ne me paie pas et fait faillite. J'ai la dette de l'imprimeur à rembourser: $30,000. Et seulement 4,000 livres pour le faire. L'imprimeur me fait un cadeau de fête le jour de mon anniversaire de naissance (10 avril 86) en saisissant les 4,000 livres pour me forcer à le payer. En somme, c'est comme s'il m'enlevait mon portefeuille en me disant ensuite de le payer. Or, je n'ai jamais pu obtenir le moindre crédit bancaire. Je dois donc sacrifier tout mon fonds soit les exemplaires restants de tous mes titres précédents afin de régler la dette, et je me ramasse 'tout nu dans la rue'. Pas de stock. Pas de diffuseur. Et pas d'imprimeur. Pas de crédit bancaire. Plus rien.

Année horrible, dirait la reine, que ce 1986.

La concurrence est prospère et abondante. Elle peut compter sur de substantielles **subventions annuelles**. Le système se venge en me forçant à envoyer mes manuscrits à un ou des éditeurs. Ma réputation est terrible dans le milieu. Personne ne voudra seulement lire une ligne de ce que j'ai fait. Quand on est confortable dans les bras de l'État à lui sucer les mamelles, on n'a que faire des auteurs rebelles et 'chialeux'.

Le sujet sur lequel je voulais bâtir un roman, la vie d'une maîtresse d'école de rang du début du siècle, s'est envolé dans *Les Filles de Caleb*, un livre qui sera édité grâce à des subventions venues de programmes auxquels je ne suis pas éligible puisque je suis sans éditeur donc en dehors de la norme. Et hors système...

On a considérablement développé le réseau des bibliothèques publiques dans la première partie des années 80 par l'implantation des BCP ou bibliothèques centrales de prêt, organismes subventionnés qui permettent de fournir des livres à 40, 60 ou 80 petites bibliothèques dans une région donnée.

L'État détruit votre gagne-pain... et votre bonheur

Avant les BCP, je comptais 2, 3 ou 4 lecteurs-**acheteurs** dans chaque petite municipalité. Après leur implantation, je comptais 2, 3 ou 4 lecteurs-**emprunteurs**. Les BCP m'ont coupé de 1,000 à 2,000 ventes au titre. On me lit toujours dans les plus petits coins du Québec, mais ça ne me rapporte rien, et je n'ai même pas droit à un merci.

C'est ça, de la pure **'communisation'** de cerveau. On achète un objet (ici un livre) avec les deniers publics et on met cet objet à la disposition de tous. Au diable le cerveau qui l'a pondu et au diable la survie de l'auteur puisqu'on a le moyen légal de le détrousser. Si on devait 'communiser' ainsi par exemple les mollets de Patrick Roy, le sang coulerait dans les rues. On crierait au communisme et au totalitarisme. Pourtant, on 'communise' mon cerveau et celui des auteurs en général, et personne ne s'en préoccupe. Et chacun trouve ça parfaitement naturel parce que ça se fait comme ça depuis longtemps. C'était aussi un des arguments des esclavagistes au siècle dernier: le droit acquis...

Tous ceux qui s'occupent de livres, éditeurs, employés d'éditeurs, imprimeurs et employés d'imprimerie, bibliothécaires, secrétaires, transporteurs de livres, diffuseurs, libraires et employés de librairies, balayeurs de planchers dans les bibliothèques, critiques etc... touchent un salaire décent pour leur travail. Mais le fou braque qui en est l'origine, l'auteur, touche entre 0,01¢ et $3. l'heure pour le sien. Et tout le monde trouve ça drôle... L'entrepreneur qui fournit le **béton** d'une bibliothèque publique s'enrichit, mais l'auteur qui fournit la **matière grise** de cette même bibliothèque est détroussé par le système du prêt.

Je ne veux pas qu'on ferme les bibliothèques, bien au contraire, et je suis toujours disponible quand elles me demandent d'aller rencontrer leur monde. La plupart des bibliothécaires m'ont donné leur encouragement et savent que ce n'est pas contre eux que j'en ai. C'est à l'État qu'il appartient de compenser pour le manque à gagner que signifie pour un auteur la circulation publique subventionnée de ses livres.

Plusieurs bibliothèques en sont venues à louer les livres trop demandés par la clientèle. C'est ainsi que par exemple, un exemplaire d'un de mes titres pourra rapporter 100$ par année à une bibliothèque tandis que le dit exemplaire aura donné en tout et pour tout $5. à son auteur. Une incroyable farce! On peut sans aucune exagération estimer entre **2 à 3 millions de dollars** la valeur des prêts de mes livres dans l'ensemble des bibliothèques publiques du Québec entre 1978 et 1996. Je n'ai même pas eu droit à 30 mille $ de rétribution par le gouvernement soit $3,500 par année.

Le principe de la rétribution des auteurs pour la circulation publique de leurs livres est reconnu partout dans le monde. Nous, on l'a fait en 1986 quand le fédéral a mis sur pied le **DPP** (programme du droit de prêt public) administré par la **CDPP** ou commission du droit de prêt public.

Sauf que par électoralisme bleu, on a dénaturé le programme dès le départ par 2 critères vicieux concernant la répartition des sommes dont il dispose.

1. L'enveloppe budgétaire est répartie non pas en vertu de la circulation réelle des livres d'un auteur mais de leur seule et simple **présence** dans 5 bibliothèques universitaires.

2. Un **plafond** (maintenant abaissé à 3,300$) fut fixé pour empêcher un auteur de toucher *trop* d'argent.

(Le provincial qui, de concert avec les municipalités veille aux constructions de béton des bibliothèques et se fiche tout à fait de la matière grise qui est à la base des livres, est plus coupable encore en ne faisant rien du tout pour réparer l'injustice faite à l'auteur par le prêt public de ses oeuvres. Pour un peuple qui craint de perdre sa culture, voilà qui ne brille pas fort fort... D'autant pas fort que les budgets pour achat de livres dans les bibliothèques publiques sont très réduits et beaucoup plus faibles chez nous que partout en Amérique du Nord.)

Examinons les arguments qui ont servi à concocter cette monstruosité de DPP puis dégageons-en les conséquences. On verra comment le système, ici le **fédéral**, s'y prend pour organiser de toutes pièces l'injustice, le gaspillage d'argent, l'improductivité du citoyen. (Pas étonnant quand on est mené par des crétins au cube qu'on ait attendu à nos jours pour rendre **pro-actif** le programme d'assurance-chômage. Surprenant de voir toutes ces vedettes politiques ayant conduit le pays en pleine merde par des dépenses sans mesure travailler maintenant à l'en sortir et découvrir tout à coup la vertu de la mesure, la prévoyance, la prudence. Et c'est la même sacro-sainte ratatouille, hein !)

Et on y trouvera une des causes principales de mon stress à long terme, donc de mon blocage des coronaires.

Pour adopter les deux principes de répartition de l'enveloppe budgétaire de la CDPP, lesquels dénaturent le programme en l'empêchant de correspondre à sa définition même et à sa raison d'être, on a invoqué 4 raisons. Trompeuses à vue de nez...

1. Tout livre mérite rétribution, même celui du moindre auteur...

2. Trop cher d'établir un contrôle de circulation réelle...

3. Les auteurs en majorité veulent ces critères.

4. Les livres qui ne 'marchent' pas ne sont pas gardés dans les bibliothèques.

Réponses

1. Si tout livre mérite rétribution, où est la mienne pour tous ceux écrits et publiés après le 10e qui, lui, me fait atteindre le plafond imposé ? J'en suis à mon 27e ouvrage et les 17 plus récents sont 'communisés' sans la moindre compensation. Pourquoi un tel rapetissage de tête par un plafond aussi injuste ? Ça signifie qu'on ne veut pas d'auteurs de profession mais une littérature à temps partiel, celle de journalistes, professeurs ou autres qui, à l'occasion, 'commettent' un ouvrage. Ces gens qui gagnent déjà beaucoup n'ont aucun besoin des 'peanuts' fédérales; pourquoi pareil gaspillage irréfléchi... ou plutôt réfléchi par des trous-du-cul électoralistes ?

Et si leur oeuvre, à ces auteurs d'occasion, circule beaucoup, alors qu'ils soient récompensés à l'avenant !

N'est-ce pas comme ça que fonctionne le système ? Si ce que tu es ou ce que tu fais est en **demande**, tu en tires davantage que si personne ne veut de toi ou de ton produit. L'offre et la demande, bordel de merde ! Pourquoi déroger à cette règle de l'économie de marché dans le cas des livres ? Pourquoi ? Suivez l'$ et vous aurez la réponse... comme toujours...

2. Trop cher d'établir un contrôle de la circulation réelle des livres des auteurs d'ici ? Grosse maudite menterie des gens du fédéral. Pour moins de 50,000$ par an, n'importe quel sondeur sérieux peut établir un échantillonnage plus que suffisant puisque toutes les bibliothèques tiennent déjà les fiches écrites ou électroniques de tout ce qui bouge chez elles. 50,000$ sur 3 millions $, ça signifie moins de 2% de l'enveloppe.

D'autre part, la CDPP (au programme élitiste et hypocrite) enquête dans des bibliothèques universitaires qui ne sont **aucunement représentatives** de l'ensemble du réseau des bibliothèques publiques.

3. Quelle farce que de demander aux auteurs eux-mêmes comment ils veulent que l'enveloppe soit répartie quand on sait que 95% d'entre eux sont des écrivains d'occasion (comme Denise Bombardier, Jean Chrétien ou Nathalie Petrowski) et que presque tous sont grassement payés déjà par la société en tant que journalistes, vedettes de quelque chose ou professeurs !

Il n'appartient pas à ceux qui se partagent une enveloppe budgétaire gouvernementale de décider de son mode de répartition, mais au **public payeur** qui, s'il est assez grand pour élire des députés doit l'être aussi pour savoir qui il veut voir écrire. Et son choix, il l'exprime clairement par ses emprunts de livres dans les bibliothèques.

Dans une démocratie qui sent mauvais, les majorités ne craignent aucun déni de justice élémentaire ni même le viol des règles démocratiques elles-mêmes pour en obtenir un peu plus... Elles sont **insatiables...**

4. Les livres qui ne 'marchent' pas ne restent pas sur les tablettes des bibliothèques, prétendent les fonctionnaires d'Ottawa. Argument tordu, faux en soi, spécieux. Car pour prouver qu'un livre ne marche pas, il faut justement qu'il ne marche pas au moins 1 an. Peut-on imaginer une seule bibliothèque jetant une nouveauté aux poubelles au bout de 3 ou 6 mois ? Foutaise de fonctionnaire crétin! Or, pendant cette année-là, cet ouvrage va piger dans l'enveloppe budgétaire pour probablement enrichir un auteur d'occasion déjà fort bien rétribué par la société.

Nos gouvernements de **gangsters** déshabillent **Pierre pour enrichir Paul qui roule déjà en Cadillac**. On l'a fait dans de multiples domaines dont celui de la circulation publique des livres. Mais surtout dans tout l'ensemble de la société via la gigantesque fraude étatique par laquelle, via la dette nationale, on a donné du superflu à des centaines de milliers de gens privilégiés pour ensuite aller, une décennie plus tard, le récupérer dans la poche des gens des classes moyennes en descendant en les privant de droits fondamentaux comme celui aux soins de santé et aux services d'éducation de même qu'à des allocations sociales ou de chômage aptes à leur assurer une survie minimale... (Je me répète, mais c'est pédagogique i.e. à dessein afin de tâcher d'imprimer mentalement l'idée... à la manière des médias et de la publicité...)

Voici comment le fédéral, ce gouvernement de vermines, gaspille plus de 3 millions $ par année via le DPP: une goutte dans la mare de ses dépenses irréfléchies, non seulement inutiles mais nuisibles à l'ensemble de la société. Et notre ministre des finances, ce privilégié qui roule en Cadillac, a le front de beu de nous prêcher la mesure, la sobriété et la fierté... Ça s'peut pas !

a) Cet argent de l'enveloppe de la CDPP ne crée pas un seul emploi d'auteur puisque personne ne survit avec 3,300$ par année, ce qui est le montant du plafond.

b) Refuser d'adopter le critère de la **circulation**

réelle des livres pour répartir l'enveloppe, c'est tricher le public, c'est tricher le patrimoine, c'est valoriser l'injustice la plus criante qui soit. C'est un comportement anti-démocratique puisque c'est faire fi du choix du grand public. C'est aussi flétrir un aspect fondamental de l'économie de marché par une intervention qui **déshabille Pierre pour enrichir Paul qui roule déjà en Cadillac.**

c) Les auteurs qui 'marchent' le plus auprès du grand public sont les plus susceptibles d'être exportés. Donc de faire entrer au pays les devises nécessaires pour compenser pour l'enveloppe. **Ce que peut faire un seul best-seller vendu à travers le monde.** Quand on s'appelle le P.M. d'un pays et que l'on agit aussi sottement que de cautionner par électoralisme le mode d'emploi d'un programme comme le DPP **(qui déshabille Pierre pour enrichir Paul qui roule déjà en Cadillac)** on ne peut être qu'un menteur et un tricheur. Surtout quand on a été mis au courant, sensibilisé, averti de la sottise du dit programme, mis devant l'évidence et devant les arguments incontournables exprimés ici. Quand on triche son pays pour gagner des votes... on est pitoyable ! Et on finit par le détruire, ce pays qu'on prétend vouloir sauver des méchants 'séparatisses'...

A l'inverse, si un tel programme répondait à sa nature, à sa raison d'être et à sa propre définition, qui consiste à réparer une injustice faite aux auteurs de livres par la 'communisation' de leur matière grise via le prêt public, voici alors les effets possibles et probables qui en découleraient.

1. Création au Québec de 10 à 50 emplois à plein temps. Des auteurs capables de survivre de leurs livres. A noter que la part francophone de l'enveloppe n'atteint même pas 1 million $.

2. Réparation de l'injustice ci-haut décrite en conformité avec les principes de la libre entreprise, de l'offre et de la demande.

3. Ventes accrues de livres entièrement produits chez nous. Ventes gagnées sur les livres étrangers. Donc plus de travail pour des gens de chez nous : en imprimerie, en graphisme etc.

4. Risques de découvrir un ou des auteurs de best-sellers exportables qui non seulement nous feront mieux connaître à l'étranger mais rapporteront chez nous des sommes aptes à effacer le coût de l'enveloppe voire à le rembourser 5, 10 fois.

Mais ça, c'est de la vision qui dépasse le bout de nez de nos politiciens et faiseurs de programmes qui sont tout à fait incapables de raisonner aussi loin.

Les conservateurs ont mis le DPP sur pied en 1986 en le dénaturant dès le départ par des critères injustes, mauvais, anti-démocratiques, stupides et stériles.

Les libéraux, malgré que l'auteur de ces lignes ait exposé au premier ministre lui-même et directement au téléphone, des arguments aussi irréfutables que ceux développés ici, ont préféré garder la même orientation débile que celle de leurs prédécesseurs à ce sujet. Sans doute pour pouvoir 'scrapper' le programme un jour ou l'autre sans soulever de poussière pour autant. Ou peut-être eux aussi par électoralisme. Des peanuts à des auteurs d'occasion, ça peut valoir bien des votes à un référendum, mais pas quelques emplois à créer, donc dont l'absence ne fait souffrir personne puisqu'ils n'ont jamais existé... On pourrait appeler ça de l'attrition à rebours...

Pas surprenant de voir un tel gouvernement injecter 300 millions $ dans un programme d'infrastructures puis ensuite couper dans la fonction publique. On crée 100 jobs avec la main droite et on en démolit 150 avec la gauche. Mais le public n'a pas de mémoire et dans 1 mois, il oublie tout ce qu'on veut lui faire oublier. Les médias sont là pour laver les cerveaux à mesure que les politiciens ont besoin qu'on le fasse. D'ailleurs, la mémoire populaire possède sa propre brosse à tableau...

(Au moment d'écrire ces lignes, rien d'autre ne compte plus au Québec et même au Canada que le départ fracassant d'une vedette de hockey... superstar qui reçoit de la société et des médias 100 fois plus que ses besoins. Le système du sport professionnel, qui fait tant l'affaire du grand système, bénit cela. C'est la loi du *tous pour un* et que la plupart crèvent en rêvant qu'ils sont eux-mêmes des veaux d'or ou des vaches consacrées.)

Le DPP et le stress

Depuis 1986, je me bats pour défendre les principes incontournables (excepté pour les gouvernements) énoncés dans les paragraphes précédents. Sans le moindre succès.

En 1991: lueur d'espoir.

J'écris à 8 politiciens et leur transmets mes doléances. Quatre au fédéral: deux bleus, deux rouges. Quatre à Québec: deux péquistes, deux libéraux. Pas la moindre réponse sauf un appel téléphonique 3 mois plus tard. C'est le chef de l'Opposition, Jean Chrétien. Je lui parle et à sa femme. Ma cause leur est sympathique, semble-t-il. Mais quand on attend le pouvoir, on ne peut pas grand-chose sinon s'y préparer.

Le contact reste établi jusqu'après l'élection de 1993. Je reçois du nouveau P.M. (incroyable mais vrai) une communication téléphonique le dimanche qui suit le jour du scrutin. Il promet de me faire appeler par son ministre du Patrimoine dès que celui-ci sera nommé. Et il tient sa promesse. Dupuy m'appelle trois jours après sa nomination officielle. Je lui parle en mon nom mais aussi en celui de la justice et de la culture, toutes deux perdantes par la douteuse vertu du DPP. Il me demande un 'rapport' que je lui adresse trois jours plus tard. Six mois passent et je reçois une lettre laconique d'un vague fonctionnaire de son ministère. Il soutient les mêmes arguments, faux et absurdes, de l'époque bleue (un bleu pourpre couleur de gangrène). (Faut dire que j'aime Brian Mulroney comme on aime une limace visqueuse et dans mon roman *Présidence*, je l'ai surnommé le 'blob'... du nom d'une vedette gluante d'un film d'horreur de série BBB)

Excédé, je rebâtis mon argumentation et la mets sous le titre suivant: *André Mathieu, romancier-quêteux, volé par Québec, volé par Ottawa.* Cette fois, le P.M. ne me trouve plus drôle et il me fait répondre par la bouche d'un petit canon de son Cabinet. Laissons parler sa lettre qui n'est pas sans me rappeler par un aspect ou deux certains propos entendus au téléphone de la bouche même du P.M.

Ottawa, Canada K1A 0A2

Le 9 mars 1995

Monsieur André Mathieu
4, carré Charles-Beauchesne, app. 202
Arthabaska (Québec)
G6P 9A6

Monsieur,

Au nom du très honorable Jean Chrétien, j'accuse réception de votre récente correspondance.

J'apprécie le fait que vous vouliez attirer l'attention du Premier ministre sur la situtation des écrivains au Canada. Cependant, je tiens à vous rappeler que le gouvernement ne partage pas votre avis sur le Programme du droit de prêt public (DPP).

Comme vous l'a expliqué le conseiller du ministre du Patrimoine canadien dans sa lettre du 19 mai dernier, le DPP apporte un appui financier aux auteurs dont les livres sont achetés par les bibliothèques publiques. À mon avis, puisque vous-même semblez bénéficier d'une aide du gouvernement, vous devriez convaincre votre éditeur de vous réserver une plus grande place en librairie plutôt que d'attaquer l'État de façon si abusive. En fin de compte, le DPP ne peut que vous avantager car, grâce à lui, vos ouvrages sont diffusés à travers tout le Canada, et même parfois à l'étranger.

En sachant que vous n'hésiterez pas à communiquer directement avec le bureau de l'honorable Michel Dupuy pour tout autre renseignement, je vous prie de recevoir, Monsieur, l'expression de mes sentiments les meilleurs.

Le directeur des Opérations,

Jean Carle

Canada

Faut un 'maudit de front de cochon' pour me répondre sur ce ton, quel que soit le mien. C'est la société, Québec de mes fesses et Canada de mon cul, qui me vole légalement ma matière grise via le prêt public, qui subventionne grassement et à vie ma concurrence, et voilà qu'après 17 ans de travail acharné et 22 livres (début 95) je finis par récolter du P.M. l'opinion que je suis un ingrat qui attaque abusivement son pauvre pays. Non, mais comment ne pas accumuler de cholestérol dans ses artères devant pareille attitude du plus fort qui assomme à coup de merlin celui qui n'a pas de moyens autres que sa modeste plume pour se défendre ?

Que vaut le vote de Jos Bleau du 4e rang de St-Village si moi qui ai eu l'opportunité d'exposer clairement au P.M. lui-même et à sa femme les vices incroyables d'un programme électoraliste et népotiste, je finis par me faire donner une bonne 'claque su'a'yeule' par ceux-là même qui plutôt de sans cesse travailler à l'accumulation de capital politique devraient gouverner en bons père et mère de famille ?

Comment en ce cas pourrais-je avoir une perception de la démocratie autre que celle d'une carte blanche donnée par les uns à d'autres qui sont logés plus hauts qu'eux dans la pyramide sociale, pour les voler légalement et pour les aliéner ? La vraie vie, c'est la loi du plus fort autant dans les démocraties que sous les régimes autocratiques, et le droit de vote n'est plus qu'un **leurre** pour extorquer aux masses leur consentement à se faire abrutir encore plus qu'elles ne le sont naturellement.

Toutes ces pensées irritantes deviennent de plus en plus agressantes à mesure que passent les années et que leur acuité augmente. Le jeu de nos politiciens est devenu incroyablement cynique. L'action des gouvernements derrière leur image trompeuse est de la même sorte. On le voit très bien dans le style utilisé dans la lettre que m'adressait ce fonctionnaire du cabinet du premier ministre. Je suis la victime et on me fait passer pour le bourreau qui 'attaque abusivement' son pays... Quelle abominable farce !

"Convaincre votre éditeur de garder mon produit plus longtemps en librairie," tandis qu'il arrive chaque mois dans les librairies des centaines de livres d'éditeurs subventionnés. On me demande de concurrencer ces crapules qui nous dirigent depuis les machines gouvernementales que voilà en train de fossoyer la moitié de la société, que voilà rendues à égorger les uns pour se reprendre d'avoir enrichi les autres.

Le beau gnochon du cabinet du premier ministre parle à travers son chapeau et ignore visiblement tout du marché du livre. Mais pire, il braque une affirmation indiscutablement fausse en disant que *"grâce au DPP, vos ouvrages sont diffusés à travers tout le Canada, et même à l'étranger."* Mensonge pur et dur d'un fonctionnaire menteur qui travaille dans un cabinet menteur pour un premier ministre menteur...

Les gouvernements aiment les gens d'argent, mais ils détestent les esprits novateurs. Voilà pourquoi on a enterré les éditeurs de subventions tandis que les programmes qui concernent les créateurs sont à peu près tous des programmes-bidons qui coûtent plus cher à administrer que le total des argents qu'ils répartissent. Bien entendu, les concocteurs de programmes soutiendront qu'ils aident d'autant mieux les créateurs qu'ils soutiennent ceux qui les exploitent... On connaît la chanson. C'est aussi le même air vis-à-vis les autres entreprises. Plus de 125 programmes d'aide aux entreprises ont vu le jour au Québec et sont devenus un indescriptible fouillis. On a ouvert toutes grandes les portes aux 'sniffeurs' de subventions et des millions furent engloutis en pure perte. Maintenant que les administrations publiques manquent de fonds, on cherche à en trouver, mais comme il est impossible de récupérer ces sommes perdues inutilement, on ira les prendre dans les poches des classes moyennes en descendant en coupant des soins de santé, d'éducation etc, on connaît aussi cette chanson.

Nos dirigeants politiques des années 80 devraient être classés criminels de droit commun. Un camp de concentration au milieu du grand nord québécois. Quelques années de réflexion. Voilà ce qu'il faudrait leur offrir... Rien d'autre, dirait l'autre...

Les murs gouvernementaux

En bref, j'ai devant mon nez les implacables murs gouvernementaux.

Parce que des groupes ont pleuré (le bébé qui crie le plus fort obtient la suce), on a fait des programmes et des lois les aidant mais nuisant à d'autres groupes. Ces autres groupes ont gémi à leur tour et avec raison. On leur a donné le nécessaire pour se protéger eux aussi.

Mais il y a des hommes seuls dans le même système et d'eux, on ne se préoccupe pas. On n'y pense même pas. On ne gouverne plus pour le bien commun mais par sondages et sur demande en prenant soin de mettre tout sous la bannière indiscutable du bien commun.

L'homme seul qui n'a pas la force d'un groupe pour le défendre, car l'Union des écrivains est formée très majoritairement d'auteurs d'occasion et non d'auteurs de profession, n'a plus qu'à crever, qu'à voir ses artères s'encrasser prématurément à force de pressions, de frustrations et de stress.

Les murs érigés autour de l'homme seul par l'action gouvernementale au domaine de l'édition de livres sont hermétiques et ne laissent rien passer.

1. C'est un réseau des bibliothèques publiques négligé.

On l'a monté pour ne pas avoir honte. Et pour cette chère fierté... Bien souvent pour donner des contrats de construction. Mais on néglige l'approvisionnement des bibliothèques en livres. Les budgets à cet égard sont carrément plus restreints que partout ailleurs en Amérique du Nord. Si seulement chaque bibliothèque se procurait 2 exemplaires de chacune de mes nouveautés, j'aurais de quoi **survivre**. Et je ne me plaindrais pas. Et ces livres ne traîneraient pas souvent sur les tablettes.

On a fait juste ce qu'il fallait pour assassiner l'auteur de profession.

Car un réseau de quelques centaines de bibliothèques

a un effet **diviseur** sur les ventes d'un livre, et pas multiplicateur comme en France, aux États-Unis ou la plupart des grands pays qui comptent, eux, des milliers de bibliothèques publiques.

On veut sauver la culture québécoise menacée par l'ogre anglo-saxon et on est même pas assez intelligent pour réfléchir aux moyens de le faire, parmi lesquels, à la base, le soutien des créateurs qui sont à la source de la dite culture. Nos politiciens, grâce à leur image, vendent au public via les médias les aberrations mentales concoctées dans les officines des ministères par des fonctionnaires au cerveau sclérosé par l'inaction.

2. Le DPP fédéral étançonne le premier mur. On présente cette monstruosité comme un cadeau aux créateurs et gare à ceux qui oseront critiquer: on les traitera d'ingrats qui 'attaquent abusivement' leur grand Canada.

3. Les lois provinciales font en sorte qu'un auteur-éditeur ne peut solliciter les bibliothèques dans le but de leur vendre directement. Elles doivent acheter chez le libraire agréé. Par exemple, je peux vendre directement aux écoles et bibliothèques d'Ontario et du N.B., mais pas à celles du Québec qui, elles, doivent diriger leurs achats vers des librairies agréées. On protège un groupe et ce faisant, on assassine le 'lone ranger' comme si lui n'avait pas le droit d'exister parce qu'il veut exister à sa façon.

On bafoue la loi de l'offre et de la demande.

Hors système, point de salut !

Maudits guvernements

De quelque côté que tu tournes ton regard d'homme seul, tu es cerné, étouffé, écrasé par tes gouvernements.

Et on va se scandaliser parce que j'ai déculotté les politiciens dans mon roman de politique-fiction *Présidence*, par exemple d'avoir fait de la prothèse de Lucius Butcherd un lieu de gadgets servant à de l'espionnage.

Mais si j'ai fait un peu d'humour aux dépens de ces gens, n'en font-ils pas, eux, et du très noir, à mon égard ?

Eux, ne méprisent-ils pas tout à fait mon coeur physique aux artères bloquées et tout autant l'autre coeur, celui qui me fait investir 4,400 heures/année pour donner de gré ou de force au réseau public près de 30 ouvrages très lus dont on me vole légalement le meilleur fruit. Mais que peut donc un citoyen sans image médiatique devant tous ces meneurs à la brillante 'bette' quotidiennement télévisée ?

Des 8 politiciens dont Bouchard, Bourassa, Boulerice, l'autre Bouchard, Parizeau, Ouellette, Chrétien et la divine Frulla, un seul m'a répondu; et une fois premier ministre du pays, il me fera traiter d'ingrat qui 'attaque abusivement' et malmène son pauvre pays...

Les 4 fers en l'air

Non, je n'ai pas voté au référendum de 1995; j'étais aux soins intensifs après que le système m'eut conduit tout droit à l'infarctus. Mais si j'avais été en bonne santé, je n'aurais pas voté non plus, même si Chrétien, par son irrespect du citoyen et de l'homme que je suis qui a droit à sa juste récolte comme tout le monde, a fait de moi un 'séparatisse' dans l'âme.

Je n'ai plus la moindre confiance en aucun d'eux.

(Quoique ébranlé le 6 décembre par le discours de Lucien Bouchard, mon meilleur ennemi... Sans doute une fois encore de bonnes intentions qui, comme dirait monsieur Roy, vont virer en marde de chien...)

C'est la mentalité politicienne qui est malade. Et à peu près tout le monde le perçoit d'où cette durable crise de confiance envers ces gens d'image qui n'ont simplement pas de coeur, faute de posséder un capital de souffrances.

Quelques pas en arrière

Mais revenons sur nos pas.

1987-88. Après la faillite de mon diffuseur, courbé sous le poids d'une dette que je n'ai pas pu payer faute d'avoir été moi-même payé par le dit diffuseur et parce que mon imprimeur m'a saisi en quelque sorte mon portefeuille soit le seul bien monnayable dont la vente m'aurait permis de respecter les ententes à condition qu'on me donne tout le temps nécessaire ainsi qu'un nouveau crédit de fournisseur pour que ma production de nouveautés se poursuive, je survis par la peau des dents.

J'édite des petites choses: recueils, agendas, romance astrologique, mais je ne suis pas dans mon rayon qui est la ponte de romans et leur mise en marché. Je suis inquiet et malheureux: acculé à la faillite sans y être pour quelque chose, sans que personne ne puisse m'en imputer même 1% de la responsabilité.

Je suis tué par le système. Pas de crédit bancaire. Et volé par les gouvernements via le prêt public non compensé justement et adéquatement. Et impossible de solliciter le réseau car c'est du temps perdu, les bibliothèques devant acheter de librairies agréées. Le profit qui reste ne peut jamais essuyer les coûts d'une sollicitation directe.

J'aime écrire et mon produit fut toujours viable et rentable. Avec du crédit bancaire et sans l'action gouvernementale, je serais simplement millionnaire et le nombre d'exemplaires vendus (et lus via le prêt public) fait plus que le démontrer. Mais me voilà en panne. Les bons sujets abondent, mais le nécessaire vital n'est plus là à cause de cette maudite intervention des gouvernements dans le domaine. Intervention dont on pourrait aisément corriger les effets secondaires nuisibles.

En 1980 après ma séparation, je me suis réfugié dans le monde de mon enfance pour écrire *Un amour éternel*, et je m'y replonge en 1987 pour donner naissance à *La Voix de maman*. En même temps, je fais une tournée de rencontres dans les bibliothèques et tous les bibliothécaires vus partagent mon point de vue quant au prêt public.

Il faut que les auteurs touchent une juste compensation pour la circulation **réelle** de leurs ouvrages: pas un n'est en désaccord sur ce principe et on m'encourage à poursuivre ma lutte qui non seulement ne s'inscrit pas contre le rôle louable des bibliothèques mais réclame de plus que leurs subventions soient haussées au moins au même niveau que celles touchées par les bibliothèques d'Ontario.

Par miracle, je trouve du crédit et fais publier ma nouveauté, ce qui me permet de survivre une année encore sans faillir des suites des événements désastreux de 1986 et de l'endettement sous lequel je croule.

Les ventes sont très bonnes, mais les médias ne marchent pas et les revenus ne dépassent guère les dépenses de survie et ne me permettront pas d'essuyer grand-chose de mes dettes.

Printemps 88, après deux années de résistance, c'est la baroud d'honneur à travers une vaine tournée à la recherche de financement. Inévitable, la faillite suit en mai.

Devoir repartir de zéro. Seul. Sans coussin ni soutien financier. Sans crédit. Sans diffuseur. Sans possibilité de se voir édité.

Et voir son 'produit' utilisé au maximum aux 4 coins de la province via le prêt public tandis que l'enveloppe de la CDPP est répartie injustement, de manière anti-démocratique et discriminatoire, selon un procédé tricheur, électoraliste et stérile. Du Mulroney quoi !

Et une Union des écrivains formée à 95% d'auteurs d'occasion que le système favorise.

Reste le suicide.

On est en période de prospérité. La morosité générale des années 90 est encore impensable. Moi, je suis un failli. Déshabillé par les gouvernements qui se vantent d'enrichir le public. Esclave moderne. Sans aucun appui. Seul. Portes fermées. On ne croit pas en moi.

La pensée sociale au grand complet croit au système pyramidal qui nous gère tous, qui fait que les moins pourvus sont au service, souvent à la remorque, des mieux nantis. Pyramide qui dans les décennies suivantes va se transformer en tour de Babel menaçant chaque jour de plus en plus de s'écrouler.

Je chasse l'idée du suicide.

Qui sait, peut-être qu'un jour, je serai celui qui bougera une toute petite pierre au pied de la tour de Babel et que ce geste la fera s'effondrer et tomber en poussière. Poussière sur laquelle on pourra rebâtir du neuf, du meilleur, en tout cas du plus humain. On s'accroche aux plus infimes lueurs d'espoir quand on est au bord d'en finir. Reste l'optimisme. Reste la santé physique aussi, mais je sais que je suis à la dépenser rapidement, je sens que les événements négatifs et ceux qui les provoquent affectent sourdement mes réserves.

Le pire, c'est d'en être réduit à l'aide sociale. On a beau dire que la plupart des artistes en vivent, ça ne me console aucunement. Quand ton produit est bon et que sa rentabilité est amplement prouvée depuis 10 ans, chiffres et documents comptables à l'appui, qu'il est lu partout et que la société t'en dépouille, et que tu dois ensuite mendier pour manger, tu ne peux que fabriquer en abondance du mauvais cholestérol. La fille qui t'échange ton chèque à la banque et qui te regarde avec un demi-sourire en coin est peut-être en train de lire ton livre pour rien du tout; mais elle ne pense pas à ça, pas plus que la société dans son ensemble... Et dans le même temps, 100,000 autres comme elle me lisent sans frais...

Déménagement: source de stress

Un déménagement perturbe. Surtout si on change carrément de milieu. Je quitte la banlieue nord de Montréal pour la région des Bois-Francs. Raisons se rattachant à la vie privée. Il faut s'adapter. Ça coûte du traumatisme...

Je fais un voyage en Russie. Il m'est donné. C'est un vieux rêve. Le pavillon russe d'Expo-67 rebâti dans un parc devant l'hôtel où je loge, m'inspire un roman qui verra le jour en 1990.

1989-1990

Je trouve du crédit et fais paraître *Couples Interdits.*

Et je peux entrer à mon tour dans l'ère informatique avec quelques années de retard.

Ce qui me permet de pondre 4 ouvrages en 1990. Que je réussirai à financer à même du crédit de fournisseur.

C'est d'abord une refonte de *Le Bien-Aimé* qui méritait mieux à la composition typographique. Le roman se féminise et devient *Donald et Marion.* Et sa préparation me permet d'écrire désormais directement sur le clavier de l'ordinateur sans devoir passer par la plume.

Pour me libérer d'un mauvais contrat avec un diffuseur qui va vers la faillite, je dois sacrifier tout le tirage.

Suivra *L'Été d'Hélène* dont l'inspiration m'est venue à Moscou. Puis *Un beau mariage*, la suite de *La Voix de maman*. Enfin, ce livre auquel je pense depuis plusieurs années: *Aurore*.

Un livre porte-bonheur

Curieux de dire ça d'un livre qui raconte la pathétique histoire de l'enfant martyre, mais c'est vrai. Pas que les ventes seront énormes puisqu'au palmarès de mes livres, *Aurore* prendra la quatrième place après *Nathalie, Demain tu verras et Un amour éternel.* Il ne fait aucun doute qu'avec les mêmes moyens de diffuser que dans le début des années 80, sans l'abondance de production de la concurrence subventionnée et un prêt public beaucoup moins intense comme avant 1986, *Aurore* aurait atteint les 50,000 exemplaires.

Bien peu de gens ont écrit sur le sujet. Et à peu près personne depuis 1980. Pourquoi ? Plein d'auteurs ont dû y songer. Si on accepte la pyramide sociale, on ne peut pas écrire sur un tel sujet sans tomber dans la tricherie et le sensationnalisme. Car le martyre d'Aurore trouve son fondement dans la loi du plus fort, l'écrasement du faible par le système qui agit via un de ses bras malades, celui de la marâtre.

Il fallait un rebelle (au système) pour écrire efficacement sur la petite fille de Fortierville, pour la défendre et pour pointer du doigt moins le bras malade de la marâtre que l'écrasante pyramide sociale (pire aujourd'hui puisqu'en 1996, plus d'1million d'enfants d'ici vivent sous le seuil de la pauvreté) bien assise sur l'inégalité, l'exploitation des moins nantis par les autres. Voilà pourquoi j'ai fait porter le blâme sur le curé de Fortierville.

Roger Cardinal (Au nom du père) a voulu réaliser un film à partir de mon livre. Mais en homme d'argent qu'il est, Cardinal est bien intégré au système: il voulait donc fabriquer une sorte de 'remake' du film de 1951. Frapper sur la marâtre pour soulager la conscience du public voyeur. Par exemple, mettre le mot FIN sur l'arrestation des parents. J'ai refusé cela et les 25,000$ qui devaient me revenir. L'émission *Les Grands Procès* n'a pas non plus pointé du doigt l'autorité du temps.. Les gens qui l'ont conçue sont bien intégrés au système. Et plutôt de blâmer le curé (situé haut dans la pyramide), on a préféré accuser le petit monde de Fortierville.

Le système a ses mécanismes naturels –et impitoyables– de défense.

Pour cette raison, mon livre reçoit une critique négative dans La Presse de la part de Sonia Sarfati, une collègue écrivaine qui pour faire son propre chemin vers le haut de la pyramide, (en Québécois, on dit rabattre l'autre pour se relever, soi) frappe sans aucun argument plus solide que le relevé de deux coquilles sémantiques dans le texte. Le public oublie vite, mais pas mes artères. Car le coup est particulièrement vicieux, mesquin et calculé.

1991

Mon diffuseur m'ayant fait perdre au moins 3,000 ventes de *Aurore*, je dois me débarrasser de lui pour entreprendre ma propre diffusion comme en 1979. Un magazine me fait passer une longue entrevue et l'article doit paraître dans quelques semaines. Je réimprime en vitesse mais l'article ne paraîtra qu'un an plus tard alors que les livres ne sont plus dans les librairies.

Je survis grâce à la seule force d'Aurore. Et sûrement à celle de l'esprit de la fillette... Mais voilà une autre histoire dont je parle dans mes conférences...

C'est alors que j'écris à 8 politiciens pour dénoncer le DPP. Chrétien sème de l'espoir. Que je suis nono !

1992

Trois nouveautés paraissent cette année-là dont *Femme d'avenir*. Financement par du crédit de fournisseur. Deux titres, *La Belle Manon* et *Aux armes, citoyen!* ont des problèmes e lenteur. Ils ne pourront générer les sommes nécessaires pour payer l'imprimeur dans les 3 mois requis et il est à prévoir qu'il faudra au moins un an pour y arriver. **Avec du crédit bancaire sur 1 an,** il n'y aurait pas le moindre problème. Mais même si mon dossier peut générer 15% ou 20% d'intérêt sur capital investi, le banquier est allergique à la chose culturelle surtout aux livres d'un auteur en dehors du système.

Et l'imprimeur refuse d'y aller avec mon nouveau roman. Je dois manger en ponctionnant le dossier des 3 livres et le problème du solde à payer empire d'autant.

1993

Nouveau financement. Nouvel imprimeur. Nouveauté: *La Tourterelle triste*. Nomination par Radio-Québec pour l'attribution du Signet d'Or, catégorie vote populaire auprès de 5 auteurs très médiatisés: Tremblay, Ouellette, Hébert, Beauchemin et Cousture. "C'est que vous êtes parmi les plus lus," me disent les organisateurs, croyant m'apprendre quelque chose.

On me veut comme faire-valoir de Michel Tremblay.

Dans la plupart des bibliothèques que je visite, je fais un relevé comparatif et partout, je suis plus lu que l'auteur-vedette, chouchou de la SRC. Pour éviter de m'attribuer le signet, on fait intervenir un autre critère de 'mérite' soit un vote rapide dans un salon du livre où les gens votent naturellement pour l'auteur le plus médiatisé, celui dont **l'image** leur vient vite à la tête... Donc Tremblay et pas moi.

Le système pyramidal va comme ça et pas autrement.

1994

Je traduis en anglais *Le Trésor d'Arnold* que j'ai écrit en 1993 mais que je n'ai pas pu faire paraître faute de fonds. Et je passe l'année à imaginer un réseau de diffusion qui fasse des petits par lui-même. Rien de concret ne va sortir des deux dossiers. Et c'est un nouveau tirage de *Aurore* qui viendra sauver la situation.

1995

Je prends entente avec un diffuseur pour la distribution et le financement de mes futurs livres et je peux enfin me consacrer à plein temps à l'écriture. Il en sort 4 titres. *Rose, Le Coeur de Rose, Un sentiment divin, Présidence*. Cinq nouveautés voient donc le jour en 1995 puisque je publie aussi *Le Trésor d'Arnold* qui dort depuis 1993.

Je suis convaincu que cette fois, les médias vont enfin s'ouvrir. Mais c'est encore le désenchantement. Sauf la revue **Lundi** et des médias régionaux, tous dorment.

Les médias valorisent tant qu'ils peuvent le star-system donc la pyramide sociale. Tout pour ceux qui ont déjà plus que tout et rien pour les autres qui n'ont jamais rien reçu. Rien à faire si tu n'es pas intégré. Ils le sentent dans les communiqués de presse qu'on leur mande. Le self-made-man n'a guère sa place au pays des clans...

Les recherchistes féminines sont les pires. Sauve-carrière, elles ne prennent pas le moindre risque et leur évaluation porte automatiquement sur l'image du candidat à une entrevue, pas sur la valeur intrinsèque de son travail.

J'ai pourtant travaillé très fort sur ma pièce en 2578 alexandrins, *Un sentiment divin,* sur *Le Trésor d'Arnold* et sur la série des *Rose. Présidence* fut écrit en 33 jours, mais l'humour doit jaillir vite pour garder sa spontanéité.

Non, pas un média montréaliste n'a bougé. On s'y sacre des valeurs régionales, c'est connu. Pas une télé. Une petite 'scrap' dans La Presse quant à *Présidence* par un minus qui n'avait pas reçu le livre et ne pouvait en juger autrement que par le communiqué de presse qui lui a déplu. Tu peux te payer la gueule du système, mais pas en pleine campagne électorale alors que le banco-politico-médiatique fait cohésion pour détruire ceux qui n'y croient pas. Notre démocratie: un souriant 'crois ou meurs' qu'installe et maintient l'épée des mots.

Conclusion stressante

Dire qu'un gardien de buts à 4 millions $ par année se laisse aller à sa frustration simplement parce qu'il s'est fait passer 9 sapins en moins de deux périodes du sport qui le nourrit, le gâte, le pourrit, et dire que la société ne parvient pas à nourrir convenablement plus d'un million d'enfants qui vivent sous le seuil de la pauvreté.

Une société pareille est criminelle, semeuse de **violence froide** et elle ne saurait récolter que de la violence chaude... Ça chauffe de plus en plus dans la marmite en bien des pays et c'est tant mieux. En tout cas, je me sens bien moins seul que dans les années 80... Mais il y a mes artères...

Suivez-moi, on s'en va enfin à l'hôpital.

Et sachez que je ne vous ai quand même pas révélé le dixième des rebuffades que j'ai subies à cause du système, des gouvernements et des médias.

Faut tout de même dire que beaucoup de gens ont la vie bien plus dure que la mienne et je ne veux pas poser ici en martyr. J'aimerais bien mieux être perçu comme un chien qui ne lâche pas le morceau malgré les coups bas et qui veut 'attaquer et mordre' encore et encore ceux qui nous gouvernent et leur maudite pyramide sociale qui détruit l'homme, le riche aussi bien que le pauvre.

Car la **violence froide** utilisée par le système provoque de la **violence chaude,** criminalité, suicide, haine et même et surtout les guerres, Violence intarrissable qui coûte terriblement cher à toute la société, aussi bien à ceux du haut de la pyramide qu'à ceux du bas.

Le superflu et son contraire, la frustration, sont –heureusement– les larves et termites qui finiront par faire tomber en poussière la tour de Babel dans laquelle nous vivons et que défendent tant d'imbéciles dont font partie au premier degré les femmes et les hommes politiques de même que ceux parmi les fonctionnaires qui actionnent les leviers de la machine gouvernementale.

Et nous voilà enfin et fin prêts pour entrer à l'urgence...
Urgence de l'hôpital...
Suivez-moi...

4

Urgence

Nous sommes jeudi le 26 octobre.

Un beau soleil frais.

Comme à tous les jours, je marche mon mille jusqu'au McDo pour m'y attabler devant un muffin au son et un café et y écrire quelques paragraphes ou grandes lignes de chapitre. En réalité, ce matin-là, ce seront plutôt des idées qui concernent les affaires puisque je vogue entre deux romans.

Au tiers du chemin, il me faut ralentir. Faut dire que j'ai le pas toujours assez rapide au cours de cet exercice matinal. Mais voilà que je ressens une autre fois des douleurs derrière les pectoraux. Cela se produit tous les jours depuis une grippe d'août.

Je n'avais pas eu le moindre rhume depuis nombre d'années. Et avant cela, jamais de grippe en période d'écriture. Remarquable ! Les épidémies passaient à côté de moi ou par-dessus ma tête. Peut-être l'action des endorphines ?...

Mais en août, entre la ponte de deux livres, *Un sentiment divin* et *Présidence*, le mal me frappe. Rien d'important: une grippette que je traîne 3 semaines. Et qui me laisse avec ces douleurs du haut de la poitrine quand je marche le bon pas; je les crois relever de quelque séquelle bronchitique.

Ce jeudi, je me trouve dans une période fort stressante qui dure depuis 3 semaines. J'ai dû manipuler pas mal de boîtes lourdes ces derniers jours. Et j'ai dû travailler intensément à l'expédition de livres en service de presse et dans des régions que ne couvre pas mon diffuseur.

Malgré la parution de 5 nouveaux livres dans l'année, les médias restent de bois, on l'a vu. Et ça, c'est frustrant. 26 ouvrages à ce jour. 200,000 exemplaires vendus donc, si on emploie la méthode d'évaluation des éditeurs, près de 1 million de lecteurs. Un des 3 auteurs québécois les plus lus. Un roman historique très travaillé. Une pièce en alexandrins: 5 de plus que Cyrano. Pas une seule réponse des médias nationaux excepté de la revue Lundi.

On croira que la quantité nuit à la qualité. On se dira que l'image de l'auteur n'est pas faite. On aura peur de miser sur sa valeur. Ce n'est pas pour l'ego que je veux de l'exposure' mais pour les ventes et la survie.

Pas de place pour moi ni à Télé-Métropole ni, bien sûr, à la prétentieuse SRC.

Un des grands problèmes de nos grandes télévisions, c'est que les recherchistes y sont très mal payés. Et que donc, ils ne se cassent pas la tête. Ce sont rarement les mêmes personnes d'une année à l'autre. Leurs critères de sélection des candidats à entrevue se résument à un seul: **l'image.** Les émissions se plagient et on tourne en rond... sans progresser jamais, sans innover. Et voilà pourquoi notre télé s'aplatit d'année en année.

Et c'est ainsi qu'un auteur-vedette obtiendra plus de couverture médiatique à lui seul à la SRC que 900 écrivains québécois réunis. Au royaume de la crétinerie, la SRC est reine.

La pensée de *Un sentiment divin*, c'est différent.

L'histoire du trésor d'Arnold, c'est fascinant.

Rose et *Le Coeur de Rose*, c'est nous autres en 1950.

Et *Présidence*, c'est une satire du monde politique.

Pas une porte ne s'ouvre. Pas un mot ne se dit.

Il faudra qu'à l'instar de Félix Leclerc, j'aille réussir ailleurs pour être reconnu ici. Et ça, pour un artiste qui ne chante pas, c'est pas évident. En attendant, faut se tuer à décrotter notre monde...

En plus, un sexisme répandu fait en sorte que l'auteure (féminine) d'un ou deux livres obtient aisément audience dans nos médias tandis que les auteurs masculins, qu'ils aient produit 20 ou 30 ouvrages, se font ignorer ou bastonner. Parfois même par des collègues comme ce fut le cas à mon endroit par madame Sarfati qui a utilisé le vieux truc vicieux de la généralisation négative, à partir de 2 coquilles sémantiques, pour s'en prendre à *Aurore* en 1990, se moquant carrément des souffrances de l'enfant martyre... Du vrai beau monde par là !

Le système et son avorton, le star-system, doivent se défendre. Le virus Mathieu ne passera pas une fois encore.

Et moi, je crains fort pour l'avenir du *Trésor d'Arnold* qui est pourtant mon meilleur roman à ce jour. J'ai masculinisé sa couverture, comptant que la télé me permettrait de compenser pour la peur que montrent bien des lectrices devant des livres trop masculins ou en ont l'apparence, et celle des hommes qui eux, craignent les livres tout court, surtout les romans.

J'ai déjà des indices inquiétants. Je reçois des commandes postales et on semble moins vouloir de celui-là. Et pourtant, tout y est d'un vrai roman. Amour. Trésor. Aventure. Guerre. Misère. Histoire. Travail de la forme.

Sans une émission de télé majeure, il risque fort de s'étouffer dans le raz-de-marée de livres qui envahit les librairies en automne.

Je n'en dors pas des nuits. Nerfs à vif. Travail physique intense après des mois à être assis, sauf quand je fais ma technique Nadeau et ma marche le matin.

Telle est la situation devant ce muffin du 26 octobre. J'ai un violent mal au dos. Ça rayonne comme un soleil brûlant. Je dois rentrer. Je le ferai par le chemin de raccourci: à peine un demi-mille.

Mais en route, je dois m'arrêter 2 fois pour que s'amenuise la douleur venue de ces coups de poignard qui me labourent le corps entre les omoplates.

Pourtant, aucun essoufflement. Pas plus que depuis 3 ans quand j'accomplis mon périple matinal. Je me dis que la douleur va disparaître quand je serai au repos, ce qui arrive chaque fois que j'en ressens depuis cette maudite grippette d'août...

Et ça se produit encore. Je me sens bien 5 minutes après avoir pris place devant mon ordinateur. S'agiit-il de douleurs angineuses? Elles n'en ont même pas le type.

Mais voilà qu'une heure plus tard, après avoir manipulé quelques objets et boîtes –pas très lourds– les poignards reviennent en force me taillader le dos. Et cette fois, la douleur descend dans le bras gauche...

Bras gauche. Bras gauche. Bras gauche quand tu nous tiens. Douleur dans le bras gauche et infarctus ont été si souvent et si étroitement associés l'un à l'autre dans une relation de cause à effet que j'en viens aussitôt à la déplaisante hypothèse: je fais une crise de coeur... Ou bedon c'est une crise d'angine ou bedon c'est un infarctus...

Une parente infirmière me conseille de me rendre à l'urgence de l'hôpital le plus proche. On va te régler ça dans dix minutes, affirme-t-elle. Si c'est un infarctus, on va te mettre une petite pilule sous la langue et on évitera des dommages à ton coeur... Faut **faire vite** en ces cas-là, dit la médecine par les voix médiatiques. Et je me rends vivement à l'urgence.

Il faudra pourtant 3/4 d'heure pour que je sois vu par

un médecin. Adon ? Ou veut-on voir si je vais m'effondrer. Après tout, on est à l'urgence, et il faut au moins les apparences d'un cas urgent pour procéder de manière urgente...

Les personnes en ont plein les bras et la responsabilité n'est pas la leur, bien entendu. C'est le système qui a fait des coupures. La société pyramidale a **enrichi Paul qui roule déjà en Cadillac** durant les bonnes années, et elle s'est considérablement endettée, et elle doit maintenant aller chercher de l'argent pour payer la dette. Que le coeur de Mathieu qui attend à l'urgence éclate, on s'en contrecrisse. C'est l'argent qu'on veut récupérer qui compte. Et pas question de taxes sur le superflu sinon, on perdra les prochaines élections; et soi-même, député ou ministre, on en paiera la facture... Alors on coupe dans les services hospitaliers et on ajoute dix ou quinze minutes d'attente supplémentaires pour ceux qui vont à l'urgence.

Si un politique, par exemple Lucien Bouchard ou son bon ami Jean Chrétien, devait être hospitalisé, il passera avant tout le monde grâce à sa notoriété et aux lois de la pyramide sociale. Son cas, qu'il soit grave ou pas, sera automatiquement plus urgent que la moyenne des cas car lui possède une image...

C'est à ça que je pense en attendant et en luttant mentalement contre mon mal de dos que j'essaie aussi de masser avec les dossiers des chaises.

– Prenez-vous des médicaments ? me demande le docteur D lorsqu'enfin on me reçoit.

– Du Tenormin. 25 mg. Depuis 3 ans. Contrôle de ma légère hypertension, c'est pourquoi la dose est si faible.

Il écoute mon coeur, mes bronches et poumons. Ausculte. Ride le front. **Tout est beau et ça l'inquiète.** Qu'est-ce que je serais allé faire là si je n'avais pas un problème plus grave ? Il me mitraille de questions et je réponds aussi vite:

"Jamais fait d'infarctus."

"Fume pas."

"Depuis 25 ans."

"Bois pas."

"Depuis toujours."

"Grosse marche tous les jours."

"Mon frère est mort d'un infarctus à 45 ans..."

Ah! voilà la réponse qu'il faut pour que je sois entraîné dans l'engrenage dont j'émergerai 16 jours plus tard. "Il fumait comme un engin, engouffrait des tas de pilules, travaillait comme trois hommes, ne dormait jamais et buvait le café à la tonne..." Mais je ne pense pas de lui dire cela.

Il est mort du coeur, that's it! Les conclusions s'imposent. Les antécédents familiaux sont là et probablement graves.

– Et vos parents ?

– Mon père est mort à 65 ans.

– De quoi ? fait-il, le sourcil froncé et soupçonneux.

– Du coeur.

Son oeil droit le révèle: il l'aurait juré.

– On vous donne un lit à l'urgence, me dit-il. Électrocardiogramme. Moniteur. Test des enzymes du coeur.

Si un infarctus s'énerve les plumes quelque part dans ma poitrine, il n'échappera pas à la vigilance de ce bon doc doux.

Compétente, minutieuse, silencieuse, la dame qui opère la machine à électrocardiogramme s'étonne pourtant au milieu de sa tâche. Elle connaît mon nom. A lu un article dans le journal local au sujet de mon roman *Présidence*. Mais en plus connaissait déjà certains de mes livres. Il n'en faut pas plus pour que je me prenne pour Patrick Roy en personne. Après tout, on a le génie dans les mêmes environs. Lui dans la main qui enfile le gant, moi dans la main qui enfile la plume... Y'a que les revenus qui varient un peu, mais ça... Faut comprendre ça dans une société crétine comme la nôtre qui valorise les mollets 1000 fois plus que les cerveaux.

Je déchanterai dans les 16 jours à venir. Cette personne sera quasiment la seule à connaître mes livres. Et presque tous ceux à qui j'en parlerai –seulement quand on me pose des questions sur mon occupation dans la vie– ne seront pas intéressés le moins du monde. La proportion est gardée: au Québec, 1,5% de la population a quelque intérêt pour les livres. **Le reste ne sait pas lire.**

Électrocardiogramme: terminé !

Moniteur: branché !

Depuis 3 ans, quand je suis fatigué ou stressé, mon coeur produit des extra-systoles. Et j'en passe souvent. Je vois sur l'écran vert la ligne brisée qui pointe vers le bas chaque fois que ça m'arrive. Et ça m'inquiète. Jamais personne ne m'a renseigné sur la question. J'en ai parlé à mon médecin de famille déjà et le docteur R ne m'a fourni aucune explication. Il a dû se dire que je n'avais pas besoin de savoir. Rien qu'un patient !

Je ne sais même pas que ça s'appelle des extra-systoles et m'imagine que c'est de la tachyarythmie ou quelque autre bibitte du genre. Un infirmier me renseignera quelques jours plus tard...

Les résultats de l'électrocardiogramme ne tardent pas à venir et ils rejoignent ceux du moniteur. Rien. Le sang, lui, est sous analyse.

– C'est le test déterminant, de dire le bon doc. Les enzymes du coeur augmentent, doublent, triplent, quadruplent voire se décuplent quand une personne fait un infarctus. A cette minute, tout va, allez manger à la cafétéria en attendant les résultats du test sanguin.

Le mal de dos a disparu. Nouvelle auscultation. Néant. Je quitte la salle et m'en vais prendre mon repas du midi. Pas la moindre douleur. Puis je retourne à la salle de l'urgence pour y attendre les fameux résultats. Je demeure inquiet car on m'a dit qu'un infarctus peut se cacher derrière un électro au repos ou les données d'un moniteur. Le sang, lui, ne ment pas.

De retour à la salle d'attente de l'urgence, le mal de dos revient, aussi fulgurant que précédemment. Et j'attends, et j'attends...

Je chante mentalement au bout d'une heure alors qu'il est deux heures P.M.

"J'attendrai... le jour et la nuit, j'attendrai toujours... mes résultats... J'attendrai car la journée qui s'enfuit me fera prendre un maudit retard..."

Quinze heures.

J'ai omis de dire qu'à mon arrivée à la maison le matin, après ma visite au McDo, j'ai pris rendez-vous avec mon médecin de famille, le docteur R, pour la fin de l'après-midi. Force m'est de 'canceller' vers seize heures. J'ai gueulé pour avoir mes résultats. D'abord on m'affirme qu'ils sont dans le monte-charge qui descend... Il descend encore une heure... Doit être rendu creux dans les entrailles de la terre...

Si j'eusse été en situation réelle de crise, mon vieux coeur de 53 ans aurait eu le temps de se nécroser au tiers au moins à force d'attendre et de tourner en rond dans ma poitrine alors que moi, j'allais de long en large dans cette salle où des gens aux apparences moins douloureuses et malheureuses que les miennes se succédaient allégrement.

Je tords le cou de toute velléité paranoïaque et pourtant, je ne peux m'empêcher de penser qu'on a peut-être deviné que j'étais hors système. Quelque chose a dû le faire deviner aux analystes du labo. Je ne sais pas. Peut-être bien la couleur du sang. Peut-être quelque nuance verdoyante comme chez Monsieur Spock ? Ou quoi encore ?

A seize heures, une voix 'microphonique' me demande de me rendre à la salle 101. Je m'y rends. Une autre porte m'interdit d'aller plus loin par une affiche proclamant: personnel autorisé seulement. J'y attends une demi-heure, le dos courbé d'impatience et de souffrance avant qu'une infirmière toute surprise ne vienne me dire sur le ton du reproche amusé:

– Mais qu'est-ce que vous attendez là ?

– Mes maudits résultats.

– Mais fallait entrer, voyons.

Je croirais entendre Estelle Caron des Joyeux Troubadours à la radio de 1950, du temps où il se passait quelque chose à Radio-Canada. Ou bien était-ce à CKAC ?

– Je suis entré: regardez, je suis là. C'est moi... Et j'attends comme on me l'a demandé...

– Patientez encore une minute, le docteur s'en vient.

C'est une 'docteuse' (docteur Y) qui se présente 10 autres minutes plus tard.

– Faudrait vous passer un tapis roulant demain... histoire de s'assurer que...

– Les enzymes du coeur ?

– Normaux...

– Et ça vous inquiète ?

Les docs ont le don, semble-t-il, de froncer les sourcils devant un patient qui a peur de faire un infarctus mais a l'air de n'en pas faire un. En tout cas, cette fois, selon 3 méthodes d'investigation: l'électro (normal), le moniteur (normal) et les enzymes (normaux). Pour une fois dans ma vie que je suis dans la norme, on hésite à me croire. J'oublie qu'à l'hôpital, si on n'est pas un travailleur, il est **normal** qu'on soit un malade...

– Mais moi, j'ai toujours mal au dos, dis-je aussitôt. **Se pourrait-il que mon mal de dos soit un mal de dos ?** Même si c'est peut-être rare, un mal de dos qui est un mal de dos, on sait jamais...

J'ai eu le temps de revoir dans mes souvenirs toutes ces boîtes lourdes de livres passant, ces derniers temps, par mes bras peu exercés. Et stressés par ces cons de la télévision...

La femme hésite, hoche la tête...

– Vos douleurs sont peut-être atypiques... Pour plus de sûreté, faudrait absolument un électrocardiogramme à l'effort... Un tapis roulant, ça ne tue personne et votre santé nous tient à coeur tout comme elle doit vous tenir à coeur à vous aussi, n'est-ce pas ?

– Mais si trois sources différentes disent: pas d'infarctus, Dédé, pourquoi chercher plus loin ? En tout cas, pourquoi ne pas chercher dans les muscles du dos... ou le neuro-squelettique* ?... Comme ils disent au McDo: une petite entorse lombaire avec ça peut-être ?

(*J'ai cru entendre cette expression dans la bouche du docteur D avant midi...)

– On vous hospitalise à l'urgence et demain matin, vous vous prélassez sur le tapis puis repartez chez vous l'âme en paix... Un coeur malade, c'est bien plus risqué qu'un dos malade, vous ne pensez pas ? me dit la bonne docteur Y avec un sourire persuasif.

Pas sûr qu'un homme m'aurait convaincu.

C'est pas le tapis roulant qui m'énerve. J'en ai passé un voilà 15 ans alors que j'étais en bien moins belle forme. Avec ces 2 milles de marche à pas longs chaque matin depuis 3 ans, c'est pas un tapis qui va me faire... suer... Je vais leur montrer de quel bois mes mollets peuvent se chauffer.

– Bon... je vais chez moi prendre mes messages téléphoniques et je reviens...

– Non... ça... vous ne devriez pas...

– Mais pourquoi ? Le tapis, c'est demain, non ?

– Si vous partez, vous ne reviendrez pas...

– Où allez-vous pêcher ça ? Je vais à la maison et je reviens dans une heure...

Ça n'a vraiment pas l'air de faire son affaire. Mon salut la préoccupe-t-il tant ? Ou bien me laisser repartir et qu'on me retrouve mort au bord du chemin vaudrait-il des blâmes à l'hôpital ?

Mais je ne pense pas un seul instant, sur le moment, à cette seconde hypothèse. Un docteur est là pour aider. Qu'est-ce que je veux de plus ?

Pas un seul message sur mon répondeur. Les médias ronflent. Qu'ils aillent au diable, je m'occupe de mon coeur. Je me confie au système hospitalier. Tous ne sont-ils pas égaux devant un tapis roulant ? Dessus (le tapis) ça, c'est autre chose, mais on y viendra au prochain chapitre.

On m'entoure le poignet du mignon petit bracelet de plastique vert et ça y est: j'ai les pieds dans l'engrenage.

J'ai apporté mon sac de voyage qui est toujours prêt, et qui renferme rasoir électrique, déodorant, brosse à cheveux, shampoing, bas de rechange et bobettes propres. Plus quelques petites choses... mais pas –comme toujours et je ne sais par quel hasard– de bouchons de cire pour les oreilles. Car j'ai le sommeil fragile comme du verre mince et au moindre bruit, au plus petit ronflement, à la plus infime goutte d'eau qui tombe dans la pièce, me voilà réveillé net et dur à rendormir.

On me donne un lit au fond d'une salle qui en contient une dizaine, séparés par des rideaux. Sur ma droite, un jeune accidenté qui porte un collier et ne pourra bouger pendant 3 semaines. Il a de la visite. J'en profite pour réfléchir à ce qui m'a conduit là, c'est-à-dire ces douleurs lombaires qui sont maintenant plus endurables.

Durant la soirée, le jeune homme, originaire d'une autre ville, me dit qu'il fut chanceux tout de même d'avoir eu son accident pas loin puisque l'hôpital de ma ville a bien meilleure réputation. Comme dirait Claire Lamarche: ça fait du bien d'entendre ça. Et ça chatouille même un peu ma fierté puisque cet hôpital fait partie de mon décor quotidien depuis 8 ans. Mais je rattrape aussitôt le concept fierté que je déteste entre tous car il fait partie du langage des gagnants détestables et aide à soutenir la structure de la pyramide sociale devenue tour de Babel.

Mais le propos du jeune homme me rassure tout à fait. Le personnel est très sympathique. Tout est beau. L'attente en vaudra la chandelle...

Le repas n'est pas mauvais. Très équilibré en tout cas à première vue.

Au cours de la soirée, je demande où je pourrais bien trouver des bouchons de cire à me mettre dans les oreilles pour dormir. Introuvables dans l'hôpital, me dit-on. Mais on me propose des bouchons de ouate. C'est moins efficace, mais je vais aussi entourer ma tête avec mon T-shirt. Et puis le jeune homme ne ronfle pas puisqu'il dort un moment au cours de la soirée et qu'il n'émet qu'un souffle pas trop dérangeant.

Je reçois 2 visites de médecins. Tout d'abord, c'est le doc C puis le doc L.

Le premier est un homme dans la cinquantaine au faciès avenant. Je réponds à ses questions. Ce sont les antécédents familiaux qui l'arrêtent. Mes raisons de croire que je n'ai pas fait un infarctus, ce que les investigations ont démontré, ne l'intéressent guère pourtant.

– C'est le questionnaire qui importe le plus, dit-il. Or, vos douleurs en haut de la poitrine sont inquiétantes.

– Suis venu pour le dos, pas pour les pectoraux.

– Attention... ce sont sans doute des douleurs atypiques...

– Atypiques ?!

– C'est ça, atypiques!

– Bon... comme ça, j'ai fait un infarctus atypique???

– Non, c'est pas ce que je veux dire. Mais les douleurs atypiques d'un infarctus pourraient indiquer un trouble cardiaque quelconque et c'est pourquoi il faut un électro à l'effort.

– Bon. On fera un tapis roulant typique pour voir pourquoi j'ai des douleurs atypiques...

Il emporte un sourire avec lui.

Le docteur L, lui, est beaucoup plus jeune. Quarante ans à peu près. Grand. Déterminé. Moustachu. Il inspire non seulement la confiance, mais une confiance aveugle. Pourtant, puisque par définition même, je suis un être hors système, je ne livre pas ma volonté tout entière au premier venu, fût-il un honorable praticien comme celui-là.

Il questionne, mais il se fait questionner en retour.

Cette fois, je n'oublie pas de mentionner au chapitre des antécédents familiaux que mon connard de frère mort à 45 ans –Dieu ait son âme joyeuse– a pris tous les moyens qu'il fallait pour ça. Et que mon père en son temps n'a guère fait mieux.

Ils ont eu pour eux le tabagisme, le gras alimentaire, un sommeil écourté, la poussière de charbon... Et le stress itou.

Mais les explications n'intéressent pas le bon doc qui m'annonce qu'il a l'intention de faire se reproduire ces fameuses douleurs atypiques dans le haut de la poitrine, et qu'il soupçonne être des douleurs angineuses. Indice donc de coronaires bloquées. Ou très bloquées... Ou pire...

C'est moi, le romancier qui dramatise les événements d'habitude, mais voilà que j'ai l'air de banaliser cette fois tandis que le bon docteur en met en masse...

Il ausculte. Il écoute comme les autres docs avant lui sauf la femme médecin.

Et s'en va avec le troisième dossier à avoir été fait sur

moi –ou bien est-ce le même qu'on se repasse de main de doc à main de doc ?– en ce jour béni où l'hôpital me prend en charge. Et totalement, ça, croyez-moi. Si je peux questionner, pour le reste, je dois obéir. Si je peux marcher, pour le reste, je dois suivre la vague.

Je dors mal. Le bruit passe à travers le T-shirt et les bouchons de ouate. On vient prendre la pression du voisin. Puis la mienne au beau milieu de la nuit. Quelque part dans la salle, un patient tombe de son lit et le fracas réveille tous les fragiles comme moi. Il n'a pas de dommage et tous en rient. Sauf moi qui n'arrive pas à me rendormir.

Le mal de dos se dissipe et au matin, il est parti aux trois quarts... Ce qui me fait croire, puisque j'en souffre encore en partie, qu'il s'agit bel et bien d'un mal de dos avec résonance dans le bras. Car si c'était une douleur atypique associée à un infarctus, ou bedon j'aurais très mal comme la veille ou bedon je n'aurais pas mal du tout.

Corrigez-moi si je me trompe!

Asteur, suivez Dédé au tapis roulant... Je vais tâcher de vous faire vivre ça aussi long et pénible que je l'ai vécu...

5

Ça ira, ça ira, ça ira...

Petit déjeuner plutôt substantiel. Bien mieux, bien plus équilibré que mon sempiternel muffin au son. Ça répond aux normes du guide alimentaire canadien.

Vendredi, 27 octobre. Beau temps dehors. Frais, m'est-il dit. On ne peut voir à l'extérieur depuis cette salle. Je suis fatigué de toutes ces nuits sans dormir. Pas trop en forme pour 'embarquer' sur un tapis roulant. Mais je ne crains rien. Puisque je n'ai pas fait d'infarctus la veille et que trois méthodes d'investigation le démontrent. Puisque mon mal de dos était un vrai mal de dos. Puisque j'ai déjà fait un tapis roulant et que ça n'a rien d'effarouchant ni même de bien excitant. Puisque je me tape 2 milles de marche au gros pas tous les matins. Et ce, après 20 minutes de technique Nadeau... Puisque je ne fume ni ne bois.

On vient me chercher vers 11 heures. Chaise roulante s'il vous plaît. Ça me fait rire. Et protester.

"C'est la norme !" me lance l'infirmière.

(Difficile de savoir qui est infirmière et qui ne l'est pas et c'est pourquoi je confondrai sûrement dans les chapitres à venir et attribuerai à des infirmières des tâches qui ne relèvent pas d'elles.)

Et me voilà parti pour la gloire à je ne sais plus quel

étage, section médecine nucléaire.

L'examen sera conduit par le docteur L assisté par un technicien.

Le doc n'est pas rendu. Il faut donner le temps au technicien de me barder de suces et de fils. Suffira de brancher Dédé quand le doc arrivera. Je m'entretiens avec le technicien pour tuer le temps...

A mon dernier tapis à Laval, on m'avait dit que c'était bien plus facile pour un non fumeur comme moi de réaliser la même performance. Le technicien se moque de cette théorie qui n'a pourtant rien de con... Mais bon...

De quoi parler avec un technicien de tapis roulant quand on va faire un tapis roulant ? Météo peut-être ? Quand on a mentionné qu'il fait frais et soleil et que ça va se poursuivre le jour suivant, on doit passer à autre chose.

Il me rase des morceaux de la poitrine pour faire prendre les suces. Je fais de l'humour.

– Je vais me ramasser le devant nu-tête...

Il me regarde avec un oeil de porc frais. C'est que le bonhomme qui n'a pas quarante ans, a le crâne plutôt dégarni au-dessus d'une couronne pas trop luxuriante non plus. Je pense à ma farce plate et décide de me taire. Chaque fois que j'ouvre la bouche depuis mon arrivée, ça tourne bizarre...

La pièce est pas mal grande. Rectangulaire. Haute. Je suis près de la porte d'entrée, allongé sur une table d'examen. Et moi, j'examine la porte. Large. Épaisse. Ouverte. Des gens passent. C'est sans importance. Si ça peut être fait que je m'en aille. Je suis en retard dans mon travail. Des boîtes de livres à envoyer au Saguenay.

Le docteur L retarde et le technicien grommelle en regardant l'heure chaque 2-3 minutes. Il téléphone quelque part. Le doc n'est pas là. En route sans doute !

L'heure m'inquiète aussi. C'est avant le repas du midi que depuis des années, je me sens le plus faible. Au point souvent de sentir ma tension baisser. Il m'arrive à l'occasion, d'avoir des tremblements et le coeur qui palpite. On n'a jamais pu me dire pourquoi. Mon taux de sucre dans le sang peut-être ? Le 20 mai, lors d'une réunion de famille dans mon village natal de la Beauce, j'avais été pris d'une telle faiblesse à cette heure-là et n'avais pu terminer un exposé à peine entamé.

Des faiblesses, ma mère en faisait à tout moment. Sa santé était précaire. Je fus le quinzième à occuper son ventre et comme le dirait le docteur Albert, restait pas grand-chose pour le petit dernier. Je ne suis pas fort malgré mon poids et ne le fus jamais. Au collège, dans les sports, j'étais toujours bon dernier. Course à pied: dernier. A la course de vélo, je gagnais toujours le premier prix... de consolation. Mais au tennis, là... Des succès... C'est que j'avais un bon dos: ma seule partie forte.

Et c'est ça qui m'a fait aller à l'urgence: l'impossibilité dans mon esprit de souffrir du dos malgré les efforts puisqu'aucun effort ne m'a jamais donné mal au dos.

Reste que de onze heures à midi, je suis particulièrement fragile. Je ne suis pas là parce que cette heure-là fait mon affaire mais parce qu'elle fait l'affaire du médecin et du système qui fait évoluer le médecin d'une certaine façon. Le système ne tient pas compte de l'ensemble de ma personne et c'est ma personne qui doit se plier aux exigences du système.

Si seulement j'avais couru sur ce tapis de bonne heure l'avant-midi comme on me l'avait pourtant annoncé la veille.

Il y a donc le stress et la fatigue accumulés des dernières semaines. Plus celui de la veille. Plus le manque de sommeil de la nuit précédente. Plus cette heure peu favorable. Tout ça me pèse sur le dos... et j'ai beau avoir bon dos...

J'entends un pas différent venir dans le couloir. Des talons qui claquent. Un talon qui produit une sorte d'extra-systole. Un pas qui se remarque du premier coup, et qui se reconnaîtra au deuxième... C'est le doc L qui entre et s'avance vers moi le regard plein d'assurance.

– Bonjour, ça va ?

– Ouais...

Aussitôt, il parle au technicien qui lui annonce que

tout est prêt. Il dit encore:

– Je fus retardé...

Je n'entends pas sa raison même si je le devrais car la voix est assez puissante et surtout au bout de mon nez. Mon esprit est ailleurs. Je me sens prisonnier de quelque chose. D'une machine. D'un engrenage. Depuis 24 heures que je n'ai pas de prise sur moi-même. Je me sens comme au pensionnat. Manque rien que le frère Gilles et le frère Achille pour me dire d'aller à hue ou à dia. Ou le frère Ferdinand qui nous criait tout le temps après: vieux renard chauve.

J'ai de quoi contre les chauves ce jour-là. Pourtant, du train où vont les choses pour moi, je vais rejoindre le grand club des 'moumoutés' avant la soixantaine.

– Vous pouvez venir au tapis, me signale le doc après avoir manipulé des boutons.

J'ai eu un tapis roulant chez moi voilà deux ans, mais je l'ai retourné à la compagnie car il s'est brisé après un mois d'usage. L'exercice qu'il permettait était diablement ennuyeux par comparaison avec ma marche matinale rue Girouard sous ces arbres de feu qui pendant trois semaines ont répandu leurs splendeurs sur les pelouses et sous mes pas bruyants.

Il fait chaud dans cette pièce et l'air pur y est rare. A croire qu'on n'ouvre pas les fenêtres même si les fraîches de l'automne commencent à le déconseiller.

Je peux voir dehors par la fenêtre, mais je ne me rappelle pas si ma vue tombe sur un stationnement, une autre aile de l'hôpital ou des arbres ou la ville au loin. Bizarre, mais ces moments ultimes avant de commencer la marche et ceux de la marche elle-même resteront dans ma mémoire comme des événements fantomatiques malaisés à discerner dans le brouillard de ma souvenance. Peut-être parce que ceux qui suivront vont s'inscrire avec une telle netteté dans toutes mes capacités d'emmagasiner des souvenirs.

Et c'est parti.

Vitesse réduite. Pente limitée. J'avance sans peine et le tapis me ramène à mesure à la case départ. Cela dure quelques minutes. Combien, je ne le sais pas. Le doc me demande si les douleurs atypiques derrière les pectoraux se manifestent. Celles qu'il veut absolument reproduire... Négatif. Il augmente vitesse et inclinaison. Je presse le pas obligatoirement.

– Pas d'essoufflement ?

– Du tout.

Et je marche, et je marche. Trois ou quatre minutes encore ? On passe à la troisième vitesse et je suis optimiste, me disant que c'est la plus élevée. On achève. Aucune douleur présumément angineuse.

– C'est le tenormin que vous prenez qui empêche le coeur d'atteindre un nombre de battements suffisants, dit le doc L.

Le tenormin qui a pour fonction de contrôler mon hypertension (légère) a pour effet de ralentir le coeur. Or, j'ai déjà un coeur d'athlète. Autour de 50 au repos. C'était pareil à 20 ans. Et toujours aucun essoufflement. Le souffle ne raccourcit même pas. J'ai l'habitude de ce pas sur 2 fois 18 minutes tous les matins. Mais c'est le matin alors et il y a de l'air frais dehors.

Là, je me sens au bord de dépasser mes limites.

– Si vous vous sentez mal, dites-le, répète le technicien qui l'avait dit au début.

Rien d'anormal sur l'écran de la machine. On dépasse les dix minutes de marche rapide, c'est certain. Ni essoufflement ni les maudites douleurs angineuses soupçonnées et que le doc veut provoquer...

Le veut-il à tout prix ? Il fait passer la machine en quatrième vitesse et augmente l'inclinaison. Toujours pas d'essoufflement ni de douleurs, mais je sens que ma tension chute.

– Je pense que je ne suis plus capable...

– Dis-le si tu veux arrêter, dit le technicien.

– Je pense que je ne suis plus capable, redis-je.

Je me sens très mal mais ne m'effondre pas. Et ce ne sont pas les douleurs typiques d'un infarctus. Ça ne serre pas dans la poitrine et il n'y a rien dans le bras gauche. Mais la pression tombe, je le sais. Et moi, je ne tombe pas. En fait, descendu du tapis qui s'est enfin arrêté, je n'arrive plus à bouger. Et je ne veux pas bouger même si le technicien veut me faire avancer en direction du lit d'examen. Mais le doc bouge, lui, et vite...

Je l'entends vaguement téléphoner, dire à travers ça à son adjoint de me faire étendre, me presser d'aller m'étendre. Tout est impérieux, angoissant. Je sais que je dois le faire, mais je n'y arrive pas. Je suis là, debout, comme une statue de marbre, les bras pendants, le corps comme celui d'un singe, le visage sûrement vert et terriblement contrefait, en sueur et en malaise croissant.

Je me sens mal, mal, mal... Et je ne tombe pas... Et je n'ai pas les douleurs typiques de l'infarctus... Tout se dérobe sous moi et je ne tombe pas... Comme je voudrais tomber, sombrer dans le brouillard, m'éteindre, m'endormir. Si le coeur et le cerveau pouvaient donc s'arrêter que je puisse me reposer, que je puisse être délivré de cette emprise impossible... Je me dis que je ne reverrai plus Caroline, ma fille, sa mère que je n'ai jamais cessé d'aimer toutes ces années de séparation, et Solange, ma meilleure amie qui m'aide dans les moments difficiles et que je tâche d'aider en retour du mieux que je peux...

On me prend à deux pour me faire avancer et j'y parviens. Tout se passe comme dans un film au ralenti. C'est comme si tout mon corps avait été plongé dans de l'eau régale et que la substance en soit devenue fragile, cassante, prête à se parceller en mille morceaux.

On me fourre une pilule dans la bouche. De la nitro. Je sais à quoi ça sert mais je n'y crois pas encore...

Je m'étends doucement. Enfin. Et sur le côté. J'ai horreur de m'étendre sur le dos. Jamais je ne dors autrement que couché sur un côté ou l'autre. On dirait que mon coeur est trop compressé dans ma poitrine quand je suis couché sur le dos. Je me souviens d'un de mes étudiants dans la Beauce, qui avait une cage thoracique trop étroite et qu'il avait fallu opérer pour dégager un espace suffisant pour son coeur... Ça m'avait frappé alors. J'avais 30 ans et il m'était apparu vaguement que son problème était aussi le mien. Couché sur le dos, c'est l'angoisse et surtout l'inconfort.

– Sur le dos, sur le dos, répète le docteur L qui est toujours au téléphone en communication avec les soins intensifs...

J'entends parler d'un problème cardiaque, pourtant, il me semble que ce n'est pas un infarctus et plutôt une chute grave de tension. On prend ma pression et il y a chute grave en effet...

Je sens de l'énervement autour de moi. Mais je suis bloqué dans une sorte de ciment qui durcit à chaque fraction de seconde et me plonge dans un malaise infini et c'est à peine si ma tête peut bouger... Pour le reste, j'ai lâché prise. Tout à fait...

J'entends circuler le mot héparine... héparine...

Alors j'entre dans un état de semi-conscience où l'élément majeur est une immense porte que je sais épaisse et lourde et contre laquelle de grandes forces me poussent, me poussent, m'écrasent... Et la porte refuse de s'ouvrir... Je veux qu'elle s'ouvre... Je sais que des poids lourds sont de l'autre côté et la retiennent... Des gens que j'ai connus et qui sont maintenant dans une autre dimension... Mon beau-frère que je ne vois pas mais que je sais être là et à me faire un signe de tête négatif... Mon père qui est adossé à la porte, arc-bouté, et dont tous les muscles saillent... Et ma mère qui les regarde faire et les encourage... On ne veut pas m'ouvrir cette maudite porte qui me libérerait... J'ai un sanglot moral, je pense à ma petite famille perdue, je souffre...

Et passent dans ma tête toutes ces rebuffades essuyées dans mon métier d'auteur de subsistance. S'y mélangent les merdes de cette société en train de se scinder en deux: d'un côté, les forts qui accaparent tous les moyens et donnent toutes les cartes et de l'autre, les **faibles écrasés sur toutes sortes de portes qui ne s'ouvrent pas.**

En pareille circonstance, ne serait-il pas dans la norme que je me sente coupable comme souvent toutes ces années. Mon travail n'est pas assez bon. J'ai manqué de prévoyance. Je me suis trompé là et là... Je n'aurais pas dû fumer entre 20 à 30 ans. Je marchais trop vite le matin...

La pensée générale de cette dernière partie du siècle

est culpabilisante. Avant, c'était la religion qui imposait son pouvoir à travers ce processus de culpabilisation; de nos jours, ce sont les vendeurs de psychologie et les médias qui s'en chargent... Tu es trop gros. Tu es sclérosé. Tu manges mal. Tu as fait des fautes dans ton livre. Tu es ci, tu es ça, tu n'es pas bon... Mais t'es capable... La voilà, la pire insinuation: t'es capable. Si tu réussis pas, c'est pas que t'es un incapable puisque tous ont une grande valeur dans cette vie, c'est parce que tu ne veux pas assez... Être capable et ne pas y arriver, voilà le summum de la connerie... Oui, mais 4,400 heures par année ? C'est trop, voyons. Tu vois bien dret-là comme tu es coupable. Oui mais 5 nouveautés en 1995... C'est bien trop, beau nono. **Ce n'est pas dans la norme**. Pourtant, ce n'est que 7 pages par jour et avec un ordinateur... Oui, mais la norme, ce n'est pas ça... Tu n'es pas un écrivain normal et ça, c'est pas normal... tu comprends ?

Eh bien non, je ne ressens aucune culpabilité... Et cet enfer que furent les autres pour moi ces 20 dernières années m'apparaît dans toute sa démoniaque splendeur. En même temps, je sais qu'essayer de changer cela, c'est comme de vouloir –dirait Camille Samson– défaire une pierre dure avec ses ongles. On ne réussit qu'à se briser les doigts et à saigner...

La pyramide sociale est là. Elle est soutenue par les gens d'argent, ceux du pouvoir politique et leurs alliés de la propagande. Le banco-politico-médiatique.

Je me revois déshabillé par le prêt public, triché par le DPP, trompé par Chrétien, méprisé par le banquier (surtout la mentalité des Caisses Populaires), détroussé de millions de dollars que le système disperse pour pouvoir se déclarer fier... Pauvres cons ! Les médias qui ne marchent que sur preuve d'image et me refusent ce coup de pouce fondamental que mes efforts et le nombre de mes lecteurs devraient pourtant me valoir ! Leurs livraisons quotidiennes de sports, d'horreurs, de sang, leur soutien de la loi des plus forts et de la futile mentalité des gagnants.

"Voyez cette tour de Babel," dis-je à ceux qui m'empêchent d'ouvrir la porte avec le poids de mon corps.

Car mes mains n'y peuvent rien. Elles sont contraintes à l'inaction. Liées.

"Ouvrez la porte que je sois libre. On ne peut pas être libre de ce côté-ci, on ne le peut pas... Rien n'a plus de sens pour moi; toutes les valeurs sont égrianchées. D'aucuns se détruisent parce qu'ils en ont trop et que leurs plaisirs les tuent après avoir assassiné leurs **désirs**; d'autres ne parviennent pas à se construire, à s'épanouir parce que l'arrangement social fait qu'il n'en ont pas assez. Et d'autres récoltent des millions pour eux tout seuls tandis que les enfants souffrent par millions et n'auront jamais les fondations nécessaires, santé, équilibre psychologique, éducation, pour permettre leur plein épanouissement.

Aurore (l'enfant martyre) à qui je parle depuis 1990, et qui m'a souvent parlé, n'est pas là. Elle pourrait m'aider. Elle l'a franchie, cette porte, quand la vie fut intenable pour elle. On a dû l'aider. Sa mère sans doute. Son petit frère. Son oncle Charles. Pourquoi ne vient-elle pas m'aider ? Pourquoi ne vient-elle pas persuader mes proches parents de me laisser enfin entrer par la grande porte ? Qu'ai-je donc à faire dans ce monde de chaînes et de coups de pied ?

Je n'ai de prise sur ma vie que lorsque j'écris un roman. Le système cherche à m'en priver en s'emparant de mon cerveau et en le 'communisant'... J'ai payé 80,000$ de loyer depuis ma séparation; le système a refusé que j'investisse ces argents sur une maison. Et à 53 ans, je suis dehors simplement parce que le système est malade, générateur d'inégalité, de pauvreté, de misère individuelle et collective, injuste, tricheur et abuseur... Abuseur au point de m'accuser de *l'attaquer abusivement...*

Ce n'est pas une démission que de vouloir franchir cette porte, c'est une recherche de liberté. C'est tourner le dos à tous ces misérables vampires qui sucent le sang des autres à travers les dédales de la pyramide sociale. Qui engrangent des surplus et du superflu sans jamais se soucier de leurs frères humains, de leurs soeurs, de leurs enfants, à leurs yeux des bêtes parce qu'ils ne sont pas de leur propre sang...

J'ai fait de mon mieux. Travail. Exercice. Mode de vie. C'est ce maudit stress qui m'a conduit à l'hôpital. Stress provoqué par le grand système. Et voilà qu'un petit système (hospitalier) à l'image du grand et à sa remorque m'a pris en charge et poussé vers ce tapis roulant. Car on n'a pas pris en compte mes différences à moi, mes particularités à moi, on a voulu me faire courir jusqu'à provoquer quelque chose sans égard pour mes limites, mes capacités réelles...

Il suffit de quelques bonnes idées dans sa vie pour réussir en affaires et obtenir les récoltes nécessaires à son épanouissement et celui de sa famille. Au-delà de ces idées, suffit d'appliquer le code du système... Et tu t'enrichis alors sans beaucoup d'obstacles... La norme, la norme...

Mais il te faut au moins une bonne idée par page quand tu écris, sinon gare, on va te massacrer quelque part. Tu es la chair des prédateurs. Quand ils t'en dévorent un morceau (comme me faisait l'ange Sarfati en 1990), cela les sustente. Ils le font au nom du bien public, au nom de la loi et de l'ordre, mais c'est pour assurer leur devenir et leur superflu. Selon les lois du système. Selon les règles de la course infernale qui tue et que l'on vénère, et que l'on appelle affectueusement compétition. Les soifs d'argent et celles de l'ego sont devenues insatiables. Il ne reste plus rien de la convivialité, de l'entraide des années 50 et c'est pourquoi en séquelle à *Un amour éternel* (1980) j'ai voulu écrire la série des Paula (*La Voix de maman* (1987), *Un beau mariage* (1990), *Femme d'avenir* (1992), Une chaumière et un coeur (1996?) et la série des Rose (*Rose* (1995), *Le Coeur de Rose* (1995), *Rose et le diable* (1996), *Rose et l'amour* (à venir), *Les soirs de Rose* (à venir).

Ces livres sont allergiques au médium télévision. Contraires à son esprit, au star-system. Toute la production télévisuelle est fondée sur les **luttes de pouvoir** tandis que les luttes de naguère avaient pour enjeu la subsistance individuelle et les luttes de pouvoir y avaient une place très secondaire et exceptionnelle. A la télé, sous inspiration américaine, le faste, la brillance, la santé, la force, c'est pour les gagneurs et gagnants tandis que les perdants qui attirent l'attention sont ceux qui sont soit punis soit repentants... Non, la télé ne voudra jamais des valeurs qui imprègnent de bout en bout la série des Paula et celle des Rose. C'est perdu d'avance. Au petit écran, de nos jours, on veut de la hargne, de la haine, des gens qui gagnent (les bons) et d'autres qui perdent (les mauvais). Triomphe du manichéisme style western; et cela vaut tout autant dans les oeuvres les plus intellos qui soient (comme Montréal P.Q.), et plus encore à la SRC que partout ailleurs. On est 'fort'. On est au 'boutte'. De toute...

Les médias, surtout la télé, aiment les egos gonflés à bloc, au cube ou à l'infini. Que ce soit à base de matérialisme comme dans certaines séries américaines ou sur fond de sports professionnels, d'olympisme ou sur un arrière-plan de sentiments comme dans les téléromans et même sur canevas d'idées confuses mélangées avec des sentiments tout aussi embrouillés comme ce qui émerge de Scully, Bombardier et même, à l'occasion, Mongrain...

Les valeurs villageoises sont irrémédiablement perdues, certes, mais pire, plus personne en dehors de certains lecteurs, ne veut les contempler pour se donner quelques points de repère ou simplement s'en distraire. Tout ce qui apparaît sur l'écran de télévision est fonction de la pyramide sociale et lui sert. Peut-être que *Les Filles de Caleb* fut, m'a confié une observatrice qualifiée, une parenthèse rafraîchissante confirmant la règle générale. Fut-ce la raison première de son succès et que nos intellos n'ont jamais pu comprendre ? Je n'en sais rien, je n'ai pas vu. Ni lu. Je puise dans le même patrimoine que mes collègues écrivains et ne veux pas m'empêcher d'utiliser ceci ou cela parce qu'eux l'ont fait déjà...

Jamais on ne va se débarrasser de la violence à la télévision si on refuse systématiquement de contempler les valeurs villageoises et de questionner la pyramide sociale !...

Non, je ne tiens plus à voir ce petit monde: j'ai trop mal, je me sens trop à l'étroit. On veut que je prenne la porte et je veux, tout compte fait, la prendre moi aussi... Pourquoi l'obstruer de l'intérieur, là, vous autres ? Toi, le gros Noël, ôte-toi donc de là ? Tu m'ouvrais la porte en riant quand j'allais chez toi de ton vivant... Je veux voir cette dimension où tu te trouves... Et mes parents, laissez-moi entrer dans ma prochaine vie; ne m'avez-vous pas forcé la main pour que j'entre dans celle-ci ? Pourquoi maintenant me retenir dehors... alors que j'ai besoin de partir, qu'on m'écrase contre la porte, que le système tentaculaire me pousse de toutes ses forces à m'en aller...

Non, je ne suis pas coupable. J'ai fait des erreurs, mais j'ai fait de mon mieux. Et sans ce système débile pour me pressuriser, j'aurais pu aider davantage ceux que j'aime, adopter plus d'une petite Africaine, donner plus, donner mieux dans mes ouvrages... Mais le système est rapetisseur de têtes: il réduit les unes en les submergeant et réduit les autres en les privant d'oxygène... Une espèce de la race humaine trop bien nourrie finit toujours pas se détruire elle-même. Une espèce de la race humaine laissée sans aucune protection finit par disparaître.

Ne plus pouvoir accomplir les choses les plus simples. Ne pas pouvoir bouger une jambe, une main et laisser le docteur s'en charger.

– Vous nous avez fait des petites folies, dit le doc L en me perçant le dessus de la main pour faire entrer l'héparine.

Il semble qu'on en avait sous la main, de ce bienfaisant liquide qui vous dilue les vilains caillots aussi vite qu'ils se sont formés. Comment cela ? Prévoyait-on ce qui vient de m'arriver sur le tapis et cela se produit-il régulièrement ? Pourquoi une investigation qui vous pousse hors de vos limites ? Cette idée m'obsède...

Je pense au bon docteur Senter, (personnage de mon roman *Le Trésor d'Arnold*) compagnon d'expédition de Benedict Arnold en 1775, et à ses méthodes apprises à Harvard. Il sait tout de la médecine moderne de son époque, mais la médecine de son époque erre tous les jours, ignore l'existence des microbes, ordonne des saignées, prescrit de drôles de concoctions. On en rira un siècle plus tard. Encore un siècle et on rira de celle qui riait de l'autre. Ainsi de suite.

Il me semble que la médecine d'aujourd'hui ne tient

pas compte de l'entièreté d'un individu. On frappe sur un clou et on égrianche toute la structure du patient. On le guérit d'un mal et on le dispose à d'autres maux. Le vieux cliché me vient: il semble que la médecine, comme bien des garages, entretient sa clientèle et la maintient en état de dépendance. Non, je n'ai pas lu Lanctôt, mais je l'ai entendue à la télé. Je trouvais qu'elle ne faisait pas de quartier. La chirurgie sauve des vies tous les jours. Oui, mais la chirurgie n'est pas la médecine à elle seule...

Ce n'est pas le film de ma vie qui passe dans ma tête au cours de ces 7 ou 8 minutes que dure cet infini malaise qu'on me dit être une crise cardiaque, mais le film de mes frustrations. Et aucune d'elles ne me paraît imputable à moi-même. Ayant vécu le plus possible hors système toutes ces années, le système ne m'a pas cloué dans le crâne ce sentiment de culpabilité qui le sert si bien dans son entreprise ordonnée de manipulation, de dépersonnalisation et d'aliénation des individus.

Et toutes ces faces d'ange qui cachent si bien l'agression... Non, je n'en dirai pas ici les noms de peur qu'il m'en coûte quelque chose; et je n'ai pas de réserves pour payer quoi que ce soit...

L'aiguille pénètre. L'héparine entre dans la main. Le système qui traite un patient morceau par morceau et non l'ensemble ne veut tout de même pas se faire blâmer d'avoir provoqué un infarctus et d'échapper ensuite le client.

Le docteur est nerveux et pourtant, je ne l'injurie pas, ne lui en tiens pas rigueur. J'ignore tout ce qu'il sait et lui ignore tout ce que moi, je sais. J'aurais néanmoins des reproches à lui faire personnellement. D'abord, il affiche trop de certitude et cela, chez tout individu, cache justement l'incertitude. Et puis les premiers mots qu'il m'a adressés après l'accident furent:

– Vous nous avez fait des petites folies.

Pas sa bouche, le système cherche à me culpabiliser. On me dira plus tard qu'on ne m'a pas fait dépasser la norme établie, calculée pour un homme de mon âge. Et moi, je soutiendrai toujours que peut-être, oui, mais qu'on m'a fait dépasser mes limites.

Et voilà que la souffrance me met en tête cette scène du film Ben Hur alors que les galériens rament et rament. D'abord en cadence de combat, puis en cadence d'attaque et enfin en cadence d'éperonnage. D'aucuns, les plus faibles, finissent par tomber... Tu peux tuer un éléphant si tu le tiens trop longtemps hors de ses limites...

Je suis tombé.

Mais il se peut que j'aie le coeur très mal foutu. Et si j'avais des blocages à 100% comme en ont d'autres, ce qui leur vaut un infarctus au repos. Et des pontages réparateurs. Si une partie de mon coeur était déjà malade. Non, je ne suis pas coupable, mais mon coeur l'est peut-être, lui. Et je dois donc me taire... Et accepter. Et rester dans l'engrenage. Et voir venir la suite des événements...

On est si pauvre moralement quand on est malade. On est prêt à se donner à n'importe quelle volonté autre que la sienne quand on perçoit que la sienne n'a plus de prise sur les événements qui nous arrivent.

Enfin, la tension que l'on prend sans cesse, commence à remonter. Avec son rétablissement vient le soulagement.

– Vous nous avez fait des petites folies, redit une fois encore le bon docteur en lissant sa moustache. Par chance que vous étiez ici à l'hôpital...

– C'est le tapis qui m'en a fait faire, une grosse folie, dis-je aussitôt sans trop réfléchir.

Il se sent au tapis et se lance dans des explications qui ajoutent à mon scepticisme grandissant. Je ne retiens pas ce qu'il dit car je suis obsédé par un besoin naturel. Et puis des brancardiers viennent me prendre pour me reconduire à l'urgence, aucun lit n'étant disponible pour le moment aux soins intensifs.

J'insiste pour aller aux toilettes. On insiste pour que je me retienne. Et commence l'étourdissante course vers l'urgence où je me retrouve donc bientôt dans une salle voisine de celle de la veille et au même point... ou presque. Oh! juste un petit infarctus avec ça, et vite fait comme un lunch au McDo...

Le bon docteur L disparaît. Il part en congé, je le saurai plus tard et je ne le reverrai que le mercredi suivant soit 5 jours plus tard. Pas de problème pour le système puisque ses remplaçants savent lire un rapport médical, étant eux-mêmes médecins bien entendu... Comme dans une course à relais, celui qui prend le bâton est plus frais que son prédécesseur et donc plus apte à bien faire...

Excepté pour le ventre qui s'agite et se plaint, je me sens bien de partout. Le docteur D qui m'a examiné la veille vient me voir. Je suis tombé sous sa juridiction. Il sait ce qui s'est produit.

– Par chance que vous étiez à l'hôpital ! dit-il vivement.

– Ça dépend du point de vue...

– Comment ça ?

– Si j'étais pas venu, j'aurais pas fait cette crise.

– Mais, mon bon monsieur, vous auriez pu la faire chez vous en soulevant une boîte...

– Dans 10 ou 15 ans.

– Vous avez des blocages sans doute dangereux. On va vous faire faire un autre électro à l'effort. Le test du thallium...

– Pardon ?

– En médecine nucléaire...

Pendant qu'on placote, une infirmière vient me tirer un peu de sang pour vérifier les enzymes du coeur...

– Je ne connais pas un catholique qui va me remettre sur un tapis avant longtemps... ou bien j'aurai le bouton d'arrêt dans mes mains. Je connais mes limites...

– Vous étiez dans la norme pour quelqu'un dans la cinquantaine...

– Je n'ai jamais été conforme à la norme des gens de mon âge. Pour pouvoir réaliser la même performance, je risque de crever, de bêcher, ce que j'ai fait.

Il me regarde comme si j'étais le pire des ingrats. On m'a sauvé la vie et je gueule. Son visage ressemble à ma lettre (du 9 mars) du cabinet du premier ministre Chrétien laquelle m'accuse d'avoir attaqué abusivement le système et ce bon Canada si généreux envers moi...

Il me vient la pensée folle de me lever de mon lit, de

me mettre au garde-à-vous et d'entonner le **O Canada.** Mais j'ai trop envie de chier pour ça... Et mon envie ne se résorbe pas à la pensée du **Gens du pays**...

Qu'on ne parle plus du mot démocratie tant que je vivrai ! Les gouvernements ne sont que des croupiers tricheurs aux doigts vermoulus et qui vous déchirent les cartes dans la face si vous ne faites pas le poids, et qui changent la donne quand le joueur le plus fort le demande, et qui font que le clan intégré au système peut écraser l'homme seul et obtenir une nouvelle définition du mot démocratie, un mot-fourre-tout que les politiciens et leurs arrières fonctionnaires n'hésiteront pas une seconde à galvauder pourvu que ça fasse taire les braillards, que ça rapporte des votes ou des pots-de-vin.

Le gouvernement est devenu le pire ennemi du citoyen.

Et le système qu'il articule, qui soutient la pyramide sociale, est semeur de violence froide.

Cet 'accident' cardiaque a le mérite de tout éclaircir dans ma tête, d'apposer le tampon **certitude** sur mes jugements de valeur fondés sur mes observations de la société en général et du monde du livre qui en est un microcosme.

Enfin, on m'installe la bassine. Peine perdue. Mon corps ne veut pas relâcher la tension. Et ça me gargouille dans les boyaux...

On a juste le temps de me brancher à un moniteur puis de me débrancher. Un lit s'est libéré aux soins intensifs. On m'y conduit. En lit roulant si je me souviens. A peine suis-je posé sur mon nouveau lit que je réclame d'aller aux toilettes. On m'offre la bassine que je refuse avec explications pressées. On pense à la chaise d'aisance qui arrive vite. Et mon corps se vide. Jusqu'au cerveau on dirait. Voilà un signe évident de crise cardiaque.

En même temps, ma tension rechute. Je le dis par des mots. Et surtout par ma transpiration. J'ai oublié de mentionner à quel point j'ai transpiré après mon tapis roulant. L'eau pissait... Jaquette trempée dans toutes ses fibres... Et voilà que ça recommence... On s'inquiète. On devient nerveux. Mais on reste en contrôle.

Pourtant, tout ça m'inquiète bien moins, moi. Depuis

ma jeunesse que je transpire en des temps et des lieux où personne ne transpire. On me l'a fait remarquer des milliers de fois. Encore le 20 mai, dans la maison rouge de Saint-Honoré, l'eau tombait à grosses gouttes de mon front par terre, parfois sur ma caméra. Personne autour de moi n'avait seulement le front reluisant... Ce n'était pas un infarctus. Ou alors j'en ai fait des milliers dans ma vie. Quand aux chutes de tension, elles sont fréquentes le matin quoique moins importantes que celle-ci. Et je suis allé jusqu'à m'évanouir déjà, voilà au moins 20 ans, dans pareille circonstance alors qu'une gastro m'affectait. Je m'étais affalé dans la salle de bains et assommé sur la céramique du plancher. Pourtant, ce n'était pas un infarctus.

Oui, mais là, c'est pas pareil, non ?

La machine en haut a dit infarctus, elle.

Oui, mais je n'ai pas eu les douleurs typiques de l'infarctus. Chute de pression, certes, mais pas la douleur. Ah! mais il semble que je suis le spécialiste des douleurs atypiques... Je suis ce que je ne crois pas être... Être ou ne pas être...

Je me sens moins mal, bien moins qu'en haut après le tapis, mais mal tout de même. On m'essuie le derrière, on me couche, je sue, on prend la pression. Elle ne tarde pas à redevenir normale et je me sentirai bien.

Tout redevient calme. On m'a branché sur le moniteur. Sur un soluté. J'appartiens au système hospitalier. Je suis docile. Seul. Je ferme les yeux et me dis que dans un jour ou deux, je serai à la maison avec de la nitro dans la poche en cas de surprise... Par contre, je rouvre un oeil parfois... J'écoute mon coeur et le regarde battre sur le moniteur...

Vendredi m'obsède... S'achève...

6

Système, système, système

Ben envie de sacrer mon camp. Mon ouvrage m'attend. Comme ces phrases auraient du génie en ce pays d'iconolâtres si seulement mon nom était Tremblay !

En tout cas, on est samedi. J'ai dormi comme un loir. Porte ouverte. En fait, la seule porte de ma pièce est un rideau qu'on ne ferme que pour protéger la pudeur. La lumière, le bruit: aucun problème. Pourtant chez moi, le vol d'une mouche me réveille. Un rai de lumière itou...

Ah! mais mon amie est venue me voir hier soir et m'a apporté des bouchons de cire pour bloquer le son dans les oreilles. Ils ne vont pas m'avoir par voie d'énervement auditif...

L'infirmier de garde du quart du soir m'a servi mes médicaments. Trois fois rien. Ma demi-pilule de tenormin qui m'est familière depuis 3 ans. Une pilule ronde pour éclaircir le sang. Qu'est-ce que c'est ? Bah! rien du tout ! De l'aspirine. Qui donc a peur de l'aspirine ? Et celle-ci, rectangulaire au coins arrondis, blanche comme une vierge, belle et si délicate ? Une merveille. Je comprends pourquoi on a attribué le féminin au mot pilule... (Avant-hier, le juge Bienvenue a dit des conneries sur le dos des femmes et faut croire que ça m'influence aujourd'hui dans ce que j'écris...) Oui, c'est qu'elles ont l'air si gentilles et fines, ces petites pilules...

"Son nom ?"

"Ativan... Un 'tit' vent doux qui vous emporte comme une brise sur un nuage moelleux rempli de beaux rêves..."

J'en avais eu la larme à l'oeil.

Et quel sommeil ! Et quel repos ! Au cours de mon bref état de somnolence, ce matin-là, alors qu'une jolie infirmière à visage maternel me souffle la suggestion d'un réveil pour qu'elle puisse prendre ma pression, je me demande si je suis bel et bien à l'hôpital ou au paradis.

Je me sens si bien. Comme un bébé en santé dans une pouponnière où il est seul et où on veille sur lui à plusieurs.

– Bonjour... vous...

Je regarde sa poitrine. Rien de ce que vous pensez, là. Je cherche son nom.

– Vous avez bien dormi ?

– Sur un nuage...

C'est peut-être la sainte vierge Marie après tout et je lui demande son prénom.

– Louise... j'ai oublié mon insigne...

Louise, prénom de ma première blonde... Les premiers seins sur lesquels ma bouche adolescente s'est posée après le sevrage de la tendre enfance. Décidément, l'hôpital se fait de plus en plus **maternel**...

Je n'ai qu'à me laisser faire... Le système hospitalier sait choisir le visage que vous verrez le premier matin de votre séjour aux soins intensifs... L'image maternelle, quoi de plus sécurisant ?... Mais en même temps, celle de la jeunesse, de la beauté... Louise possède les trois... Et en plus, elle porte le prénom de ma première blonde. Le Seigneur est peut-être derrière tout ça, me dirait un ami féru des choses de la bible. Quel besoin d'être au ciel quand le ciel est autour de soi sur terre ?

La Providence est partout. Le moniteur qui mesure chaque pas de mon coeur malade. Le personnel toujours présent. Une femme dévouée qui vient ouvrir votre rideau, vider votre pot de chambre. Une infirmière qui vient vous laver le dos et les jambes. Quelqu'un d'autre qui vous sert votre petit déjeuner. Une petite pression par ci, une petite prise de sang par là...

Qui n'a connu dans sa vie quelqu'un qui l'aime au point de le harceler sans arrêt avec les feux de sa passion ? Je me sens 'tant aimé' par le système hospitalier. Et me revient en mémoire cette expression portée par l'écho et dite par l'annonceur de radio dans une sorte de majesté royale: "Je vous ai tant aimée... un texte de Jovette Bernier." Je jouais sur le plancher froid avec mes blocs de bois tandis que ma mère haussait un peu plus le son de l'appareil pour mieux écouter la suite de son radioroman préféré... 1946 probablement...

Hôpital: sécurité !

Hôpital: santé !

Se peut-il que les 'euphories' dues à l'Ativan commencent à se résorber ? Car voilà que mon côté 'limoneux' se reprend à vouloir me sortir du système douillet dans lequel je me trouve et qui m'a presque fait oublier qu'il m'a poussé vers l'infarctus et donc le dommage au coeur ?

L'envie de m'en aller me vient. Après tout, je me sens en parfaite forme. C'est toujours le cas pour les cardiaques, me dira-t-on par la suite. Ils sont prêts à sauter par-dessus l'hôpital une heure après leur crise de coeur...

Patience Dédé, on te l'a dit, tu seras là pour 2 ou 3 jours encore. Jusqu'au lundi, c'est certain. De toute façon, le docteur L est en congé, lui, toute la fin de semaine... Tes affaires sont en sécurité. On (mon amie) t'a apporté le nécessaire pour tes soins d'hygiène, les sous-vêtements de rechange... Tu devrais nous laisser accrocher tes pantalons dans ta case là-bas plutôt de les garder sur une chaise comme quelqu'un qui pense à déguerpir...

Ma réflexion de l'avant-midi m'emporte dans un tout autre domaine, un tout autre système, et loin derrière.

Je fus enseignant pendant 14 ans. De 1961 à 1975. Au secondaire. Comme mes collègues de l'époque, je fus témoin de grandes réformes. Et on m'y a entraîné plus de bon gré que de force. Fermeture des écoles de village et ouverture du réseau des polyvalentes.

Au tout début de ma carrière de prof, à Thetford Mines

puis à Lambton, La Guadeloupe et Saint-Honoré dans la Beauce, on me confiait une classe pendant toute l'année. C'était l'époque du tutorat. Il ne fallait pas beaucoup de semaines pour que j'en vienne à connaître tout mon monde, à l'apprivoiser, à savoir ce qui paraissait le mieux pour chacun. Certes, au début, les grandes gueules, là comme ailleurs, prenaient pas mal d'espace tandis que les autres cherchaient encore le leur et que les humbles se tenaient à l'écart. Mais lorsque les **étudiants d'image** avaient établi leurs positions par rapport aux miennes, il me restait amplement de temps pour 'approcher' les autres jusqu'aux plus renfrognés...

Veut veut pas, les brillants brillent. Et on les voit en premier partout. Mais avec les semaines et les mois, on découvre les valeurs des silencieux, leurs bons et moins bons côtés. Ça, c'était le bon temps de l'enseignement !

Religion. Français. Maths. Dessin. Histoire et géographie. Hygiène et bienséance. Et même l'anglais nous incombait. Oh! j'enseignais l'erreur à l'occasion, mais la plus grande erreur n'est-il pas d'enseigner la perfection ?

Au collège, le bon frère Cyrille nous enseignait la géométrie. En ce temps-là, un théorème par jour. Mais il n'étudiait pas ou ne revoyait pas la théorie la veille, de sorte qu'une fois sur deux, il s'emberlificotait dans sa démonstration. Et moi, turlututu chapeau pointu, je le dépannais et le remettais dans le bon chemin pour le plus grand plaisir de mes collègues étudiants. C'est que moi, j'étudiais la veille le théorème du lendemain à partir de mon livre. Je prenais de l'avance. Pourquoi attendre le docteur pour s'occuper de sa santé ?

L'adolescence a aussi ses méchancetés et j'y prenais un malin plaisir. Et ça finira par me valoir de la part du bon frère le surnom du roi des critiqueux. Mais si l'homme eût été moins téméraire et même prétentieux, car il était le plus bardé de diplômes de nos professeurs, il aurait revu son théorème la veille. Et il ne se domptait pas...

J'en tirai la leçon et une fois enseignant à mon tour, je revoyais la veille la matière à livrer le jour suivant, théorème y compris...

La pédagogie, c'est d'abord ce qui compte pour un

'maître d'école'. Et la psychologie. Connaître ses étudiants et savoir les mener par les moyens les plus appropriés vers la connaissance à acquérir. Jos-Trop-Connaissant et ses pareils font rarement de bons maîtres, c'est connu.

Et pourtant, en même temps que l'explosion d'abondance des années 60-70, nous sommes entrés dans l'ère de la spécialisation, du 'au-boutte-de-toute', de la course aux diplômes, aux salaires, aux biens matériels, à l'efficacité, au rendement maximal... Des fonctionnaires de génie ont tout de suite compris car ils sont toujours les premiers à comprendre. Ils ont vu l'avenir devant nous, ces visionnaires extraordinaires. Et nous avons hérité du système des polyvalentes à la base duquel, certes, il y avait des impératifs budgétaires et pratiques.

Mais on a poussé trop loin. Moi, comme bien d'autres de cette époque, je m'attendais à ce qu'on me confie une classe pour l'année quand on travaillerait dans ces grosses boîtes de béton.

"T'es-tu fou, mon Dédé ? Dans une polyvalente, faut... 'polyvaler' voyons donc !"

"C'est quoi, ça ?"

"Tu deviens spécialiste de quelque chose. Tu deviens archi compétent dans ton rayon à toi. Tu t'occupes d'un petit morceau des cerveaux. Tu deviens roi de la géo ou bien l'assistant du roi de la géo. Et quand le roi devient cadre du système, alors c'est toi qui deviens roi..."

"Oui, mais la vocation ? Le contact personnel avec l'étudiant... Les valeurs humaines... La convivialité... L'amitié... La psychologie... La pédagogie... Qu'arrive-t-il de tout ça ?"

"L'excellence... c'est obsolète. Nous entrons dans l'ère de la performance. Le quantitatif. Le plus grand. The biggest. The tallest... The American way... Sortir le Québec des ténèbres d'un duplessisme moyenâgeux et le faire entrer dans la grande lumière de la Révolution placide..."

Je suis devenu spécialiste en géographie. Ce devait être pour un an seulement, mais on m'a collé la spécialité sur le dos à vie. Ou jusqu'à ma démission écoeurée... 8 ans plus tard...

Des grands groupes et plusieurs groupes chaque jour. Des étudiants numérotés. Des visages sans nom. Tu ne réussis à établir des ponts valables qu'avec les gagnants, ceux-là qui ont le bagout et l'audace... Les autres passent dans ta vie comme des fantômes indifférents. Tu lis dans leurs yeux qu'ils aimeraient parler, échanger, mais le temps n'est pas là. Tu dois étudier, corriger, participer à des réunions pédagogiques, fraterniser avec les enseignants... Le fossé se creuse entre profs et élèves. On en vient même à voir d'un drôle d'oeil les enseignants qui 'jasent' trop avec la jeunesse... Douteux, ça, dans un monde de performance et de rendement optimal !

Voici l'image que tout ça me donne. Il y a là, bien alignées, des cruches à moitié vides. Toi, le prof, tu disposes d'un grand sac plein de géographie et quand les étudiants viennent se mettre sous l'entonnoir i.e. la salle de classe, tu ouvres le robinet et la matière coule dans les cruches, un peu plus chaque jour. Tout comme Freddy, le marchand général, quand il pesait du sucre et remplissait ses sacs de cinq livres bien rangés devant la poche...

C'est l'ère de la dépersonnalisation des étudiants. Suffisante et arrogante, cette époque se moque de tout ce qui l'a précédée. Les mieux intégrés au système grimpent à la fois dans la pyramide systémique et la pyramide sociale. On leur donne le mérite, les lauriers et les sous. Je les revois 25 ans plus tard et ils n'ont pas changé d'un iota. Toujours aussi inconscients de leur part de responsabilité dans la construction de la tour de Babel.

Et 25 ans plus tard, on cherche à mesurer les résultats par le nombre de fautes de français dans un texte. On compare, on fait des statistiques. On se plaint. On rêve du passé... On voudrait des remèdes-sparadraps pour tromper l'échec. Les défenseurs du système se taisent devant l'échec. Ils ne comprennent pas. Mais ils ont des théories, ça, oui monsieur ! *Remettre l'élève au centre du processus éducationnel.* Celle-là, on a dû chercher longtemps pour la trouver tellement c'est une trouvaille de génie. Charlemagne dans ses meilleures journées n'y aurait jamais songé. *Valoriser l'effort.* On nous en dira tant. Non, mais quel trait de génie encore une fois ! Le plus récent discours du premier ministre contenait ces propositions incroyables, 'abasourdissantes'. Il y a derrière cela un Einstein de la pédagogie qui refuse de dévoiler son humble faciès. Nous serons sauvés par quelques phrases qui galvanisent. Seul Gorbatchev fit mieux avec deux mots qui ont changé le monde: transparence et restructuration. Trente-trois ans d'échec nous contemplent. Alleluia !

Après l'éloge du béton, nous voici devant l'éloge de la position. Mais le système demeure le système; mais les valeurs d'aujourd'hui demeurent les valeurs d'aujourd'hui. Tant que le premier ministre, ses ministres et tout le haut de la pyramide sociale refuseront une restructuration de l'entière pyramide, il sera impossible de retourner aux 'vraies valeurs' dans un domaine donné et dans l'ensemble des secteurs de la vie dite moderne. Chacun va chercher à monnayer ses lumières et les ténèbres de la confusion mentale vont simplement s'épaissir.

J'ai dû quitter l'enseignement en 1975. Les classes humaines avaient disparu depuis une décennie déjà... **On n'enseignait plus les personnes, seulement les matières.**

Le système hospitalier a évolué suivant le même modèle, lui aussi fondé sur la norme et ayant pour objectif de surface le bien du plus grand nombre. **On n'y soigne plus la personne, on y soigne la maladie.**

Lors de mon séjour à l'hôpital, qui durera 16 jours, je passerai par les mains et les compétences de 8 docteurs. Il m'apparaîtra que je n'aurai un nom pour eux que parce que je gueulerai fort dans les débuts. Je prendrai de l'espace comme le faisaient chaque début d'année scolaire certains de mes étudiants de polyvalente. Mais cela, à l'intérieur même du système. On me considérera plus que d'autres qui rasent les murs. J'obtiendrai une semaine plus vite que prévu une place à l'hôpital Laval de Québec afin d'y passer une coronarographie qui fournira une image exacte de l'état de mes coronaires et du muscle cardiaque lui-même.

Mais tout ça à l'intérieur d'un système qui veut que le bébé qui crie le plus fort obtient la suce. Compétition. Loi du plus fort. Ma grande gueule déclenche des forces et mon cas devient plus important que celui des autres. De plus, et voilà peut-être l'élément primordial, le système doit démontrer au plus vite qu'il n'a pas erré en me faisant courir sur ce charmant tapis roulant.

L'enseignement à la chaîne dans nos établissements polyvalents est fondé sur des normes établies par des statisticiens, fonctionnaires divers, cadres. Il s'est 'universitarisé'. Et 'avatarisé'. Il ne se préoccupe plus de la personne humaine dans son ensemble mais se questionne sans cesse sur les façons de faire entrer la matière dans les cruches vides... ou avides... ou livides que sont les étudiants.

Performance a remplacé excellence* et il se trouve plein de suppôts du système (surtout au domaine des sports professionnels et de l'olympisme) pour confondre les deux concepts. Cette erreur (voulue) grave et fondamentale s'est répandue dans tous les domaines grâce aux médias qui en furent et en sont toujours les grands propagandistes.

*Excellence consiste à faire du mieux qu'on peut avec les moyens qu'on a. Son langage comprend: bonne mesure, qualité, créativité, persévérance, altruisme, sagesse...

*Performance consiste à faire mieux que les autres ou soi-même mais en dépassant ses propres limites dans un cas comme dans l'autre. Son langage comprend: excès, quantité, entêtement, individualisme, mentalité des gagnants, loi du plus fort, valeur de l'image, passion (né)...

L'excellence passe par le développement harmonieux de l'ensemble de la personne humaine. La performance passe par la spécialisation à outrance.

Le professeur s'occupant d'une classe durant une année avait les opportunités requises pour induire un développement intégral de la personne. Le spécialiste vide du sucre dans un sac et mesure la quantité afin de 'diplômer' le dit sac...

La médecine qui soigne les maladies et non les personnes performe mieux eu égard aux budgets coupés et recoupés que lui allouent les gouvernements et même eu égard à la philosophie du système, mais elle perd de vue la notion d'excellence. Un étudiant qui passe par 8 mains de professeurs dans sa quinzaine, un patient qui passe par 8 mains de docteurs dans 16 jours, voilà qui tient d'un processus systémique fabricant d'exclusion.

Les moins intégrés s'en sortent, s'ils s'en sortent, perdants. Et on (la majorité gagnante) les désignera comme des perdants tandis qu'ils sont des exclus, point final.

Deux conclusions ressortent de ma réflexion de ce samedi matin, lendemain du jour de mon infarctus provoqué : j'ai refusé les normes faute de pouvoir m'y adapter et le système cherche à prendre sa revanche; j'ai perdu prise après que le système m'eut fait perdre pied.

On vient me faire passer un électrocardiogramme.

La vie dans son ensemble, c'est-à-dire dans ses divers systèmes, vous malmène pendant des années et des années (it's tough out there, disent les Américains), elle vous mène au tapis roulant et à l'infarctus, puis, en prenant de vous un soin plus que maternel, en s'occupant de vous comme jamais dans votre existence on n'a pris soin de vous, elle tâche de vous faire comprendre et surtout accepter que le système est grand et que vous lui devez toute votre reconnaissance.

Est-ce pour étayer cette réflexion qui me vient alors que madame Mère branche ses quelques fils aux suces hémisphériques collées sur ma peau pour y rester plusieurs jours que je me demande le restant de l'avant-midi pourquoi à l'école, on n'enseigne pas la santé ?

Santé 101. Santé 201. Santé 301.

Voici le bien le plus précieux et nécessaire qui soit au monde, et le système scolaire, intégré au grand système contrôlé par 'big brother' invisible, n'enseigne pas comment le garder...

Je devais montrer aux étudiants à situer Osaka sur la carte du Japon. Et ils avaient à retenir cette notion. C'est important la culture générale. Mais à qui diable, une telle connaissance servira-t-elle autrement qu'à l'occasion dans une conversation oiseuse ou pour un peu mieux se figurer où se trouve l'épicentre d'un quelconque tremblement de terre ? L'homme d'affaires qui voudra téléphoner à Osaka n'aura qu'à composer le numéro et on ne lui donnera sûrement pas le Pôle Nord. Et s'il désire aller à Osaka, il n'aura qu'à se rendre à l'aéroport et demander un billet pour Osaka; fortes sont les chances pour que l'avion ne le mène pas à Port-au-Prince.

Mais connaître son coeur. Avoir des notions sur les maladies qui peuvent le toucher un jour ou l'autre. En connaître les symptômes. Connaître l'intérieur de sa carcasse et avoir une idée des dangers qui nous menacent afin d'être plus prêt quand viendront les problèmes, afin surtout de s'apprivoiser à un mode de vie qui éloigne ces problèmes. Médecine préventive qui commence sur les bancs de l'école.

Jamais je ne me suis servi de ma géométrie plane, de ma géométrie dans l'espace, de ma trigo, de ma géométrie analytique et à peu près jamais de mes notions de chimie ou de physique. Pourquoi le système ne rogne-t-il pas du temps aux maths, au français, à la géographie, à toutes les autres matières scolaires pour en donner à Santé 101 jusqu'à Santé 110 ?

C'est que l'école ne vise pas l'excellence mais la performance. Elle verse dans les têtes diverses matières qui permettront de former des êtres performants, dits les meilleurs de la société, les meneurs et penseurs, docteurs, avocats, gens d'affaires, ingénieurs, journalistes, politiques, rejetons universitaires tous azimuts, tous ceux-là qui formeront le sommet de la grande pyramide sociale et qui automatiquement seront les défenseurs du système qui les lange si confortablement, même si tout cela conduit l'ensemble de la société et de la planète vers le pire: décroissance collective et croissance des maux sociaux et de l'exclusion.

De Santé 101 à Santé 110 ou plus, il faudrait inclure les diverses médecines et pas seulement la médecine traditionnelle, non pour faire avec les étudiants les docteurs de quelqu'un d'autre, mais les docteurs d'eux-mêmes en premier lieu. Leur donner les outils nécessaires pour qu'ils puissent travailler toute leur vie durant à se bâtir un corps sain mais aussi ceux qui leur permettront de participer très activement à leur propre guérison quand viendront les inévitables malaises, maladies et accidents que la vie sèmera sur la route de chacun.

Voilà à quoi passe ma journée. À gémir intérieurement tout en me sentant très bien puisque, diplômé des soins intensifs, me voilà grand choyé du système hospitalier et par voie de conséquence, du grand système lui-même, le premier étant partie du tout et construit à sa ressemblance.

Mon amie vient me voir. Elle a droit à dix minutes, elle en prendra 90. Un rideau aide et quelqu'un ferme les yeux. On me sait gueulard et moi, j'accuse la norme de m'avoir mis en péril à l'hôpital comme dans ma vie professionnelle.

– Faudrait penser à partir, vient dire un infirmier qui sait parfaitement nager dans le petit bassin où nous évoluons tous, les uns pour veiller à la survie des autres, et les autres pour permettre d'assurer la subsistance des premiers.

Puis vient me voir le docteur C, grand jeune homme filiforme dans la trentaine et au sommet de sa forme physique et mentale. Ou devrais-je dire docteur C2 puisqu'il est le fils du doc C1 qui m'a vu le jour de mon entrée à l'urgence et fut le premier homme de cette vie terrestre à me parler de douleurs atypiques...

Il confirme en des mots clairs que j'ai subi un infarctus. Il évoque la possibilité d'un autre tapis roulant... Puis me parle de coronarographie...

– Qu'est cela ?

– On vous introduit un cathéter dans l'artère fémorale et ou le fait remonter jusqu'au coeur. Un colorant est alors émis et on prend une image du muscle cardiaque et des artères coronaires.

Qui n'a pas vu cela en cours sur son écran de télévision dans un bulletin de nouvelles quelconque. Moi, ça ne me dit rien du tout. Rien qu'à voir ça à la télé, je fais dans mes bobettes. Pas question de ça !

– Et ensuite ?

– S'il y a des blocages, on pourra les réduire considérablement en soufflant un ballonnet...

– Oui, je connais... J'ai vu ça aussi à la télé...

– Si ce n'est pas possible, on vous dirigera vers une chirurgie cardiaque soit des pontages...

– Ça, là... Plutôt de me faire ponter, je prends un taxi et me fait emmener sur le pont de Trois-Rivières et là, je le fais arrêter. Je lui annonce que je vais prendre l'air, mais je prends l'eau... J'aime mieux le pont de Trois-Rivières qu'un pontage cardiaque...

Faut dire que le maudit pont de Trois-Rivières me donne la trouille chaque fois que je passe dessus... Pas un autre pont au Québec, mais celui-là, oui... C'est comme ça chaque fois...

J'ai voulu par ma phrase exprimer ma chienne devant une chirurgie cardiaque. Maudit niaiseux ! Le système l'a pris aussitôt pour un état dépressif. Faut pas faire de style à l'hôpital, tabarnacoum ! Mais moi, triple con, je ne m'en suis même pas rendu compte. Quelqu'un d'autre me le fera remarquer plusieurs jours plus tard...

Aussitôt cette phrase malencontreuse tombée, on va doubler ma prescription d'Ativan. Vous savez, le 'tit' vent qui vous emporte sur un nuage. Et durant tout mon séjour à l'hôpital, tout un chacun se transformera en psy pour me faire parler de mon problème de santé. **Le système est contre les instincts suicidaires.** Car le suicide est un échec flagrant du système. Et paraît que la norme veut que les victimes d'infarctus passent par ce stade d'abattement après que la vie leur ait signalé qu'ils n'étaient pas, eux non plus, des êtres immortels.

Encore la maudite norme qui me donne une jambette.

Si le bon doc de remplacement (car le docteur L est en congé ainsi que mon médecin de famille, le docteur R) me connaissait mieux, il saurait que je suis romancier, donc que je dramatise souvent, donc que je m'exprime avec des métaphores qui peuvent dépasser ma pensée réelle ou bien qui disent autre chose que ce qu'elles ont l'air de dire... des figures de style 'atypiques' pourrait-on dire...

Ce soir-là, on m'apporte ma soupe aux pilules. Pas si

pire, la soupe est claire. Mais il y deux petites Ativan... Si mignonnes dans le petit contenant de papier pas plus gros qu'un gros dé à coudre... En fait un contenant à ketchup qui nous rassure en nous ramenant tout droit chez Burger King... Et il y a aussi une Tenormin complète. Là, je proteste auprès de l'infirmière, un personnage très maigre qui ne déroge jamais à la lettre des règlements et prescriptions.

– Donnez-moi un couteau que je la coupe en deux.

– Comment ça ?

– C'est 25 mg de Tenormin que je prends depuis 3 ans, pas toute la pilule.

– La règle est changée. Le docteur C2 a prescrit 50 mg de Tenormin.

– Mais ça ralentit le coeur, cette histoire-là et je l'ai déjà lent comme celui d'un athlète...

– Moi, je n'ai pas à discuter de ça, dit la dame santé qui tend la pilule.

– J'ai besoin d'explications avant de prendre ça...

– L'explication, c'est la prescription...

– Pas selon moi.

– Alors ?

– Un couteau.

– Ou vous la prenez 'toute' ou vous la prenez pas 'pantoute'...

– Pourquoi pas la moitié comme j'ai toujours eu depuis 3 ans et je discuterai de l'autre moitié quand le docteur viendra demain ?

– Impossible ! Je la ramène. Vous en parlerez au docteur...

Avant de mettre mes bouchons de cire, j'entends se promener dans l'unité des soins intensifs des noms référendaires: Chrétien, Bouchard, Parizeau...

Le système est ainsi fait que les uns disent aux autres: ôtez-vous de là qu'on prenne la place. Et on cherche des alliés, des supporteurs sur la tête de qui marcher pour se hisser un peu plus haut dans la pyramide sociale... Droite contre gauche. Démocrates contre républicains.

Bleus contre rouges... Le système ne change pas, mais il faut qu'il donne à tous l'illusion du changement. Il dispense donc de l'Ativan qui s'appelle Bouchard, Chrétien, Parizeau... Blanc bonnet, bonnet blanc et swingez votre compagnie. On traite les **symptômes** du grand mal social soit les maux sociaux eux-mêmes plutôt d'aller aux causes c'est-à-dire de remettre en question le grand système lui-même.

– Est-ce qu'on va pouvoir voter lundi ? dis-je à une préposée.

– D'habitude, il y a un bureau à l'hôpital, fait-elle en continuant sa prise de pression.

– Aucune importance: je n'irais pas de toute façon.

Elle me regarde éberluée.

– C'est que je ne crois pas aux politiciens...

Elle ne dit mot là-dessus. On peut bien dire qu'on ne croit pas aux politiciens, mais de là à ne pas voter... ça, c'est aller contre le système... Si tout le monde faisait ça, hein, hein, hein!!! Où c'est qu'elle s'en irait, la démocratie, elle, hein, hein, hein!!!

7

500 $ par jour

J'aime entendre qu'il en coûte à l'État 500 $ par jour pour m'hospitaliser. Moi ou un autre, c'est la moyenne, c'est la norme. D'abord qu'on me vole légalement au moins le double de ce montant chaque jour via le prêt public non rétribué de mes oeuvres, je ne vois pas pourquoi, en cette veille de jour de référendum où le système va aller se chercher des millions de bravos nonos, je ne me réjouirais pas de lui coûter déjà 2 beaux mille dollars. Affreux, hein !

C'est dimanche.

Petit déjeuner. On me donne la permission de manger les jambes pendantes et qui pourront gambiller au bord du lit tandis que mon esprit poursuivra ses réflexions oscillantes allant de ma révolte vieille de 20 ans et qui augmente avec l'âge au contraire de ce qui se passe pour 99,99% des gens que le système récupère tôt ou tard, à cet immense bien-être de se savoir pris en mains et en charge par un système étatique. Quel bonheur ça doit être que de se savoir fonctionnaire et pour la vie ! De se savoir un coeur et d'être compris par sa patrie et la démocratie ! Comme on doit avoir l'esprit libre quand on est au coeur du système pour en réfléchir des mini-systèmes à l'image du grand qui nous favorise tant, qui nous choie, nous lange, nous douillette... Ah! qu'elle a bon goût, cette demibanane ! Day-o, day-ay-ay-o ! Une portion de Corn Flakes. Une rôtie sur réchaud.

Sans farce, le repas est équilibré. Tandis que beaucoup de gens critiquent d'abord la nourriture à l'hôpital, moi, je ne me plains pas. Rien n'y est mauvais. Et tout ce que la santé requiert est dans votre assiette de la journée. Ce serait simplement malhonnête de m'en prendre à cela. Confitures. Margarine. Beurre d'arachides. Café sans caféine. Lait écrémé...

Je l'ai déjà dit et je ne reviendrai pas là-dessus, dirait Bourassa. Trop redondant, et on aura tôt fait de me le reprocher si on daigne parler de ce livre quelque part dans un média capable d'auto-critique... Car on n'y parle de l'exceptionnel que s'il fait le jeu du système ou si l'exceptionnel se repent de ne pas le jouer, ce jeu désastreux...

Système ne veut pas dire **mode de vie**, bien entendu. Je m'irrite souvent d'entendre les marginaux tout condamner y compris le travail, l'effort, la possession de biens matériels, maison, voiture etc... Ils ne se rendent pas compte que par leur opposition même à ce qu'ils croient être le système mais n'est qu'un mode de vie, ils font l'affaire du tissu banco-politico-médiatique lequel est l'infrastructure même du système. Leur marginalité est si repoussante qu'elle renforce les certitudes de ceux qui errent à l'intérieur du système.

Consommer n'est aucunement méprisable puisque c'est le lot de toute créature humaine. Passer du temps à se coiffer la tête pour en faire une crête de coq empesée et jaune est pire mille fois que de se maquiller pour embellir sa personne, et ceux qui le font en pensant par là narguer le système obtiennent très exactement l'effet contraire.

Ce qui m'exècre dans le système, c'est de le voir tout mettre en place et en oeuvre pour que d'aucuns soient enterrés du surplus et du superflu, ce qui au fond, ne les rend pas heureux et, d'autre part, tout penser pour **déshabiller Pierre afin d'enrichir Paul qui roule déjà en Cadillac**. (Je devrais en faire le titre de ce livre.) Toute la société se porte plus mal d'une pareille attitude. Mais pas un gouvernement style Robin des Bois ne pourra jamais se faire élire puisque les gens craignent de plus en plus pour leurs lendemains et croient que la meilleure façon d'y faire face et de le vivre sans trop de désagréments, c'est d'engranger au maximum quoi qu'il en coûte aux autres et même si par exemple, il faut couper à l'ensemble des individus les soins de santé gratuits et les services d'éducation. Prendre aux riches pour distribuer aux pauvres, ça ne marchera jamais !

D'autre part, notre pays possède les infrastructures nécessaires et la capacité de production pour nourrir, habiller, éduquer et soigner tout le monde sans exception. Ce qui va de travers et fait que les uns en ont trop pour leurs besoins même les plus sophistiqués tandis que d'autres manquent du minimum, c'est la fluidité des capitaux, c'est l'action gouvernementale, c'est la pensée à vue de nez de nos dirigeants.

On ne peut changer l'individu; on ne peut le forcer à changer; mais on peut l'amener à comprendre qu'il n'a pas à partager ses biens pour assurer le bien de l'ensemble de la société mais qu'il lui suffirait simplement de partager le pouvoir de son capital (surplus et superflu).

C'est ce pouvoir qu'il faut retirer au banquier pour le mettre entre les mains du citoyen.

J'exprimais tout cela dans *Aux armes, citoyen !* en 1992 et tout a passé dans le beurre bien entendu. Un livre qui contredit les données du système est condamné à passer inaperçu. Tout comme un livre portant sur une vedette quelconque est condamné à la gloire puisqu'il encense le système.

Il m'étonne tous les jours de voir les vedettes du monde politique, du monde artistique et du monde sportif se laisser porter comme des veaux d'or et des vaches consacrées tout en proclamant leur amour du petit peuple qui le leur rend bien. Loin d'aimer le peuple, elles le vampirisent et font porter tout leur poids –un poids immense dans le cas des superstars– si on songe à tout l'argent que ces personnages requièrent pour soutenir leur image et faire supposément vibrer le monde. Triomphe de l'ego. Triomphe de l'égoïsme. Triomphe de l'égocentrisme. De l'aliénation. bienheureuse. Une star qui gagne des millions et qui se prête à la mascarade de la charité, sachant que des millions d'enfants vivent sous le seuil de la pauvreté chez nous tandis que des millions meurent de maladies associées à la pauvreté a travers le monde, a de quoi donner la nausée et la diarrhée. Un système qui permet cela est d'une pourriture quasi absolue.

Donc, demander aux gens de donner leurs surplus et leur superflu aux démunis, c'est trop. L'être humain est trop mauvais pour répondre à cela. Voilà pourquoi il faut changer le système. Pas du capitalisme pour du socialisme puisque c'est là troquer un blanc bonnet pour un bonnet blanc, car dans les deux types d'économie et de gestion publique, c'est la loi du plus fort, du groupe le plus fort, et la mentalité des gagnants qui prévalent. La pyramide sociale est la même derrière des visages maquillés autrement et des régimes à rouages différents.

Nos gouvernants ne doivent ni tourner à droite ni tourner à gauche, ils doivent mettre en place les circonstances favorables par lesquelles un appel alléchant sera fait au capital de surplus et de superflu en vue de le mettre disponible pour de la création de richesse.

Cette idée-là est fondamentale.

Elle me vient d'une femme d'affaires de plus de 60 ans d'un petit village de la Beauce.

Cette femme a réussi mieux que moi à composer avec le système et pourtant, a eu maille à partir avec lui, ce qui lui a fait comprendre certaines choses.

Le gouvernement du Québec (Parti Québécois) a rôdé dans ces eaux-là via son plan de démarrage d'entreprises, mais il a **vicié** le processus dès le départ en remettant les rênes du programme au système c'est-à-dire au banquier, **le pire citoyen** du Québec et du Canada actuels.

Ce sont des banques régionales de développement qui devraient gérer de tels programmes et ces programmes devraient être multipliés. Ces banques géreraient les capitaux d'investissement en fonction des **valeurs humaines** et non uniquement et bêtement matérielles comme le font les banquiers. Et dans une vraie perspective de développement régional... Quand les parties sont vigoureuses et en santé, le tout est vigoureux et sain.

Mais l'État n'arrive pas à se comporter autrement que

comme un docteur-perfusion qui bourre le patient (la société) de médicaments pour guérir les symptômes et non pas les causes profondes du mal. On soigne la maladie et non la personne.

Un des grands malheurs qui nous affligent maintenant s'appelle Caisses Populaires. Desjardins ment quand elle utilise le mot coopération. C'est un masque. Desjardins n'est qu'un banquier comme un autre qui cherche d'abord et avant tout le profit immédiat par l'absence totale de risque donc qui ne sait pas miser sur les valeurs humaines autrement que quand le bien-paraître le requiert.

Le grand système comme ses avortons est masculin et non pas féminin. Une femme qui s'intègre à lui doit forcément masculiniser sa pensée, parfois même ses allures. Ça nous donne dans les médias et en politique des femmes qui n'en sont plus beaucoup derrière le masque de beauté factice.

Voilà que mes pensées sont interrompues par la visite d'un nouveau docteur. Docteur F est l'assistant du docteur L. Jeune, grave, il met son visage à 1 pied du mien et m'annonce mon avenir à voix forte et sûre :

– Là, vous allez récupérer... Deux ou trois jours. Et vous ferez un autre tapis roulant...

– De la marde, je ne vais pas monter là-dessus avant X temps, je ne sais pas combien...

– Si vous aimez mieux mourir...

– J'aime mieux vivre...

– On va voir vos réserves...

– Ça ne va pas les augmenter que de les connaître. Qu'on me traite comme si elles étaient réduites au minimum plutôt que de me faire une investigation agressante et dangereuse. Je veux bien une coronarographie, mais quel besoin de me faire sortir de mes limites sur un tapis ? J'ai fait mes preuves là-dessus, non ?

– Faut faire le test au thallium ?

– Pourquoi ne pas l'avoir fait immédiatement lors du premier tapis ?

– La vitesse sera sous-maximale...

– Pourquoi ne pas l'avoir mise sous-maximale la première fois si mes douleurs atypiques, celles-là même qui m'ont conduit au tapis, laissaient supposer quelque délabrement des artères ?

Il manque d'arguments pour me répondre. Je le cerne sans cesse et le tasse dans un coin, ce qu'il n'apprécie guère, mais contribue à me défouler. A vrai dire, ça ne me défoule pas puisque je me sens au-dessus de tout ça. L'Ativan sans aucun doute. Je philosophe avec un masque de boxeur. Et je trouve ça 'le fun'.

Il me souhaite de bonnes choses et quitte la pièce.

Et à nouveau, je me reprends à réfléchir sur ce long stress qui m'a valu ma mésaventure.

Je pense à tout ce gaspillage d'argent dans le domaine culturel par les gouvernements. Par exemple, les programmes mis en place par l'État pour aider l'édition ont fait naître aux quatre coins du Québec des éditeurs de fortune qui ont exploité sans vergogne des auteurs, leur ont fait investir des milliers de dollars dans l'édition de leurs livres, ont empoché toutes sortes de subventions de divers ministères, puis ont déclaré faillite. Les politiques étatiques, une fois encore, ont encouragé les filous et découragé des gens de bonne volonté. On a fait en sorte que **Pierre se fasse déshabiller pour que Paul puisse s'enrichir et rouler en Cadillac.**

J'aurais pu il y a longtemps filouter moi aussi et faire fonder une maison d'édition par quelqu'un d'autre de mon entourage, contrôler l'entreprise en sous-main et obtenir des subventions. Puisque l'imbécillité gouvernementale fait qu'un auteur-éditeur n'est pas éligible aux programmes de subventions et qu'il doit donc lutter seul contre la concurrence subventionnée et financée par le banquier, pourquoi ne pas suivre des voies tortueuses pour obtenir des sommes bien plus méritées que celles obtenues par beaucoup d'autres ? Parce que je refuse de manger de ce pain sale. Et parce que je me dis que je servirai d'exemple un jour ou l'autre pour démontrer l'incurie du système. Entêtement stupide qui m'a valu de refuser les 25,000 $ offerts par le futur réalisateur de *Au nom du père* pour l'adaptation de **Aurore** à l'écran.

Tiens, un autre toubib qui m'arrive. Je le connais de la veille. C'est le doc C2. Il a conféré avec le doc F. Il sait mon refus de prendre plus qu'une demi-tenormin. Moins nerveux que son collègue et plus souriant, plus sûr de lui, il cherche à me persuader:

– Le Tenormin est non seulement agissant contre l'hypertension mais constitue un anti angineux efficace.

– Oui, mais c'est un bêta-bloquant qui ralentit le coeur et moi, j'ai depuis toujours un coeur lent. Je risque de me ramasser dans un état de fatigue permanent comme ce bon monsieur Vachon puis d'avoir besoin d'une pile pour stimuler le coeur. On combat un démon et on installe un démon et demi...

– Vous avez le coeur lent depuis longtemps ?

– Aussi loin que je me rappelle...

– Fort bien, en ce cas, je vais vous prescrire un patch de nitro et vous resterez avec votre demi-tenormin.

– Ça me sourit et me rassure.

– Vous savez, nous, on vous explique les chemins à suivre et en fin de compte, c'est vous qui choisissez. Le client a toujours raison...

– Vous êtes sûr de ça, là, vous ? Je trouve que notre volonté est pas mal inhibée quand on entre dans l'engrenage du système hospitalier et de la médication...

– C'est vous qui avez le dernier mot. Vous pouvez mettre vos pantalons et partir maintenant si vous voulez. Vous n'aurez qu'à signer un papier par lequel vous nous dégagez de toute responsabilité...

– Ça me rassure, ça aussi.

Il part souriant et je souris aussi...

Mon prochain visiteur ne tardera pas. Il arrive, pressé, serrant sur sa poitrine un contenant qui a l'air d'une simple tasse de porcelaine. Il va s'asseoir mais se heurte à l'image de mon pantalon qui dort sur la chaise.

– Ôtez-moi ça de là et posez-le sur mon sac de voyage, lui dis-je aussitôt.

Ce qu'il fait pour prendre place et croiser sa jambe tout en gardant bien sur son coeur le contenant précieux.

Je n'allume pas encore quant à son identité et pourtant, je soupçonne mon lecteur de la deviner déjà, lui, par le peu que j'en ai écrit. Je suis comme ça: un cerveau lent.

– Et alors, qu'est-ce qui vous arrive ?

– On m'a attrapé dans le filet médical et hospitalier comme on attrape les dauphins dans les filets des pêcheurs de morue.

Il fronce les sourcils. Ma farce n'a pas l'air drôle. J'en mets sans le vouloir:

– Rien de grave: on m'a fait faire un infarctus...

– Comment ça ?

– Un tapis roulant avant-hier et me voilà aux soins intensifs.

– Que vous êtes chanceux d'avoir fait ça ici à l'hôpital tandis que vous êtes entre bonnes mains !

– Croyez-vous que je devrais en rendre grâce à Dieu ?

– Mais certainement... si vous êtes croyant, bien sûr.

Voilà, j'allume, c'est fait. Ce jeune homme qui grasseye les R ne saurait être qu'un aumônier. Il s'intéresse, prend le temps de m'écouter... Qui fait cela de nos jours à moins que son métier ne le lui commande ?

Il me vient une idée drôle. Puisque je suis capable de parler et parler sans arrêt durant des heures, si le pauvre homme a le malheur de me parler de mon métier, je lui raconterai le contenu de mes 26 ouvrages et au besoin d'une dizaine à venir dont j'ai le projet détaillé dans les tiroirs de mon ordinateur. La premier question que vous pose un homme d'écoute lui échappe des lèvres:

– Qu'est-ce que vous faites dans la vie ?

– Romancier...

– Pardon ?

Cette réponse a toujours l'heur de surprendre et on me la fait répéter invariablement.

– Romancier...

Je scrute son oeil petit bleu.

– Vous avez écrit un livre ou quoi ?

– Quelques-uns, dis-je avec fausse modestie.

– En dehors de ça, comment gagnez-vous votre vie ?

Il a l'air embarrassé soudain à cause de l'indiscrétion présumée de sa question. Comment un romancier pourrait-il vivre autrement que sur le BS ?

– Je ne fais que ça.

– A plein temps ?

– Oui.

– Depuis combien de temps ?

– 18 ans.

– Combien de livres ?

– 26.

Il écarquille les yeux.

– 26 ?

– C'est peu...

– Peu ?

– Sans la pourriture du système dans lequel on vit, j'en aurais 52.

– En 18 ans ? 3 livres par année ?

– 3 fois 500 pages = 1,500 pages. Or, 1,500 qu'on divise par 350 jours = 4 pages et quart par jour. Un travail de paresseux.

– Oui, mais... on voit pas ça souvent...

– Vous voulez dire que je ne suis pas dans la **norme** ?

– En effet.

– Non, je ne suis pas dans la norme qui est de 1 livre par 2 ans. C'est le rythme de production d'un auteur qui fait gagner le plus d'argent aux éditeurs. Mais puisque mes livres ne sont pas subventionnés, qu'ils se vendent et se payent, et me font vivre, pourquoi n'en écrirais-je pas trois par année d'abord que ça n'exige que 4 pages par jour et que j'aime pondre comme une poule qui cacasse ?

– Ben... D'aucuns pondent tous les 7 ans...

– 600 pages en 7 ans, ça fait moins de un quart de page par jour. Ces auteurs-là devraient changer de métier parce qu'ils souffrent d'un manque chronique d'inspiration.

Il reste incrédule:

– Sais pas... me semble...

– 4 pages par jour quand on possède son sujet et qu'on est sur sa lancée, et surtout avec l'aide d'un ordinateur, c'est très très très peu... Ceux qui font moins doivent sûrement se prendre le cul...

Il sursaute, sourcille... Je poursuis:

– D'autant que si tu travailles trop ta page, si tu fais du zèle, tu perds ta spontanéité qui est un élément fondamental de ta sensibilité, et tu deviens sec, sans jus, comme Beauchemin dans *Le Matou*... Ça brille mais ça n'a pas de substance...

Il connaît *Le Matou* depuis des années, mais ne connaît ni mes livres ni mon nom: j'ai donc tort puisque je ne possède pas d'image à laquelle il puisse se référer. Il me questionne donc avec respect mais la tête en biais:

– Vos titres... ou les plus connus, c'est ?...

– *Aurore*... pas à cause de mon génie et plutôt à cause de la notoriété de l'enfant martyre... Mais attention, je n'ai rien usurpé et au contraire, j'ai apporté du neuf, beaucoup de neuf sur le sujet. Pas du neuf, mais du jamais dit et même du jamais découvert...

– Comme par exemple ?

Voilà mon homme bien hameçonné. Il regarde sa montre, mais je le cloue au récit de la vraie histoire de la petite Aurore. Puis va suivre celle de Nathalie dans mon roman du même nom... Tant qu'à faire, je lui parle de *Présidence* puisqu'on est la veille du référendum. Mais je passe dans le beurre car il est des 95% qui voteront malgré une conviction trop maigrichonne pour demander une croix sérieuse sur le bulletin.

Mais un prêtre vote. C'est son devoir. Tout en poursuivant mon exposé, je pense que voter par devoir, c'est du **chantage démocratique**. Si voter est si sérieux que ça, on ne peut asseoir son vote sur une demi-conviction, sur la conviction du moindre mal. Car il s'agit alors d'un geste mou qui ne peut que servir quelque chose de mauvais quelque part.

Un prêtre catholique vote, c'est sûr. Le système pyramidal de l'Église de Rome n'a rien à envier au grand système et tous deux se servent mutuellement depuis des siècles. Hiérarchie catholique: le moins au service du plus qui prétend servir. C'est un lieu commun de parler des richesses et de la brillance du Vatican. Et en soi, ça n'a pas la moindre importance. Qu'on vende tout ça et on n'en tirera pas même 1 malheureux dollar pour chaque catholique du monde. Ce qui est pénible dans les systèmes religieux, c'est leur complicité tacite et hypocrite avec le grand système d'exploitation de l'homme par l'homme. Dans ses voyages, le pape ne devrait jamais visiter autre chose que les sans-abri pour faire honte aux États. Proposer mieux que la réforme de l'individu puisque ça ne marche pas depuis des millénaires et suggérer sans cesse et toujours des réformes systémiques justes et inventives en vue de la création de richesses.

Dans le plan du Créateur, créer de la richesse collective ne constitue-t-il pas un élément fondamental ? On ne donne pas ce qu'on n'a pas; on ne répartit pas ce qui n'existe pas; on ne prend pas tous les surplus de l'un pour les donner aux autres car cela suscite la haine en raison de la nature haineuse de l'humain, le plus cruel des animaux sauvages. L'Église catholique ne devrait-elle pas se taire le plus souvent et agir ? Devenir une grande entreprise de développement humain et de création de richesses collectives plutôt qu'une stérile entreprise de gestion d'âmes 'ingérables' ? Mais elle est affligée de blocages coronaires à 100%, cette vieille pute romaine.

L'homme qui m'écoute est bon. La bonté transcende sa personne. Mais cette bonté même le fait s'intégrer à un système qui crée la pauvreté devant laquelle il devient un spectateur navré dont les appels à la justice ne résultent qu'à un meilleur poli de son image de bienveillance. L'avocat vit du crime, de la violence, de l'opposition entre les individus. Le docteur vit de la maladie. Le prêtre vit de la détresse des âmes. Ces trois métiers ont toujours brillé dans la pyramide sociale...

Il se fatigue de mes discours abscons. Parfois abscons. A travers tout ça, j'essaie de donner la meilleure image de moi, mais ce faisant, je le concurrence. Car du côté de l'altruisme, il est normal qu'il marche devant et le système lui octroie ce rang. Les pires curés d'autrefois valaient tout de même le meilleur paroissien.

Il se lève pour partir tout en éloignant de sa poitrine le contenant qu'il tient toujours avec ce qui ressemble à de l'affection respectueuse. Pendant une fraction de seconde, je songe à y mettre de la monnaie puis, une fois encore, j'allume. Comment, triple idiot que je suis, n'ai-je pas deviné, senti que le Seigneur se cachait là dans sa tasse ? Il ne quête pas, il m'offre les forces d'en-haut.

Je fais un signe de tête affirmatif. Et, quadruple idiot que je suis donc, j'ouvre la bouche pour recevoir l'hostie, dans un geste paraît-il passé de mode depuis des années puisque maintenant, on reçoit la sainte espèce dans sa main et non pas sur sa langue. Faut admettre que c'est bien plus hygiénique dans un sens, surtout à l'hôpital où le bouche à bouche entre malades n'est pas forcément une bonne chose.

Et il s'en va en déclarant qu'il devra courir pour finir sa tournée, ce qui ne manquerait pas de me culpabiliser si je n'étais en proie à ce malin plaisir de faire un peu envers tous ce dimanche-là ce que ma mère appelait le 'jhadjissable'.

Intégré au système, le bon prêtre doit aussi performer pour accomplir sa tâche. Plus vite, toujours plus vite. Et moi, je l'ai accaparé égoïstement avec ma grande gueule et d'autres en souffriront, certains même pourraient être privés des perfusions célestes à cause de ma joyeuse malice.

– Je reviendrai et on poursuivra cette conversation du plus haut intérêt, me lance-t-il en courant vers son prochain client.

Midi, je bouffe. Dinde et sauce. Soupe aux anneaux sans sel. Pudding caramel et biscuits secs. Thé. Mangeable et parfait pour ma grosse taille.

Puis mon amie vient me visiter. Pas plus de dix minutes cette fois selon le règlement que garde B fait appliquer avec des ordres sévères inscrits dans les rides de son front.

Des gens accablés viennent voir leur enfant hospitalisé dans la case voisine de la mienne. Le petit a tout le mal du monde à respirer mais il est sauvé après avoir jeté la mort dans l'âme de ses parents par une grave réaction allergique à je ne sais plus quoi.

Suffit de voir ça pour croire à l'hôpital. Malgré ce qui m'est arrivé, je ne perds pas confiance en ce qui s'y fait. Mais l'objet de ce livre n'est pas de parler des bons côtés du système hospitalier qui accumulent une note de 95% sans doute, et plutôt de la partie qui constitue les 5% qui restent, cet exceptionnel négatif pour quelqu'un comme moi qui n'est pas dans la norme et se rebelle contre les systèmes traditionnels dès qu'il en reconnaît les marques et actions.

Le restant de la journée sera calme et serein.

Le doux Ativan m'entoure de ses longs bras. Le soluté me renforce un peu plus chaque heure. Le moniteur me surveille comme un ange gardien. Le personnel est impeccable.

Mais personne ne s'intéresse à ma personne. Seulement à ma maladie. Plus précisément aux données relatives à ce stade de stabilisation d'un patient qui a donné coeur premier dans la crise et l'excitation...

Et ce soir-là, quelque temps après avoir ingurgité ma soupe aux pilules et m'être couché sur le côté, j'entends dire :

– Le 58 (moi) a-t-il eu son jus ?

– Oui et il dort, je pense.

Bonne nuit, 58!

8

Déficit

On me réveille quelques minutes –ou bien une heure, je ne sais trop–, après mon 'endormitoire'.

Qu'arrive-t-il donc ? Du feu peut-être ? Pourtant, on avait pris ma pression, on m'avait dit 'Beau dodo, Dédé !' dans les bras de Morphée (Ativan)...

– On vous envoie à l'étage, m'annonce une infirmière.

– On a besoin de cette chambre ?

– Non, c'est qu'un appareil de télémétrie s'est libéré en bas et vous serez donc branché ici... de là-bas... ou branché là-bas pour ici... N'ayez crainte, on vous aura à l'oeil sur nos écrans...

– Je ne suis pas mécontent même si je vous aimais bien. Je me sentais choyé ici...

– Vous le serez tout autant en bas, fait-elle en préparant mes affaires, l'oeil professionnel.

La tradition veut qu'on sorte les agonisants de leur lit pour les conduire au bureau de scrutin les jours d'élections. Cela fait partie du processus et illustre bien la grandeur du système démocratique. Il s'agit peut-être de cela. Je suis dans une région nationaliste, dans un milieu nationaliste, dans un hôpital nationaliste... Pas de maladies anglaises icitte-dans... Un artiste, c'est sûr, ça vote OUI et pour ça, faut que le bonhomme soit parti des soins intensifs... Que mon esprit travaille donc malgré l'euphorie !

Mais cette fois, ce n'est que de la chimère et de la pure spéculation puisqu'il n'y aura même pas de bureau ouvert dans l'hôpital le jour suivant.

Et je quitte inquiet... Juste un peu... C'est si... intense, aux soins intensifs...

Chambre à deux places. Le 457 et le 458. J'ai le 458 près de la fenêtre. L'autre malade n'est pas là pour le moment. Dès mon arrivée en fauteuil roulant, on me fait étendre puis deux infirmières de l'étage viennent m'accrocher au cou l'appareil à télémétrie qu'elles branchent à ces suces que je porte en permanence, aréoles artificielles qui nourrissent l'ami Big Brother... Mais ça ne marche pas du premier coup. On intervertit les fils. Le rouge à la place du noir et le vert à la place du rouge... On essaie encore: sans succès. Nouvelle chaise musicale avec les fils de couleur. Pas mieux. La batterie (pile) peut-être, dit l'une en s'excusant du stress que tout ça me cause.

– C'est rien, je suis en forme.

– Quand même... d'habitude, ça marche, cette histoire-là !

Elles partent, reviennent. Changent la pile, ramènent les fils à leur position initiale. Enfin, après un bon quart d'heure, ça fonctionne. On lit mon coeur là-haut. Je retrouve ma sérénité. Je suis branché. La vie est belle. Je peux revoir Morphée. Ativan me fait signe.

J'installe mes choses rapidement, mets mes bouchons de cire et je m'endors. Cette fois, pour la nuit. Je le pense. Mais peu de temps après, on vient prendre ma pression.

– C'est déjà fait, dis-je, somnolent.

– En haut, mais pas en bas.

– Peut-elle être plus haute en haut et plus basse en bas ?

– Ils ont leurs données et nous avons les nôtres.

– Ah !

Mon voisin arrive dans la chambre et se couche mais le rideau qui nous sépare m'empêche de voir qui est le personnage. Il est branché à un soluté ou à un sac de quelque chose car j'ai entendu le bruit des roulettes du support métallique dont je ne sais pas le vrai nom.

Bonne nuit, 457 ! Même si tu ronfles, j'ai des bouchons dans les oreilles. Moi, c'est 458 ! Es-tu intégré au système, toi ? On fera connaissance demain.

J'entends vaguement une voix dire :

– Vous avez bien dormi ?

Je voudrais répondre que je dors bien, mais mes yeux s'ouvrent et j'aperçois... une araignée... Une belle grosse. Velue. Noire. Ah ! grosse comme mon poing au moins...

Elle est déployée sur une poitrine d'infirmière. Peut-être s'agit-il du premier message qu'on veut me livrer. Un génial critique de livre dirait que ça signifie quelque chose d'important. On veut me faire prendre conscience qu'une grosse bibitte étreint mon coeur maintenant. Et que je devrai faire attention. Suivre ce qu'on me dit de faire, sinon l'araignée, elle va devenir très méchante et elle va mordre...

La jeune femme possède un beau visage grassouillet et sa chevelure est ornée de fruits en plastique.

"Ça parle au yable, je rêve qu'un arbre de Noël est venu me réveiller."

Et mon côté intello interprète. Le message est clair. Même si j'ai une araignée qui est prête à me piquer le coeur pour siphonner ma vie, eh bien, la vie peut quand même être belle. Et ça pourra même être Noël tous les jours.

Ah ! que le système est doux de vous envoyer un ange aux soins intensifs le premier matin et maintenant un autre ange à l'étage. C'est la bienvenue...

– Je vais vous prendre un peu de sang.

– Gênez-vous pas ! Tout ce que vous voudrez...

Aux soins intensifs, l'infirmier D s'était couronné lui-même le roi de la pique, c'est-à-dire le meilleur piqueur de veines de son groupe. Il avait raison. Mais je ne peux en dire autant de mon arbre de Noël. La piqûre sera plus dure encore les matins suivants avec une autre. J'exagère un peu. Les maringouins font ça plus discrètement, mais ils laissent leur carte de visite, eux...

Je l'aime bien quand même avec ses décorations. C'est de l'imprévu... Comme le dit l'expression à la mode: c'est spécial... La pauvre fille risque-t-elle les réprimandes du système puisqu'elle est un peu hors normes, là, elle ? Ou bien sera-t-elle l'exception que le système tolère pour bien montrer sa tolérance ? (J'oublie que le système accepte l'Halloween...)

Et ça me rappelle la directrice de mon école en 1967, qui me courait après dans les couloirs parce que je commettais le délit de ne pas porter de cravate. (Les maudites cravates, ça me stresse au boutte, ça empêche le sang de bien irriguer mon cerveau et donc réduit ma créativité. Pas pour rien que les banquiers en portent tous une. Ils ne doivent pas se servir de leur imagination, ils ne doivent pas pouvoir réfléchir. Si d'aventure un gros dossier se présente, possible alors que pour mieux penser, ils se retroussent les manches et desserrent la cravate...) Soeur Anna, ma directrice, avait même rapporté mon crime au directeur général des enseignants qui s'était amené à l'école pour me sermonner dans un bureau. (Borromée, t'en souvient-il ?...) J'obtins de mauvaises notes pour ça et on dut, sur demande de la directrice, me transférer dans une autre école l'année d'après.

Le système s'est relâché depuis. Tant mieux. Maintenant, il sait faire. Même ici, à l'hôpital, vous pouvez si vous le voulez ne pas porter la jaquette à Clémence. Moi, elle m'énerve et je lui préfère les seules bobettes. J'en ai encore pour un jour ou deux avant de pouvoir aller dans les couloirs et alors, je mettrai une jaquette de ratine qui s'endosse par le dos et s'attache sur le devant...

Donc me voilà réveillé, seul avec le jour qui se lève derrière la tenture fermée. J'ai perdu un oreiller. Parti sous le lit à la tête. J'accuse d'abord les montants de fer puis me rends compte que c'est le matelas qui est trop court. Et moi, un matelas qui n'est pas fixé, je le force par mes incessants mouvements de la nuit, à se déplacer. Dès que je le pourrai, je ferai un paquetage au pied avec mon coupe-vent; et une infirmière m'avouera plus tard qu'elle croyait que je gardais ce vêtement à mes pieds en vue de déguerpir à un moment ou à l'autre. Cette réflexion sera un des multiples indices confirmant la note au dossier: **dépressif de première**. A bourrer d'Ativan et à faire parler le plus possible pour le défouler... Le maudit pont de Trois-Rivières refait surface à l'étage...

Non, la note n'est pas ainsi rédigée au dossier, mais ça revient à ça...

Lundi, 30 octobre, jour de référendum. Quelle journée historique ! **Le Québec va devenir... le Québec.** Et je ne serai pas là pour voir ça. Ma soeur est fédéraliste, mon frère est séparatiste et moi qui pourrais faire la différence, je suis prisonnier du système. Aux dernières nouvelles que j'en ai, et elles ne sont plus récentes car elles datent de mon entrée à l'hôpital 4 jours plus tôt, le OUI devançait le NON par deux points et des poussières. C'est assez pour faire passer le NON. L'effet-isoloir se fera sentir. "Après tout, on est pas si pire," diront des dizaines de milliers qui ne voudront pas risquer de provoquer la grande cassure. Ça s'est parlé que des centaines de bateaux amarrés dans le bout de Caraquet s'apprêtaient à remorquer le Québec dans le bout d'Haïti advenant l'indépendance, histoire ensuite de radouber et rebouter les deux bougons de Canada qui resteront... pantois... Mais c'est des farces probablement !... "Dur à crère," dirait mon grand-père, un vieux Canayen français ben content pis ben fier de Laurier.

Où en étais-je avec tout ça ?

Ah, oui, au petit matin qui se lève sur un Québec fier et fort mais frustré. Comme moi. Non, pas autant. Je me sens gonflé à bloc. Je me sens furieux même si je suis d'un calme olympien. On m'a fait courir sur les Plaines d'Abraham. On m'a vaincu, jeté au tapis puis on m'a pris sous tutelle et on a stabilisé mon état. Après avoir perdu pied, j'ai perdu prise sur mon propre destin. T'es chanceux que l'on t'ait cassé la gueule nous-mêmes, tu te la serais cassée tuseul et tu t'en serais peut-être pas relevé tandis qu'avec nous autres pour veiller au grain, les flots ont continué de circuler dans ton artère principale pis dans les autres itou. Quant à Wolfe, il est peut-être ben content, mais il est pas mort...

Une infirmière se présente dans la chambre et, sans crier gare, elle ouvre les rideaux qui entouraient ma réflexion bouillonnante. Puis elle dit bonjour et tire sur le rideau qui me sépare du 457.

Surprise, il y a là un être humain. Il est branché comme moi à un soluté mais pas à un appareil de télémétrie, et son genou droit est enveloppé d'un sérieux bandage.

– Vous allez bien, monsieur T ? Le genou, ça marche ?

– Non, mais ça va marcher, dit l'homme souriant au visage dans la mi-trentaine.

– Vous attendez-vous de sortir ces jours-ci ?

– Je vois le docteur B aujourd'hui.

– Avec lui, ça ne traîne jamais. Désirez-vous un tablier pour déjeuner, messieurs ?

– Pas moi, dit l'homme.

– Ni moi non plus, dis-je. Je laisse tomber les graines à terre. J'ai une âme de vandale aujourd'hui...

Elle quitte. Je me présente à mon co-loc :

– Mathieu... Cas de coeur... Je sors des soins intensifs... On m'a fait faire un petit infarctus... pour le fun...

– Comment ça ?

– Un tapis roulant à vitesse trop maximale... Je dis qu'on m'a fait dépasser mes limites... Eux autres vont dire que non, c'est sûr... Faudrait que je fasse brûler des lampions pour les remercier...

– D'autres crises avant celle-là ?

– Jamais. Suis entré à l'urgence et on a trouvé par 3 chemins différents que le mal de dos pour lequel je m'inquiétais, ben, c'était pas un trouble du coeur...

L'homme est grand, ça se voit, même s'il est encore couché. Il semble bâti solide, musclé. La norme, ça ne doit pas lui faire peur, à lui... Je lui raconte mon aventure comme je l'ai déjà fait à quelques reprises, mais ce jour-là, grogne référendaire aidant peut-être, je peste davantage contre le système sans toutefois accuser le docteur L ou qui que ce soit d'autre. Car je n'ai jamais cessé de penser depuis ma descente du tapis roulant que c'était la norme qui m'avait jeté à terre.

– Et vous, monsieur T, quel bon vent vous amène ici ?

– Une égratignure...

Lui aussi a envie de me surprendre, semble-t-il. Et il poursuit :

– Sur du métal à l'usine. Ça saignait même pas et deux jours plus tard, j'avais le genou qui enflait à vue d'oeil. Un empoisonnement de sang comme on dit. Je suis sur les antibiotiques... Une couple de jours et ça devrait être beau...

– Ben content de voir que l'hôpital, ça magane pas tout le monde...

– Votre cas est... spécial...

– Spécial, certain. Je vais écrire un livre qui aura pour titre *Autopsie d'un infarctus provoqué...*

Cela provoque le rire chez mon interlocuteur, mais on ne peut poursuivre pour le moment car on vient nous servir le petit déjeuner. Deux menus: un pour les cas coronaires et un pour les cas ordinaires... Les différences portent sur le gras alimentaire et le café.

Ce jour-là est important pour les gens de la cuisine. On passe à l'ère informatique pour ce qui est des feuilles de menu qu'à tous les jours on nous fait remplir en vue de la préparation de nos repas des jours suivants. Désormais, il suffira de mettre des X ou des chiffres dans de petites cases et Big Brother lira tout ça en un clin d'oeil. Ça ne va pas farcir la dinde, mais ça va donner un meilleure garantie qu'on n'oubliera pas les atocas et les petits pois.

Sitôt son repas terminé, mon voisin fait sa toilette et s'en va en traînant à ses côtés son fidèle support à sac de liquide antibiotique, liquide qui doit s'infiltrer très doucement en lui, sinon qui l'empoisonnerait plus encore que son virus. Sorte de technique homéopathique, me semble-t-il ou bien je me trompe. Si on m'avait donné des cours de Santé 101 à 901 (ou 110) quand j'allais à l'école, je serais moins gnochon dans ce domaine. Par chance que j'ai fait de la métaphysique, ça me permet de lire le Devoir avec plus d'agrément intellectuel... et physique... Ça me garde la forme mentale et même ça me situe plus haut que la... norme générale; mettez ça dans votre pipe...

Regardez donc qui vient d'entrer dans ma chambre avec sous le bras un dossier médical bien tapé entre deux couvertures métalliques couleur argent mais odeur aluminium. Un fantôme. C'est le bon doc R, mon médecin de famille que je vois depuis 3 ans mais pour la première fois depuis que je suis hospitalisé. Il fait le tour du lit, accroche son pied au montant, ouvre le dossier et jette un dernier coup d'oeil avant de parler.

– Comment ça va ?

– Physiquement: très bien. Mentalement: très mal.

– Chanceux d'avoir fait votre infarctus à l'hôpital !...

Non, mais ils vont me rendre complètement dingue avec cette phrase-là. Le bon docteur a mon âge. Peut-être quelques années de moins. Il paraît dans une forme splendide. Cheveux courts, visage un peu rond, assez grand: il ressemble à Vladimir Jirinovski... Pour ceux qui connaissent le bouillant politicien russe. Et si on ne le connaît, on n'a pas tout perdu...

– Faire un infarctus où que ce soit, y'a rien de chanceux dans ça, moi, je trouve.

– Oui, mais... tout seul dans votre voiture sur une route déserte, loin de l'hôpital...

– Y'a pas de 'christ' de tapis roulant dans ces coins-là.

– Pas besoin de tapis roulant pour faire une crise cardiaque.

– C'est un tapis roulant qui m'a fait faire la mienne.

On tourne en rond. Ou plutôt on marche sur un tapis qui nous ramène sans cesse au pas de départ.

– Le dommage est minime... Une petite nécrose... Une nécrosette, pour ainsi dire. Peut-être même un simple spasme cardiaque, mais ça, y'a peu de chances. De toute façon, les enzymes du coeur ont indiqué un très léger infarctus. Les enzymes n'ont même pas doublé tandis que dans la plupart des infarctus, c'est 3, 4, 5, 10 fois le taux normal...

– J'en ai fait un ou j'en ai pas fait un ?

Il hoche la tête en biais.

– Oui, y'en a eu un, la machine l'a dit. Mais c'est pas une grosse affaire. Des chances que le coeur soit pas amoindri du tout.

– Pourquoi on me garde ici ?

– On va chercher davantage... Le test au thallium... Et probablement une coronarographie à Québec...

– Je peux m'en aller ?

– Pour avoir votre place à Québec, faut vous garder à l'hôpital un certain temps... Sinon, ça pourrait prendre six mois, un an.

– Ça coûte cher au gouvernement pour rien, ça...

– Bah! $500. par jour. D'abord que c'est l'État qui paye la note, quelle importance pour vous ?

– Si j'attends ici dix jours tandis que je pourrais aussi bien attendre chez moi, ça va coûter $ 5,000. à l'État en frais inutiles ? dis-je, estomaqué.

– C'est le système, laisse-t-il tomber laconiquement. Et c'est pas inutile puisque ça vous permet d'avoir votre place plus vite...

C'est un homme charmant mais qui a l'air très désabusé de bien des choses. Je pense lui demander pourquoi le docteur L l'a contredit quant à la nécessité d'une médication anti-cholestérol. L'ai-je écrit, il m'avait prescrit des pilules pour augmenter le bon cholestérol mais je ne les ai jamais prises et me suis rabattu sur un régime très strict quant au gras alimentaire ainsi que sur une marche rallongée s'ajoutant à la technique Nadeau. Et voilà que le docteur L, la veille du tapis roulant, a déclaré que mon taux de cholestérol ne justifiait pas une intervention médicamenteuse. Qui croire ? Le médecin de famille ou bien l'interniste qui se spécialise dans les choses du coeur ?

Je le lui dirai quand l'occasion se présentera.

Il consulte sa montre, annonce qu'il reviendra le lendemain et salue avant de quitter prestement.

L'ai-je salué ? Souvent, il m'arrive de dire des choses dans mon for intérieur et de ne le laisser sortir que par un geste vague que les gens, la plupart du temps, ne perçoivent pas. Et ça aussi me situe en dehors de la norme.

J'ai toujours eu la poignée de mains en horreur. Les Ti-Clin qui te cassent les os pour montrer qu'ils possèdent une personnalité gagnante sont légion. Les pires ennemis se donnent la main et le geste est si souvent bourré d'hypocrisie. Mais il est **normal** et si tu ne le fais pas, tu passes pour un mal poli... un raboteux, un rugueux...

C'est bientôt le repas du midi. Mon compagnon de chambre me parle de son métier, de sa famille. Je sonde ses convictions politiques mais n'en tire rien. Je l'ai fait avec d'autres, des infirmières, sans plus de résultat.

Je découvre ce jour-là qu'il est stressant de vivre dans une chambre d'hôpital. Toujours quelqu'un qui vous arrive dans la chambre. On tire les rideaux. On fait des prises de sang. On vient offrir des tabliers. On prend la pression. On apporte les repas, les collations, les pilules. On vient en visite chez le voisin. On vient changer les draps. On vient ramasser les serviettes. On vient montrer des diapositives à des gens comme moi qui ont la chienne à l'idée de se faire explorer le coeur avec une broche à chapeau, pardon, cathéter...

Je me demande quel livre commencer puisque je serai là plusieurs jours à ce qu'il paraît. 15 jours et me voilà rendu à 75 pages c'est-à-dire à ma vitesse de croisière dans l'écriture d'un nouvel ouvrage. Aucune concentration n'est possible. Vous passez votre journée sur le nerf à cause de cet incessant va-et-vient. Et ça m'énerve. Je refuse de me voir croupir là durant 15 jours simplement pour attendre ma place à l'hôpital Laval. C'est du gaspillage d'énergie et d'argent. Que j'attende seulement 10 jours et ça voudra dire un gaspillage de $ 5,000. par l'État. Et ça signifie que j'accapare un lit dont d'autres personnes auraient besoin peut-être.

Venue quelques jours s'occuper de mes affaires à la maison, mon amie Solange me visite ce jour-là et m'apporte un cahier broché tout neuf. Trop loin de chez elle, il lui sera impossible d'aller voter. Je me sens responsable d'un crime de lèse-démocratie. J'en pleure.

Elle ne savait pas pour qui voter. Ou plutôt pour quoi. Je lui conseillais de s'abstenir. Ne pas donner son consentement à des gens qui de toute façon ne s'intéressent à vous que pour vous extorquer le pouvoir politique de votre croix sur un bulletin...

Combien d'hommes et de femmes politiques à Ottawa et à Québec sont issus des rangs des petits salariés en descendant ?

Après le départ de Solange, je suis d'humeur plus sombre encore que depuis le matin. Mon compagnon de chambre est rarement là et je peux m'enfermer dans mes réflexions en fermant le rideau du milieu et les grands rideaux de la fenêtre qui eux, manquent de résistance et semblent éventés. Après leur avoir laissé une cicatrice, je comprends que je ne dois pas leur faire dépasser leurs limites et je les tirerai donc avec prudence à l'avenir.

Une infirmière, petite blonde dans la soixantaine que je baptise Madame Rideau, vient parfois ouvrir pour faire entrer la lumière du jour qui à moi, pour le moment, apparaît indésirable. Dès qu'elle quitte, je referme... On a dû croire encore davantage que je sombrais dans la dépression tandis que c'est plutôt une colère sourde qui m'emporte en ce jour de référendum où une fois de plus le petit peuple va faire rire de lui par la démocratie.

Au moment où j'écris ces lignes, on est tout près de Noël. Je reviendrai au 30 octobre plus loin.

Dans tous les médias depuis quelques jours, on se targue de collaborer aux collectes de victuailles pour les pauvres. Tas d'hypocrites. C'est le star-system qui se trouve derrière tout ça, la mentalité des gagnants, la philosophie de l'image à donner à tout prix. J'ai envie d'aller aux toilettes quand je vois Durivage et cie faire les jars devant la SRC pour inciter les gens à donner des boîtes de conserve. Quand il se rend chez Tremblay passer une entrevue soulignant la sortie de son nouveau 'chef d'oeuvre' sur son dépucelage adolescent et qu'il repousse les demandes de 900 auteurs que la SRC ne veut jamais voir, il agit en crétin. En parfait crétin, lui et ceux qui décident derrière lui. C'est ça, créer du surplus et du superflu pour les uns et priver les autres de leur subsistance. Hypocrite

Durivage. Trou-du-cul à casquette vert merde.

Les campagnes de charité incitent l'État à se fier sur le bénévolat et la bonne volonté des gens pour se dérober à son devoir d'assurer la subsistance de tous les citoyens. Elles n'ont lieu que pour dorer l'image de ces maudits branleux des médias. L'image, l'image, l'image, tout le temps et toujours... Venant de la SRC, cette philosophie doit concourir à la privatisation de ce nid d'intellos nonos. On n'a pas besoin d'un Québec indépendant qui serait une imitation en un peu mieux du Canada, ai-je écrit. On n'a pas besoin d'une SRC (ou Télé-Québec) qui est une imitation en pire de la télévision privée.

Et qu'on ne vienne pas me faire chier avec ces 'touchantes' campagnes annuelles de charité. Hypocrites ! Hypocrites ! Hypocrites ! Vermines !

Quelqu'un me téléphone dernièrement pour me dire qu'une recherchiste de CBF-Bonjour est à ma recherche. Il lui a donné mon numéro. En attendant son appel, je fabule. Pourquoi me chercher sinon parce qu'on sait que j'ai publié 5 ouvrages cette année dont un roman historique à caractère international et une pièce de théâtre en 2578 alexandrins ? On aura vu mes titres en librairie. Quel idiot je fais ! Je me dépêche même d'envoyer mes 4 nouveautés à la recherchiste en question, m'excusant presque de ne pas l'avoir fait avant.

Quel idiot je fais ! Quel idiot je suis !

Dring !

Ce que la recherchiste voulait de moi: inimaginable ! Connaître l'impact qu'aurait eu *Demain matin Montréal m'attend* sur les gens de St-Martin (là d'où vient l'héroïne de la comédie musicale) où je travaillais comme enseignant à la sortie de l'oeuvre mondialement connue... planète Mars y compris...

Elle s'est adressée à un historien de Beauceville qui l'a envoyée à quelqu'un de St-Georges, remontant la Chaudière vers St-Martin, et cet autre l'a envoyée à un professeur qui connaît mon numéro de téléphone.

Voici votre réponse, madame la recherchiste de la SRC. L'impact fut nul. Zéro. Et j'ajouterai que l'impact de Tremblay dans les régions n'existe que parce que vous autres de la SRC imposez ses travaux à cause de son image, que vous les encensez d'avance à cause de ce star-system débile, qu'il ne vous reste pas de temps en conséquence pour le travail de créativité de 900 auteurs laissés pour compte.

Tout le temps que dura l'appel, au moins vingt-cinq autres personnes ont voulu parler à la dite recherchiste puisque j'entendais sur la ligne le signal agaçant toutes les 30 secondes.

– Je ne peux répondre à tous, me dit-elle. Je ne fais que ce qui est important.

– Eh bien, va te faire foutre, la recherchiste de la SRC et va chier dans le turban de ta patronne.

Revenons à aujourd'hui i.e. non pas le 30 octobre mais en cette veille des Fêtes.

Je lis sur le journal ce matin qu'une autre patente à gosse étatique, Hydro-Québec, a 'investi' 141,000 $ pour faire un party d'adieu au 'regretté' Richard Drouin. Voyons les détails. 37,000 $ pour le menu. 28,000 $ pour la sonorisation. 16,000 $ pour les imprimés. 12,000 $ pour les locations. 7,500 $ pour Nathalie Choquette, la chanteuse d'opéra...

Ils sont comme ça, les **pourceaux**, tandis que des milliers d'enfants auront faim à Noël et l'année prochaine. (Mais pas trop tout de même grâce à Durivage et cie.) Et d'autres têtes de porc essaieront de défendre le party en glissant qu'il s'agit d'une opération de relations publiques comme il est 'normal' d'en faire dans les grandes entreprises...

Un party pour Richard Drouin, ce n'est pas condamnable en soi. En profiter pour faire une opération de relations publiques, soit. De plus, beaucoup de gens ont travaillé grâce à ce party. Tous ceux qui ont préparé les menus (saumon et autres victuailles), la sonorisation, les imprimés, la chanteuse... A bien y penser, le scandale, ce n'est pas le montant excessif alloué au party, c'est le montant trop bas. N'aurait-on pas pu y mettre 1/4 de million ? Deux fois plus de gens y auraient travaillé.

L'opération de relations publiques eût été bien mieux accomplie. Et Richard Drouin aurait été davantage honoré. Et heureux.

En coupant le luxe injecté à l'organisation de cette fête idiote, on aurait pu la monter pour 20,000 $ et faire travailler autant de personnes.

Avec les 120,000 $ économisés, on aurait pu, considérant l'intérêt sur capital, créer un 'job' à vie pour un chômeur de 30 ans. Mais un chômeur de 30 ans, ça n'a pas d'image et ça ne soutient aucune image brillante donc ça n'aide pas aux 'relations publiques' du gros tas de marde étatique que constitue l'Hydro-Québec, aussi tas de marde que la SRC... C'est cette même Hydro qui coupe sans aucun scrupule l'électricité des pauvres gens à qui cette société de voleurs et de tricheurs n'assure même pas la subsistance.

De retour au 30 octobre, en ce jour de référendum.

Le peuple du Québec est un peuple soumis. Qu'il dise OUI ou NON, il restera soumis. Comme en 1760. Comme en 1775. Comme en 1837 alors qu'une petite minorité seulement a osé lever la tête. Comme du temps de Laurier, du temps de Godbout, de Duplessis. Comme toujours.

En disant NON, il continuera à se complaire sous la tutelle d'un gouvernement fédéral qui n'a plus aucun sens et aucune raison intelligente d'exister. En disant OUI, il se mettra sous la tutelle de ses propres meneurs, les Parizeau, Bouchard et Dumont qui formeront alors la divine troïka.

(Bouchard, un avocat en complet de luxe est homme à se délecter de Proust devant un vin de qualité ambassadeur. Quand il parle des démunis, ça sonne faux dans sa bouche. Comme tous ces beaux parleurs de politiciens et politiciennes, il se sert des moins nantis dans son discours pour dorer son image. That's it !)

Et le peuple d'un Québec souverain se laissera faire, encore et toujours.

Au moment où j'écris ces lignes, des millions de Français descendent dans la rue pour la 20e journée ou plus.

Ils osent, eux. Ils se lèvent. Ils disent non au système. Que les syndicats d'ici organisent de telles marches de protestation et ils se casseront la gueule. Et ils le savent, qui ne donneront pas dans ce piège.

On endure. On chiale. On endure. On critique. On endure. On se plaint. On endure. Allez voter, les nonos ! Allons voter, les nonos !

Ben oui, mais, faut ben faire son devoir ! Si tout le monde fait comme toué, c'est quoi qu'il va arriver à la démocratie ?

Dans ce cas-là, cours voter en pensant que tu vas y changer quelque chose. Pis endure. Pis chiale. Pis endure. Pis critique. Pis endure. Pis plains-toi. Pis endure. Pis va voter, le nono ! On y va, on y sera...

Alleluia !

Y'a une partie de Mongrain que je n'aime pas, mais, comme dirait mon amie Solange, y'a une partie de lui qui 'déniaise' le monde... Jusqu'au jour de la votation...

Bureaux fermés. On a voté à 94%.

Dominus vobiscum. La démocratie est sauve une fois encore.

Rien n'a été réglé.

Tout fut réglé.

Le Québec est resté... le Québec.

La mascarade se poursuit.

Demain, c'est l'Halloween.

Alleluia !

Nous ne sommes pas un peuple minoritaire, nous sommes un peuple **déficitaire**.

9

Contradiction

Comme ils nous aiment, les politiciens nationalistes ! Et comme nous les aimons de nous montrer d'eux-mêmes une image idéalisée en laquelle nous nous mirons comme dans l'eau propre de la rivière de notre enfance.

Saint René Lévesque qui êtes aux Cieux, que votre nom très honorable soit sanctifié, que votre règne sur nos âmes continue d'arriver, que votre volonté d'outre-tombe soit presque faite au Québec comme au temple céleste de la renommée québécoise.

Et ses émules vivants et les autres d'enchaîner :

On n'a plus de sous pour vous donner aujourd'hui votre pain quotidien, on ne vous pardonnera vos offenses que si vous vous intégrez au système, on ne vous laissera pas succomber à la tentation autonomiste et on ne vous délivrera pas du moindre mal fédéraliste. Car au-dessus de tout et de tous, il y a notre saint père... le déficit...

Et la sainte dette dont il faut nous acquitter.

Les pauvres en ont profité, de cette manne abondante, les pauvres doivent donc payer la facture. Les riches en ont profité encore plus car ça leur permettait d'engranger des surplus et de s'offrir du superflu, les riches doivent garder leurs réserves pour pouvoir maintenir leur standard de vie. Est-ce leur faute si le système les a gâtés, les a drogués de luxe ?

Non, pas de nouvelles taxes. Coupons plutôt et coupons gros dans les services de base en santé, en éducation, en allocations de subsistance aux plus démunis !

Le fédéral et le provincial vont multiplier les grands coups de sabre après le référendum.

Pour être maintenu sur la liste d'attente des candidats à la coronarographie, il faut être hospitalisé. Ou bien ton coeur devra patienter 6-12 mois ou plus. Je pourrais être chez moi depuis dimanche, lundi au plus. J'en suis à ma première journée d'hospitalisation inutile. Coût: 500$. Broutille. Lentilles.

Même pas besoin d'être hospitalisé pour subir ce test; tu entres à l'hôpital Laval (qui n'est pas, on le sait, celui où je me trouve) le matin et tu sors le soir.

Mes réflexions matinales se terminent lorsque l'infirmière vient prendre ma pression et me soutirer du sang. C'est la première fois que je la vois. Femme courte, grassouillette, une voix qui s'approche de vous 'tip toe through the tulips'. Elle me salue et s'excuse de ce qu'elle devra faire. Je lui change les idées.

– Et alors, nous sommes Canadiens ou Québécois ce matin ?

– Canadiens...

Je préfère cela pour que les gens aient encore un peu de temps pour se rendre compte que leur meilleur ennemi, c'est l'État: de ce que me voilà optimiste ce 31 octobre ! Mais je suis tout de même très surpris car je m'attendais à autre chose.

– Quasiment 50-50: nez à nez. Ça vous convient ? dit-elle en riant.

– Pas voté depuis 20 ans sauf une fois par erreur.

– Vous ne faites pas ...

Je coupe en chantonnant :

– ... mon devoir, là, moi... Je considère que mon devoir n'est pas de pencher vers le moindre mal mais que c'est de dénoncer le mal en annulant mon vote... Étant ici hier, je n'ai pas pu aller annuler et me suis donc tout simplement abstenu...

– Vous êtes dans les 6% qui...

– Sont en dehors de la norme... De mauvais citoyens...

Elle pique mal, baptême, de ce qu'elle pique mal. Mais le sang finit par poindre dans la seringue...

Quand elle est prête à partir, elle me pose une question sur la raison précise de mon hospitalisation puisque le dossier l'a informée de ma situation cardiaque. Sans doute a-t-elle lu la note sur mon degré élevé d'anxiété et veut me faire parler pour me défouler un peu...

Je lui raconte ce qui m'est arrivé. Elle excuse le système comme je m'y attendais. Je n'ai encore vu personne à part Solange depuis que je suis à l'hôpital admettre que je puisse avoir un tout petit peu raison de me plaindre à cause de cet infarctus provoqué. Le système ne peut se tromper. Donc j'ai tort... Elle hoche un peu la tête, et pitoyablement quand je dis qu'on devrait laisser le contrôle du tapis au patient...

Un patient bénéficie d'un traitement: qu'aurait-il à y redire ? Un bénéficiaire de l'assurance-chômage, de la sécurité du revenu reçoit de l'aide étatique: qu'aurait-il à s'en plaindre ? Un auteur qui reçoit 330,000 sous noirs par année en compensation pour la communisation de son cerveau via le prêt public et s'en plaint est un ingrat personnage qui attaque abusivement son pays. Chrétien dixit. Maudit petit peuple plein d'ingratitude envers ses dirigeants. Une bonne fois, tous les politiciens vont démissionner en bloc (comme dans mon roman *Présidence*) et le pauvre peuple débile verra bien ce que ça fait d'être obligé de se mener 'tuseul'...

Elle a le malheur, la pauvre, de me demander ce que je fais dans la vie. Je lui trouve une tête à aimer entendre la vraie histoire de l'enfant martyre et je me lance dans la vie de la petite Aurore... Un quart d'heure y passe et elle s'inquiète du travail qu'elle a encore... Sauf que quand je fais un arrêt qui lui permettrait de partir, elle n'en profite pas et reste plantée debout à attendre, semble-t-il, la suite. Pas de problème: j'en mets... Mais tout ça finit en reproche :

– Vous savez, je ne peux pas passer mon avant-midi ici... (Elle éclate de rire...) Vous comprenez ça...

J'ai envie de lui dire que je ne l'ai pas retenue une seconde, mais j'aurais tort car je sais qu'à ses yeux, je ne suis qu'un patient passif avant tout... Si au moins je lui avais parlé de maladie !

Je déjeune avec une seule idée: me trouver un sujet de roman qui ne demande pas de concentration. Je vais repasser dans ma tête tous ces projets qui dorment dans mon ordinateur et voir.

Mon voisin semble peu enclin à me parler. Peut-être parce que je me suis trop renfermé la veille. Et dès la fin de son repas, il part en maraude. C'est ma dernière journée de reclus. Dès demain, je pourrai moi aussi partir en exploration dans les couloirs de la grande maison.

Une infirmière vient jaser. Je casse la glace en lui parlant de sa taille.

– Vous, vous faites au moins un mètre 70...

– En français, ça veut dire combien de pieds ?

– A peu près 5 pieds 8 pouces.

– C'est exactement ça.

Elle se souvient des années 50 et à cause de ses 47 ans continue d'échapper tout comme moi la réalité instantanée des mesures métriques.

Ils ont fermé la section de chirurgie où elle travaillait depuis des années et lui ont confié une tâche à cet étage.

– On ferme des lits en chirurgie ?

– On renvoie les gens à la maison plus vite.

– Et on laisse moisir des gars comme moi à attendre ici à raison de 500 $ par jour ?

– Il y a souvent des gens comme vous qui attendent jusqu'à 50 jours pour se faire ponter. Donc 25,000$ de gaspillage. Tiens, il y en a justement un au 452. Il attend depuis le 9 octobre et probable qu'il ne sera opéré qu'en janvier. La fin de semaine, on lui donne 1.5 jour de congé et il revient le dimanche soir.

– Faut faire du temps... comme un prisonnier. Si c'est comme ça à travers tout le Québec, ça fait un beau gaspillage en effet...

– Si on prenait l'argent pour équiper d'autres hôpitaux et leur permettre d'opérer les malades et de leur faire passer des tests, ça voudrait dire plus d'emplois et les chirurgies au bon moment pour qui que ce soit.

– Encore une fois les grosses pattes de l'éléphant gouvernemental dans un magasin de porcelaine...

C'est la première personne rencontrée dans cet hôpital qui n'a pas peur de critiquer le système. Peut-être parce qu'elle-même en est la victime. En tout cas, elle renforce mon éclairage et me fait me sentir un peu moins ridicule à questionner les folies bureaucratiques qui plus encore que les hommes politiques nous ont menés au milieu de tous les maux économiques et sociaux que nous déplorons maintenant alors que notre société devrait déjà être entrée dans une ère de loisirs comme l'avait prédit à tort *Le Choc du futur* en 1970.

Un peu plus tard, le docteur R vient me voir. Il me parle une fois encore du nouveau tapis roulant que je devrais faire avec cette fois injection de thallium pour évaluer les réserves du coeur.

– Mais puisque je vais passer une coronarographie, quel besoin d'un électro à l'effort ?

– Évaluer les réserves du coeur, je viens de le dire.

– La coronarographie va-t-elle indiquer les dommages que j'ai suite à l'infarctus.

– Ça devrait.

– En ce cas-là, je préfère attendre après la coronarographie pour reprendre ma course dangereuse sur le tapis roulant, vous ne trouvez pas que c'est logique ?

– Peut-être que vous êtes en danger... et vous l'êtes...

– S'il a fallu la cadence d'éperonnage c'est-à-dire la vitesse 4 pour me provoquer un infarctus qui, vous-même l'avez dit, n'a pas fait doubler les enzymes du coeur, y'a de bonnes chances que je me rende à la coronarographie, vous ne pensez pas ? Surtout que je suis entre bonnes mains ici à l'hôpital. Aucun effort. Bon régime amaigrissant. Pas de stress autre que celui d'être tout le temps dérangé par le va-et-vient du personnel. Patch de nitro sur la fesse gauche. Héparine à portée du bras. Docteurs au bout du corridor. Le bonheur presque total.

Répétition

Le système est fort simple dans sa structure et ses principes même s'il se cache derrière la confusion mentale qui le sert bien. C'est, on l'a vu, le tissu banco-politico-médiatique qui agit comme ciment de la pyramide sociale. Mais quand il se heurte à de l'opposition, quand il a devant lui un poseur d'objections et de questions, quelqu'un qui le met devant ses propres contradictions, ce cher système qui a troqué le totalitarisme (autorité de fer) pour la démocratie (autorité persuasive) n'a d'autre recours que la répétition.

Il tape sans arrêt sur le même clou par divers moyens et divers mots pour l'enfoncer dans le crâne dur qui refuse l'intégration. Et renforce son argumentation par des statistiques, des sondages, des éléments normatifs. Pour calmer un chien qui montre les crocs, on l'approche tout doucement, on lui parle tout doucement, on lui flatte tout doucement l'ego et quand enfin il se tait, on l'enchaîne et/ou on l'oublie.

Je ne serais pas surpris qu'un autre bon docteur me visite ce jour-là et tente de me persuader de refaire un tapis roulant dans les plus brefs délais.

Car le tapis roulant, c'est la norme et ça passe avant la personne. Dédé va-t-il finir par entrer ça dans sa maudite caboche ?

Je ne me suis pas trompé sur la venue d'un toubib. C'est le docteur L qui se présente juste avant le repas du midi. Il n'aura pas à rester bien longtemps puisque dans quelques minutes, on fera la distribution des cabarets.

C'est la première fois que je le revois à froid depuis l'infarctus. On se souvient qu'il m'avait laissé à l'urgence le vendredi midi après le tapis et la crise pour s'en aller à son congé du week-end.

Il est très nerveux malgré les apparences. Le sourire et la voix sont crispés. Il s'attend à ce que je l'engueule. Il ignore que ce n'est pas à lui que j'en veux mais au système. Il se sent coupable, on dirait.

Moi, le 458, je le bombarde de questions. Les mêmes que j'ai déjà posées aux docteurs C1, C2, R et F. Et même au doc D.

Pourquoi le premier tapis après les résultats de la veille ? Quelle est la nature de la crise ? Quels sont les dommages possibles au muscle cardiaque ? Pourquoi une norme pareille ? Pourquoi la cadence d'éperonnage sur le tapis avec quelqu'un dont le coeur est artificiellement ralenti par un médicament (Tenormin) ? Pourquoi le test du thallium et un nouveau tapis roulant avant la coronarographie ? N'y a-t-il pas de chances pour que cet infarctus se soit produit 10 ans plus tard ? La médecine tient-elle compte de l'ensemble des facteurs qui provoquent un désordre ? Pourquoi cette divergence d'opinion entre le doc R et lui-même, le doc L, quant au traitement de l'hypercholestérolémie ? Pourquoi on ne parle jamais de stress comme facteur causal primordial ? Est-ce parce que c'est le système qui est la plus grande source de stress et que le système se défend contre toute accusation ?

– Vous m'essoufflez, dit-il. Avec vous, pour la première fois de ma carrière, je dois sortir tout mon cours de médecine.

– Doc, je ne fais pas ça pour vous embêter ou pour me donner de l'importance. Tout ce que je demande à la vie, c'est 15 ans avec le minimum vital donc une qualité de vie minimale qui me laissera à mon écriture. Le reste, tout le reste, à part les personnes que j'aime, je m'en contrecrisse. Le système cherche à m'intégrer à tout prix et c'est comme ça qu'il risque de me tuer prématurément. Il faut laisser les marginaux dans la marge tant qu'ils le voudront et tenir compte de ce fait. Ils ne sont pas accusateurs parce qu'ils veulent rester eux-mêmes. Je pouvais accomplir 2 milles chaque matin après la technique Nadeau, mais à l'intérieur de mes limites. Le stress a pu faire que depuis un mois, c'était trop, surtout de ce pas qui était le mien. J'ai forcé mes limites. Vous avez forcé mes limites sur le tapis. Le système du livre et le grand système au-dessus des petits m'ont pesé lourd sur les épaules depuis 18 ans. C'est tout ça qui a débouché sur l'infarctus, pas une erreur de vous, docteur L qui n'avez fait, de votre aveu même, qu'appliquer la norme.

– Au fond, nous nous entendons... sauf que ni moi ni personne ne pourrons vous soigner malgré vous. Votre santé vous appartient et vous pouvez en faire ce que vous voulez...

Nous y voilà une fois encore ! On joue sur la peur de ceux qui n'ont pas la connaissance médicale. C'est pourquoi il n'y a pas de cours Santé 101 à 901 ou 110 à l'école et qu'on préfère nous parler de Sinus (mathématiques et pas nasaux), de Cosinus, de Sécante, de plans inclinés, de la loi d'Ohm et de la composition du sel. Car il est bien plus important dans la vie de savoir que le sel est fait de Na et de Cl que de connaître ses effets sur l'hypertension artérielle. Car si on a besoin de parler de sodium un bon matin, y'a pas une clinique de chimistes au coin de la rue tandis que si on fait de l'hypertension, on trouvera à deux minutes de chez soi un bon toubib qui nous émerveillera en nous disant qu'il serait sain de diminuer le sel dans notre alimentation.

Le système a besoin de gens malades.

L'avocat a besoin du crime.

Le docteur a besoin de malades.

La société a besoin de marginaux, d'exemples à donner aux bons citoyens...

Les citoyens doivent vivre aux dépens les uns des autres: telle est la principale caractéristique de la pyramide sociale, tel est le principe de base du tissu banco-politico-médiatique. Etre soi-même, ça n'entre pas dans la norme. Avoir l'air d'être soi-même et vivre derrière un masque, une image: voilà la norme.

On vient porter mon cabaret. J'ai faim. Poser des questions m'a ouvert l'appétit. Le doc est content malgré tout. Je ne l'ai pas injurié. Je suis récupérable. Il ne le dit pas mais je le saurai dans le jours à venir: il va m'envoyer passer une coronarographie avant le prochain tapis roulant... Toujours ça de gagné !

Mon amie Solange vient me visiter dans l'après-midi. Elle aussi fut une victime de la médecine. Un mal de dos persistant voilà 2 ans. Son médecin de famille signale une grosse pierre au rein gauche. Urgence. Hospitalisation. Chirurgie.

Je me suis objecté quand elle m'a annoncé son départ pour l'hôpital. Je sais qu'une nouvelle technique permet d'avoir raison de la pierre en passant par le nombril ou du moins sans faire de grosse incision au ventre. On bombarde la pierre aux ultra-sons et on la fait éclater. On la pulvérise. Je lui dis de magasiner un peu plus, de chercher un autre avis. Elle ne m'écoute pas et va vers le scalpel.

Ce sera un couteau de boucherie, pas un scalpel qui va l'opérer. On lui coupe les 2/5 de l'abdomen pour retirer la pierre. Dans 6 mois, un an au plus tard, il ne restera que la cicatrice, lui promet-on. Deux ans plus tard, elle arrive à peine à se coucher sur le côté.

Son médecin de famille finira par laisser entendre que le chirurgien est un charcutier et que s'il survenait un autre problème, il l'enverrait à quelqu'un d'autre.

La même chose est survenue à l'épouse de mon compagnon de chambre. Et c'est parce qu'il raconte cette 'aventure' que je lui parle de celle de Solange. La cicatrice chez sa femme est toujours présente par les douleurs qu'après 8 ans, elle continue de lui causer. Dans son cas toutefois, il semble que la technique des ultrasons n'était pas au point et disponible.

Devrait-on continuer de charcuter le monde lorsqu'une technique supérieure est disponible et peut prévenir de suites malheureuses durant ad vitam aeternam ?

Le système, au seuil de l'an 2000, ne doit pas fournir l'excuse du manque d'argent pour éviter de dispenser les meilleurs soins de santé à tous ou alors c'est un système pourri dont il faut mieux se débarrasser.

Ma fille a été prévenue de mon hospitalisation. Je n'ai pas voulu qu'elle le sache tandis que j'étais aux soins intensifs pour ne pas la stresser inutilement. J'aurais bien aimé parler avec elle mais je me suis abstenu. Le système ne la ménage pas elle non plus, surtout de ce temps-là...

Une nouvelle m'étonne, que j'ignorais encore en ce 31 octobre. Amer à cause des résultats du référendum, le premier ministre du Québec a annoncé sa démission. Sa mauvaise humeur lui a valu la réprobation de bien du monde, y compris de ses supporteurs.

Il semble bien que les intérêts de l'ego du politicien passaient avant les intérêts supérieurs du Québec. Sinon il finirait son mandat.

Il n'a pas relevé le défi et sa réaction primaire est de rejeter le blâme sur quelqu'un d'autre.

S'il avait une conscience réelle d'avoir fait du mieux qu'il pouvait avec les moyens dont il disposait, il n'aurait pas eu cette réaction. Et ça m'étonne de lui. Il était parmi les politiciens connus celui peut-être que je considérais le moins mal. Je ne serais pas allé jusqu'à voter pour lui puisque je ne crois pas dans le système démocratique en ce moment de l'histoire, mais je ne le détestais pas comme premier ministre. Un homme coloré. Un rire gras mais communicatif et généreux. Un côté gentleman parfois. L'entièreté du bison. Peut-être aurait-il dû demander à Lucien des leçons de lèche-Québécois...

Je me suis trompé sans aucun doute. Un gros ego que celui de Parizeau. Comme celui de tous ces gens-là envers qui le peuple est bien ingrat, bien méchant, bien dur...

Plus tard, j'apprendrai par la grande infirmière que Lucien Bouchard a fait la grande scène déchirante et larmoyante qui consiste à dire au peuple qu'il se trouve devant un choix quasi existentiel entre sa vie publique et sa vie privée, entre les intérêts vitaux du peuple et ceux tout aussi vitaux de sa famille... Le Québec va en pleurer tant que durera le suspense...

Le bon docteur Poulin dans la Beauce nous servait la même salade durant toutes ses campagnes électorales. Après avoir mûrement réfléchi, il demanda aux siens de se sacrifier une fois encore pour le bien public et en conséquence, il accepterait qu'on l'élise... encore une fois. (Indépendant à Ottawa.)

J'habitais à 6 milles de son village à lui et il devait passer par le mien pour se rendre dans la capitale fédérale. Cela se passait dans les années 40-50.

Oh! je me souviens de le voir passer, par un beau matin de fin d'été au soleil frais, dans sa Plymouth grise, le grand mouchoir (à pois) nationaliste dans la main, s'essuyant les yeux, un à la fois pour pas prendre une fouille dans le clos de pacage... Depuis 6 milles déjà qu'il pleurait de se voir ainsi séparé des siens pour aller servir la nation, les intérêts supérieurs du Québec, de la Beauce, de Saint-Martin !

Hélas ! il faudra l'arrivée de Michel Tremblay pour mettre Saint-Martin sur la 'map' du Québec... et même le bon doc n'y parviendrait pas malgré sa grandeur d'âme... Mais ça, c'est une autre histoire.

En 1968, je me présenterai aux élections. Indépendant. Juste pour niaiser le système. J'irai rencontrer le bon doc qui avait été battu par un libéral en 1958. Je voulais la recette.

– La nationalisme, mon jeune ami, le nationalisme. Tu leur dis que tu les aimes et ils ne peuvent faire autrement que de te croire puisqu'ils se croient eux-mêmes infiniment aimables. Et alors, ils croiront tout ce que tu leur diras puisque tu as raison dès le départ en les flattant dans le sens du poil...

Non, ce n'est pas un discours aussi désinvolte que le bon doc m'a livré, mais ça revient à ça... A peu près: choix de mots et leur ajustement dans quelques phrases... Et bien entendu un certain paternalisme...

Le système aime les drapeaux, les hymnes nationaux, la démagogie, le sentiment, les larmes bien choisies, bien mesurées et bien coulées... dans le béton...

Alleluia !

Il viendra, le bon Lucien, il viendra. N'a-t-il pas le vent dans la prothèse ? Mais il ne changera rien au système et dans quelques années, une autre star le remplacera pour le meilleur ou pour le pire...

Pourvu que cette limace de Mulroney ne reparaisse jamais dans aucun décor politique ! Mais c'est pas Lucien qui va le sortir des boules à termites... Mulroney n'est plus une valeur sûre pour le système. Il n'a plus qu'à se laisser vivre maintenant. Et à défendre sa réputation de temps en temps...

10

Piqûre de l'écriture

Je préfère cette piqûre aux autres.

Ses effets sont incessants. Il faut que je trouve un sujet que je puisse développer sans avoir besoin de concentration. Ou peut-être un lieu dans l'hôpital où je pourrais me retirer afin d'écrire. Mais où ?

Sujet d'abord.

En 1990, j'ai pu passer de l'écriture graphique à l'écriture sur le clavier de l'ordinateur par le chemin d'une refonte d'un de mes romans *Le Bien-Aimé* qui relate l'histoire (vraie) du cow-boy hors-la-loi de Mégantic. Pourquoi ne pas passer encore par la voie de ce livre devenu *Donald et Marion* et par celle du théâtre. J'ai écrit une pièce en alexandrins, *Un sentiment divin*, pourquoi pas une autre et cette fois, sur l'affaire Morrison dont je connais par coeur tous les tenants et aboutissants. Je cherche un titre. Il me vient avant déjeuner. Ce sera *Duel, rue principale.* Et me voilà déjà en train d'aligner des vers.

Les 33 premiers me viennent assez vite avant et après le repas jusqu'au milieu de l'avant-midi. Les voici. La scène se passe au bar de l'American House de Mégantic en 1888. Les deux personnages présents sont Augusta McGiver, serveuse et Lucius Jack Warren, un Américain chasseur de primes de passage dans le coin et qui rêve d'arrêter le cow-boy hors-la-loi.

AUGUSTA, *en montrant une bouteille de boisson*

Un autre rhum, l'Américain ? Ton verre est vide.
Un homme au bar doit garder le gosier humide.

WARREN

Vas-y, jeune fille aux yeux vert tendre, remplis!
Boire n'est pas encore pour moi un délit.

AUGUSTA

5 Pas encore ?

WARREN

Non, mais lorsque j'aurai l'étoile
D'adjoint au shérif, que je tisserai la toile
Qui va me permettre d'attraper le cow-boy,
Je serai comme une éponge au soleil.

AUGUSTA

Ayoye!
Quand on verra Lucius Jack Warren à jeun,
10 Le train du matin va siffler trois fois.

WARREN

D'aucuns
Disent que je suis un ivrogne: des enfants !...
Là d'où je viens, aux États, c'est en triomphant
De sa bouteille de whisky en moins d'une heure
Qu'on est un homme

AUGUSTA

Ça veut dire que la peur
15 Et son contraire, le courage, se mesurent
En onces par chez vous... Ah! c'est faux, ça, c'est sûr
Quand on dit que le rhum sert à noyer sa frousse...

WARREN, *faisant l'irrité*

Par chance que je te connais pas mal, ma douce
Et que tu es du beau sexe, et du Canada,
20 Sinon tu me verrais faire le grand barda
Dans ton bar.

AUGUSTA

Je t'agace! Je sais, mon grand Jack
Que t'en as vidé par douzaines, des baraques
Là-bas dans l'Ouest.

WARREN, *péremptoire*

Le jeune Donald Morrison
Me fait peur deux ou trois fois autant que personne.
25 Qu'on me nomme l'adjoint d'Edwards et dans trois jours,
Je le coffre, moi, le hors-la-loi.

AUGUSTA, *narquoise*

Mais il court
En attendant, au nez même de la justice
Et toi, tu ne fais pas partie de la police.

WARREN

C'est une affaire de pas plus d'une semaine!

AUGUSTA

30 Ah! c'est pour ça que sept fois par jour, tu dégaines
Ton pistolet dans la cour pour te pratiquer...

WARREN

S'il veut résister, je ne vais pas le manquer.

AUGUSTA

Ne sais-tu donc pas que Donald est un tireur
De première force ?

C'est le mieux que je peux faire dans les circonstances. Le dérangement est permanent. Dans l'usine à santé, le jour a la bougeotte et les nuits sont longues.

J'ai un neveu qui viendra me visiter au cours de l'après-midi. Photographe. Je lui ai donné un rôle dans mon roman *Présidence*. C'est lui qui prend en photo la troïka Parizeau-Dumont-Bouchard le soir d'un hypothétique triomphe référendaire, ce qui va coûter cher à Parizeau que va électrocuter sans le vouloir son ami Lucien...

Malgré ces pensées qui vont vers mes travaux, c'est le premier novembre et ce jour-là, un poème de Crémazie me revient toujours en tête. Chaque année. Et m'obsède. Comme il arrive qu'on le soit une journée entière par une chanson –qu'on l'aime ou qu'elle nous énerve*– entendue la veille tard ou le matin tôt.

* Par exemple, la voix de Gerry Boulet me plaît autant que du papier sablé en guise de papier de toilette. Je n'y peux rien, mes tympans ne le prennent pas...

Me revient tout d'abord la première strophe de cette *Promenade des trois morts*.

Le soir est triste et froid. La lune solitaire
Donne comme à regret ses rayons à la terre;
Le vent de la forêt jette un cri déchirant;
Le flot du Saint-Laurent semble une voix qui pleure,
Et la cloche d'airain fait vibrer d'heure en heure
Dans le ciel nuageux son glas retentissant.

L'infirmier en chef vient me parler d'un montage d'images sur les pontages. Il viendra me faire voir ça au cours de l'après-midi. Et un aussi sur la coronarographie qui, tout l'étage le sait, me donne la trouille.

Certains patients qui s'ennuient semble-t-il passent et repassent sans arrêt dans le couloir. Et parmi eux, un homme d'environ cinquante ans que j'ai surnommé Mark Twain à cause de sa ressemblance physique avec l'écrivain américain.

C'est la première journée où je pourrai quitter ma chambre. Je suis débranché depuis la veille de mon appareil à télémétrie. Mon état se stabilise bien. Depuis l'infarctus, ma pression s'est toujours maintenue fort belle. Mais il faut chaque fois qu'on la prend que je quête l'information aux infirmières. Le système les fait taire. C'est au médecin de dire ces choses au patient. Si c'est mauvais, il saura interpréter au mieux. Si c'est bon, il aura le crédit pour son action de guérisseur.

J'ai perdu le fil et je reviens donc à Mark Twain. Il entre dans la chambre je ne sais plus à quelle heure de cette journée-là et placote un moment avec le 457 et moi-même, le 458. Je lui pose beaucoup de questions car c'est un cardiaque en attente de pontages. Il est là depuis le 9 octobre et ne s'attend pas d'avoir sa place avant l'année prochaine, ce qui pourrait vouloir dire encore 2 mois. Cela pourrait signifier 80 jours d'hospitalisation non nécessaire donc un gaspillage de 40,000$ par le système. Et par la faute du système (entendre ici des fonctionnaires) et non de son médecin.

Je fais un calcul. Mettons 10 cas comme le sien par année dans cet hôpital et on a un beau gaspillage de 400,000 $. Multiplions par 40 hôpitaux, on obtient un gaspillage total de 16 millions $ Juste à cause d'une 'procédurite' de fonctionnaire. Que ne pourrait-on faire avec ces 16 millions $? Se donner en plus de 3 endroits au Québec* les moyens techniques et humains de 'ponter' les cardiaques.

(*Institut de cardiologie de Montréal, Hôpital Laval de Québec et CHUS de Sherbrooke.)

Listes d'attente réduites d'autant. Argent bien placé. Emplois créés. Risques de complications réduites pour ceux qui attendent. Mais l'Etat imbécile est là encore une fois avec ses grosses pattes gnochonnes et fait en sorte que là comme en bien d'autres domaines, ça va tout croche...

Mais peut-être que je me trompe. Peut-être que Mark Twain est un cas unique. Il me dira:

– Si tu as besoin de pontages et que tu t'inscris sur la liste, tu devras attendre vers février et passer les Fêtes à l'hôpital. C'est sûr que ça te coupe de ton ouvrage... Mais moi, ce n'est pas un problème...

Dans le 16 millions $ de gaspillage, je n'ai pas calculé le temps de travail perdu par les patients. Et les taxes qu'ils ne paieront pas. Et l'assurance-chômage-maladie qu'ils iront chercher...

Mais peut-être que je me trompe. Peut-être que le cas de Mark Twain et le mien sont... 'spéciaux'...

Deux jours plus tard, le 3 novembre, un nouveau patient deviendra le 457 car mon compagnon T a quitté les lieux, son genou étant sur le bon chemin. Cet homme est un cardiaque. Ponté (5 fois) un an plus tôt, il vient de faire une crise. Il me dit qu'il a dû attendre 49 jours pour passer sur la table dont plus de 40 sans autre raison que celle de faire valoir l'urgence de son cas. Gaspillage de 16,000 $

A nous trois, lui, Mark Twain et moi-même si je décide de m'inscrire sur la liste, nous pourrions signifier un gaspillage total de près de 100,000 $ et près de 200 jours d'occupation de lit. D'autres bras de fonctionnaires armés de lanternes qui éclairent nos intelligents politiciens passent le scalpel à gauche et à droite dans le secteur de la santé, chirurgie nécessaire pour assainir un système qu'ils ont eux-mêmes concocté et pourri. Maudit qu'on est bien menés ! Faut admettre que Mongrain déniaise le monde sur ces choses-là ! Ça ne me plaît pas de l'admettre, mais faut l'admettre !

Mais revenons au premier novembre qui s'écoule lentement. Repas du midi. Médecin visiteur, je ne me souviens pas. Il a dû en venir un, il en vient un tous les jours. Après tout, je suis un client. Et à l'hôpital, tous les clients sont des clients réguliers. Une clientèle fidélisée comme diraient Ford et GM.

Solange me visite et m'apporte des couvertures de mes 4 derniers livres. Je veux voir la réaction du personnel. Personne n'en aura. Pas un mot, pas un geste, pas un regard. La mort. C'est le premier novembre. Me revient en tête la deuxième strophe de la *Promenade des trois morts.*

C'est le premier novembre. Au fond du cimetière,
On entend chaque mort remuer dans sa bière !
Le travail du ver semble un instant arrêté.
Ramenant leur linceul sur leur poitrine nue,
Les morts, en soupirant une plainte inconnue,
Se lèvent dans leur morne et sombre majesté.

Mon neveu arrive. Je le sens ému. Il n'avait que 17 ans à la mort de son père. Je crois que je remplace un peu ce frère décédé dans son âme. Il a habité un an chez moi à Saint-Eustache. Je lui avais trouvé un 'job' chez mon ami juif. Lui ai parlé la veille au téléphone alors qu'il était sur le chemin d'Ottawa. Il vit à Québec et, sur le chemin du retour chez lui, s'arrête à l'hôpital où je suis.

Nous n'avons guère que 4 ou 5 minutes pour parler. L'infirmier en chef se présente avec son équipement audiovisuel. On va me démontrer que la coronarographie, ce n'est rien du tout et on va m'y préparer grâce à cette présentation.

Et je regarde comment on s'y prend pour vous introduire une broche à clôture dans la fémorale pour aller vous fouiller dans le coeur. Je fais du style pour oublier que j'ai peur d'une pareille investigation à l'intérieur de ma personne, mais j'y crois tout de même.

Mon neveu s'offre à me ramener à l'hôpital où je suis après cet examen que j'irai passer à Québec un jour ou l'autre puisqu'il semble que l'on doive attendre son tour et trois semaines plutôt qu'une.

– Pas nécessaire, lui dis-je. Je pars le matin en taxi et on me ramène le soir en ambulance. Le bonheur total.

Après la présentation, le jeune homme ne tarde pas à partir car il est attendu. Vient ensuite un infirmier, qui parle de réincarnation d'une façon que je n'arrive pas très bien à saisir. Peut-être parce que la troisième strophe de la *Promenade des trois morts* me trotte en tête, d'autant que le personnage me rappelle un de ces trois morts par sa maigreur et ses allures étranges.

Drapés comme des rois, dans leurs manteaux funèbres,
Ils marchant en silence au milieu des ténèbres
Et foulent les tombeaux qu'ils viennent de briser.
Heureux de se revoir, trois compagnons de vie
Se donnent, en pressant leur main froide et flétrie,
De leur bouche sans lèvres un horrible baiser.

Et le bizarre infirmier repartira après une discussion qui n'en fut pas une, puisque chacun d'entre nous voyageait dans sa propre errance. Sauf une fois où je l'ai pressé de me dire pour quelle option il avait voté l'avant-veille au référendum. Il a voté OUI sans trop y croire. Je lui fais part de mes théories sur l'annulation et l'abstention. Il me sert les vieilles scies de la propagande démocratique. Ton devoir. Si tu veux avoir le droit de critiquer, tu dois voter... Si tout le monde faisait ça, que se passerait-il ?... Qui mènerait la barque ? Bull....shit !

Je reçois un appel de ma fille ce soir-là. Elle aussi traverse une période difficile. Mais je lui montre mon côté batailleur. "Même si on se sent tout seul dans sa gang devant les forces du système, on garde la tête haute jusqu'à se faire enterrer debout," lui dis-je en guise de conclusion. Mais je sais bien que c'est exactement ça qui nous attend quand on refuse l'intégration, je ne le vois que trop dans mon métier: on se fait enterrer vivant et debout.

Et je m'endors sur la dernière strophe de la Promenade des trois morts.

Silencieux ils vont; seuls quelques vieux squelettes
Gémissent en sentant de leurs chairs violettes
Les restes s'attacher aux branches des buissons.
Quand ils passent, la fleur se fane sur sa tige,
Le chien fuit en hurlant comme pris de vertige,
Le passant effaré sent d'étranges frissons.

2 novembre

En me réveillant ce matin-là, je réalise que je me suis trompé d'une journée. Hier, c'était la Toussaint, et le jour des morts, c'est aujourd'hui. Crémazie et ses hallucinations viendront-ils me hanter toute la journée comme toute la veille ? J'en ai assez de la *Promenade des trois morts* et je veux maintenant assister à la promenade des vivants. Et c'est la raison pour laquelle je vais explorer les couloirs, les étages, les ailes. Partout où on me laissera aller sans me poser de questions. Et si on m'en pose, je ferai l'innocent, le perdu.

Le docteur R vient me voir à l'heure du midi, peu avant le repas. Il feuillette nerveusement son dossier. Sa mémoire semble le réclamer. Je me fais accommodant, courtois, réservé. Une seule question me turlupine un peu:

– Est-ce que le patch de nitro peut augmenter l'intensité de l'acouphène qui m'accable depuis plusieurs années dans l'oreille gauche ? C'est pire quand le mal de tête, héritage secondaire de la nitro, se fait sentir et pas même le Tylenol ne parvient à réduire le détestable sifflement.

– Ça se pourrait... Là-dessus, je vais vous laisser manger. Je vous reverrai la semaine prochaine. En attendant, c'est le docteur C1 qui vous verra.

Il se lève et quitte les lieux où depuis son arrivée il était simplement absent. Je ne suis pas en mauvais état. Il n'a rien à se reprocher. Je ne l'ai pas engueulé. La stimulation lui est venue de son ailleurs à lui et l'a emporté autre part... Ça arrive à tout le monde... Même le système n'y peut rien... On appelle ça un congé bien mérité. Je n'ai pas eu de congé, moi, depuis 1978, depuis mon premier roman, pas même quand je suis allé à Moscou puisque j'y ai travaillé tous les jours, prenant des notes, faisant parler mes compagnons de voyage, planifiant un futur ouvrage... Mais on a ce qu'on mérite. Les gouvernants qu'on mérite. La vie qu'on mérite. Je n'ai pas assez travaillé sans doute. Pas assez sué, peiné, saigné...

Il fait un drôle de temps sombre dehors. Le jour des morts étend son crépuscule violet sur la ville muette et morne. Une cloche sonne dans le lointain. Ou bien est-ce le fruit de mon imagination ?

11

En Aérostar

Mon compagnon de chambre a reçu la visite de son docteur, un homme petit mais bourré d'un esprit de décision qui suinte par tous les pores de sa peau et tous les poils de sa moustache. Les êtres petits sont souvent survoltés.

On peut sans doute entendre jusque dans la chambre de l'autre côté du couloir son diagnostic quant à l'évolution de l'empoisonnement de sang qui affligeait l'ami T de même que celle des effets des antibiotiques.

Le patient a obtenu un congé qu'il espérait le plus tôt possible mais sur lequel il ne comptait pas trop avant la fin de semaine.

– Prépare tes petits, tu pars jeudi avec dans ta poche ... (ceci, cela)...

Et la chambre 457, ou si on veut la demi-chambre, s'est libérée dans la journée d'hier. Je vais donc dormir seul dans la pièce.

Mais une fois encore, on effectue un transfert dans la soirée et voilà que le lit voisin est occupé par je ne sais qui dont je ne peux que deviner la description physique par la voix. C'est probablement un homme dans la trentaine ou la quarantaine. Il a la phrase désinvolte et rit aisément dans un éclat court et nerveux. Pas l'air trop

trop d'un malade. Je crois saisir qu'il s'agit d'un cas de crise cardiaque...

J'en saurai plus au déjeuner du matin, vendredi, 3 novembre.

D'abord je me suis levé avec l'aube et après avoir regardé un moment la ville encore endormie dans ses artères et veines lumineuses, j'ai pondu en silence une vingtaine d'alexandrins pour faire avancer ma pièce, *Duel rue principale*. Il faut dire que ce n'est pas bien entendu la ville qui m'inspire puisque mon esprit recule d'un siècle et des poussières et pénètre dans le bar de l'American House de Mégantic où un chasseur de primes (Jack Warren) vante ses exploits pour épater la serveuse Augusta qui, elle, le défie poliment afin de connaître ses intentions quant au hors-la-loi Donald Morrison qu'elle a en amitié comme la plupart des Méganticois écossais d'alors.

Ça donne ceci.

AUGUSTA

Ne sais-tu donc pas que Donald est un tireur
De première force ?

WARREN

Tu sais, les bagarreurs
35 Furent plutôt nombreux à croiser mon chemin
Et du même coup à rencontrer leur destin.
D'aucuns finiront leur vie en prison. Et d'autres
Sont partis là-haut rejoindre les douze apôtres
Après avoir senti la corde du gibet
40 Ou l'odeur de la poudre de mon pistolet.

AUGUSTA

On dit de toi que tu es un chasseur de primes !...

WARREN

Je pourchasse des gens qui ont commis des crimes.
Je vends donc une plus grande efficacité
Que celle des policiers à la société
45 Pour mieux la débarrasser de ces chenapans

Qui poussent les pauvres gens dans leurs guet-apens.

AUGUSTA, *curieuse*

Tu as donc tué des hommes là-bas, aux États ?

WARREN, *avant de boire*

Peut-être...

AUGUSTA

T'as peur d'en parler ?

WARREN, *frondeur*

Disons des tas...

Mais toujours des bandits, toujours des renégats.

50 Je me tais là-dessus par respect pour ces gars

Qui souvent ont mal tourné because la vie...

Y'a les frères James, tiens, qui eux, ont poursuivi

Durant plusieurs années après la guerre civile

Je tâcherai de me trouver enfin un coin tranquille plus tard car si le matin est toujours fécond quand je crée, la suite de la journée est plus laborieuse et les rimes viennent moins aisément. Et bien entendu, le va-et-vient empêche toute réflexion profonde à l'hôpital et le patient doit se rabattre sur du 'small talk' avec les gens. Mais ce système qui réduit sans doute le stress chez tous les patients augmente le mien.

On se présente l'un à l'autre, lui, le nouveau 457 et moi, le 458 que je suis plus solidement devenu et qui se sent maintenant un peu plus propriétaire des lieux et moins locataire.

Ça adonne bien pour avoir pareille réflexion quand je serre la main de l'homme puisqu'il vend et loue des automobiles.

Je ne m'étais pas trompé. Il dépasse la mi-quarantaine, a fait un infarctus voilà quelques jours et arrive des soins intensifs. Même chemin que le mien mais plus rapide. Il fut moins longtemps que moi aux soins intensifs et dit son intention de ne pas moisir à l'hôpital.

– J'attends pour une coronarographie, moi, et on dirait que ça va prendre du temps.

– Une semaine ou deux... J'ai passé par là...

Chacun est attablé devant son petit déjeuner. Il me fait dos et parle en tournant un peu la tête. Une tête sympathique; une bonne gueule de vendeur de voitures. Bâti fort, pas grand mais trapu et avec un poitrail de cheval.

– J'ai mangé une pizza vendredi soir passé et ensuite, comme je filais mal, je suis parti en auto et j'ai pas mis longtemps à me rendre compte que je faisais un infarctus. Trop de pizza. Un cardiaque doit toujours rester sur sa faim, jamais se remplir l'estomac... Autrement, ça fait forcer le coeur...

Je lui raconte mon infarctus à moi, ma perle noire. Je parle de ces douleurs angineuses atypiques qui m'ont valu mon tapis roulant et ma crise.

– J'ai fait mon premier infarctus à 37 ans. J'ai été ponté 5 fois l'année passée... La grosse douleur, c'est au milieu de la poitrine... Comme si on te passait sur le thorax en Aérostar... ça descend dans le bras gauche.

– Ça, c'est typique, par exemple... La prochaine fois que je vais avoir mal dans le dos, je vais rester chez nous tant que ça ne sera pas 'typique'...

Il critique la bouffe :

– C'est quasiment la nourriture, le pire, à l'hôpital...

– Moi, je vis seul et tout ce que je cuisine goûte le yable... ce qui fait que je trouve ça convenable ici...

Il n'insiste pas. De toute manière, il n'écoute guère ce que je lui dis et quand son attention sort de ce que lui-même énonce, elle semble s'en aller vers des réflexions personnelles sur lesquelles mes mots coulent comme de l'eau sur la plume d'un oiseau.

Déformation professionnelle peut-être. Un vendeur de voitures, on le sait et ce fut bien exprimé dans le film Cadillac Man, doit sans cesse remettre le focus sur son objectif: vendre la voiture.

Il me raconte que sa femme est morte quelques années après sa première crise cardiaque. Me montre la trace du scalpel sur son thorax. Parle de sa compagne actuelle, de ses enfants, de ses graves antécédents familiaux au chapitre des problèmes de coeur.

Je le nourris de questions et j'écoute.

Ses 49 jours d'hospitalisation de l'année précédente dont 40 seulement pour hâter les pontages, m'intéressent particulièrement et je les note dans mon cahier spirale.

– C'est comme ça à l'année et à la grandeur des hôpitaux du Québec, dit-il. De $10,000. à $30,000. de gaspillage par opéré du coeur. Et on coupe les dépenses tout partout...

Mais ça le scandalise bien moins que moi. Il est intégré au système. C'est un gars de performance, un amateur de sports professionnels, un travailleur acharné, quelqu'un qui court après sa mort quoi !

– Mais comment ça, un infarctus si peu de temps après tes pontages ?

– J'ai le coeur magané. Tout le côté droit est fini...

Il n'insiste pas. Préfère parler de quelque chose d'autre. Je le sens et je lui parle de voitures. Après tout, je suis pourvu d'une Aérostar mais elle me vient d'un concessionnaire situé ailleurs... Or, mon bail locatif prendra fin dans quelques mois. On pourrait faire des affaires éventuellement...

Il me donne sa carte, fait des calculs hypothétiques, multiplie les explications tandis que prend fin le repas et que le va-et-vient du personnel reprend.

Question peut-être de savoir si je pourrais constituer un bon client, il me demande quelle est mon occupation.

– Romancier...

Une interrogation se lit sur son front.

– Mettons... comme Michel Tremblay ?

C'est le seul nom de référence que possède le grand public non lecteur quand il s'agit d'écriture et de livres. La plupart des gens ne peuvent nommer plus de 2 écrivains québécois et bien sûr qu'il citent le nom le plus médiatisé d'abord. C'est le lot d'un peuple oral et musculaire.

– Mettons...

– Tu restes... par ici ?

Comme s'il fallait que je vive à Montréal pour pouvoir avoir droit au titre de véritable écrivain. Il n'est pas le seul dans cette ligne de pensée et bien du monde dans le petit monde du livre et des médias nourrissent aussi ce préjugé indéracinable. Tu dois obtenir consécration avant d'avoir le droit de te retirer dans ton île ou alors tu restes minus. C'est la tradition. C'est le système...

– Un peu par accident...

– As-tu plusieurs livres d'écrits ?

– 26.

– Ma femme en a peut-être un.

Je lui donne des titres. Il ne porte aucun intérêt et on peut voir qu'il est content de voir entrer madame Rideau qui vient changer les serviettes. Elle ne reste pas longtemps et il pose une question paraît l'intéresser :

– Tu vis de ça ?

– Pas riche, mais je parviens à m'en sortir.

Et je lance en sondant son oeil incrédule:

– Sans les gouvernements, je serais riche, mais ils ont détruit à mesure tout ce que je construisais... **On déculotte Pierre pour enrichir Paul qui roule déjà en Cadillac.** Et ça, aussi bien du côté d'Ottawa que de Québec. Et même au municipal. Tu vois, on a mis de 2 à 3 millions sur le béton d'une bibliothèque et y'a rien dedans tandis que la ville disposait de maints locaux inutilisés.

Il a envie de demander des explications, mais je sens qu'il les craint et qu'il n'en croit rien d'avance. Je plonge tout de même dans ma liste d'arguments incontournables: 'communisation' de mon talent et de mon travail, désastreuse intervention des gouvernements au domaine de l'édition, gaspillage des fonds publics, DPP tricheur et menteur, loi du plus fort etc...

Tout ça l'ennuie. Il bâille. Fait des pas en direction de la porte. Regarde partout et rarement sur moi. Je maintiens le cap juste pour voir, sachant que je perds mon temps si ce n'est qu'il pourrait rester quelque chose dans son inconscient puisque mon statut de client potentiel l'oblige à m'entendre jusqu'au bout. Et je conclus:

– Tout ça pour dire que c'est le stress à long terme qui m'a mené au tapis roulant la semaine dernière.

– Ah ! le stress, je connais ça...

Et il me parle longuement de certains clients abusifs qui se croient rois et maîtres du garage simplement parce qu'ils ont l'intention de se procurer un véhicule, qui se font un plaisir d'en faire endurer au vendeur etc...

Il est à me donner des exemples lorsqu'on l'interrompt. Son docteur le visite. Je me retire dans mes quartiers. Et bientôt, je recevrai la visite du remplaçant du doc R.

Le doc C1 doit entendre mes doléances quant au stress que le va-et-vient du personnel me fait subir. Homme patient, gentil et accommodant, il suggère que je me retire à la bibliothèque de l'hôpital quand je voudrai écrire, pourvu que les responsables du poste de garde en soient avisés. On ne peut entrer à la bibliothèque comme dans un moulin, mais, soutient-il, ça va s'arranger par ses soins.

Il tiendra sa promesse et ça me laissera de lui un très bon souvenir. Si je me suis plaint à lui, c'est que je sentais qu'il pouvait m'entendre et il m'a entendu. En voici peut-être un qui soigne la personne et pas seulement sa maladie !

Je quitte la chambre avec mon cahier à spirale et trouve refuge dans un bout de corridor. Je me rendrai à la bibliothèque à compter du lundi. Mais il fait trop clair dans ce coin qui me cache sans pour autant me tenir à l'abri des 'agresseurs'. Depuis le début de ma carrière, j'ai toujours écrit dans une certaine pénombre et bien sûr dans la solitude. Des gens viennent, voient que je suis occupé, repartent. D'autres ne se gênent pas pour m'apostropher et me faire entrer de force dans leurs propos sans intérêt pour moi pour le moment.

(Au moment où j'écris ces lignes, fin décembre, je viens d'entendre à la télé –CBS– que 2 millions d'Américains tombent malades à l'hôpital. J'en saurai plus aux nouvelles de ce soir. Mais revenons au début de novembre à l'hôpital de chez nous qui m'a rendu malade, moi.)

Je réussis néanmoins à aligner une dizaine de vers avant le repas du midi qu'annonce le bruit caractéristique des roulettes du chariot à cabarets. Et en mangeant, je revois mes alexandrins tandis que mon compagnon refuse de toucher à sa nourriture et s'enferme dans les toilettes pour se laver et se préparer à quitter les lieux.

En 1888, dans ce bar de Mégantic, le chasseur de primes américain décrit les hors-la-loi de son pays et justifie son action envers eux.

AUGUSTA, *curieuse*

Tu as donc tué des hommes là-bas aux États ?

WARREN, *avant de boire*

Peut-être...

AUGUSTA

T'as peur d'en parler ?

WARREN, *frondeur*

Disons des tas...

Mais toujours des bandits, toujours des renégats.

50 Je me tais là-dessus par respect pour ces gars

Qui souvent ont mal tourné because la vie...

Y'a les frères James, tiens, qui eux, ont poursuivi

Durant plusieurs années après la guerre civile

Leurs actions d'abord commandées par Quantrill,

55 Ensuite posées pour leur profit personnel.

C'était légal en temps de guerre et criminel

En temps de paix. Pillages et meurtres sont des faits

Militaires bénis ou les pires forfaits

Suivant qu'on est soldat ou bien qu'on ne l'est pas.

60 Tous ces héros dont les pas devinrent faux pas

Trouvèrent des admirateurs et des émules,

Et c'est ainsi que maintenant, tout l'Ouest pullule

De mauvais garnements, hors-la-loi toutes sauces

Qui finissent leur carrière dans une fosse.

65 Eh bien moi, je les aide à la creuser... Surprise ?

Comme prévu, mon voisin quitte la chambre et l'hôpital au milieu de l'après-midi. Il vient me saluer tandis que je me repose en attendant ma visite et me donne une autre carte d'affaires, ayant sans doute oublié que j'en possédais déjà une.

Il se fera un plaisir de me servir quand je changerai d'Aérostar. Après tout, si nous ne sommes pas frères de sang, nous le sommes de coeur c'est-à-dire de problèmes de coeur...

Il me parle une dernière fois de coronarographie, de pontages, de blocages d'artères. Ses sténoses (blocages) étaient nombreuses et à 100%. Comme celles de Mark Twain qui passe justement dans le couloir, allant de son pas détendu dans l'attente et l'espérance en lissant sa moustache blanche et rieuse.

(Note: au moment d'écrire ces lignes, je suis très malade. Mon style peut paraître désinvolte, mais l'âme ne l'est pas. On m'a fait entrer de la nitro dans le corps pendant 2 mois et je ne la tolérais plus du tout. De midi à minuit, chaque jour, je vivais étourdi, abasourdi, les oreilles qui bourdonnent et surtout un mal de tête incessant, Tylenol pas Tylenol. Aucune concentration possible. J'ai vu le docteur pour faire couper la dose et demander conseil. –J'y reviendrai vers la fin du livre, à cette visite.– Il m'a prescrit un patch 0,2 plutôt d'un 0,4. J'ai essayé. Mêmes résultats. Alors j'ai décidé d'abandonner ce traitement puisque la dose minimale ne me va pas, elle non plus. Mais mon organisme en redemande, maintenant qu'il en a l'habitude. Et vers minuit, depuis que j'ai cessé d'appliquer le patch, ma pression monte jusque dans les 160-180 sur 110. –Mon appareil à prendre la pression fut vérifié et il lit bien.– Mon sevrage a pour conséquences les mêmes effets que le patch mais en 3 fois pire si on excepte le mal de tête. On a voulu soigner mon coeur et non ma personne et voilà que je me débats dans un piège affreux. J'ai peur de me coucher le soir. Y'a rien de plus angoissant que de se sentir ainsi étourdi sans pouvoir dormir. Mais les docteurs, ils s'en 'calicent'-tu ben ? Te regardent. Trouvent que t'as une face de cochon, te donnent un remède de cheval. Et te v'là poigné, entravé, bridé, attaché par la crigne... Pas grave, ça prend des soldats pour faire la guerre, ça prend des contribuables pour payer les taxes, ça prend des criminels pour faire tenir le système judiciaire, ça prend des patients pour alimenter le médical et l'hospitalier.

Ce matin de fin décembre, j'ai essayé de faire ma technique Nadeau: 20 minutes de mouvements simples et qui ne m'ont jamais essoufflé depuis 2 ans que je les faisais avant mon hospitalisation. Après 5 minutes, j'ai dû lâcher. Trop étourdi. Pas assez d'énergie. Pression: 180 sur 115. Depuis des années, elle ne dépassait jamais au pire 140 sur 95.

Je laisse cette parenthèse ouverte afin de terminer ce chapitre en parlant un peu de cette manchette de la télé américaine sur les gens qui vont se faire soigner à l'hôpital et y contractent une ou des maladies. Peut-être que je couve un virus attrapé là-bas pendant que j'y étais. Ou quoi d'autre. Il est 15 heures P.M. et je dois absolument me coucher sinon je tombe mort sur mon clavier... Le système médical m'a rendu la vie invivable. Tout comme avant lui le système du livre. Tout comme le grand système constitué du tissu banco-politico-médiatique. Et on va me traiter d'ingrat qui 'attaque abusivement' ceux qui m'aident à m'en sortir... ou m'aident à crever...

A CBS, aux nouvelles de Dan Rather, volet *Eye on America*, on a montré le triste sort de Ted Zahr, homme de bonne santé entré dans un hôpital pour se faire enlever une tumeur bénigne et qui est devenu paraplégique à cause d'une infection bactérienne ayant causé un accident cérébral. Le pauvre homme subit le martyre et ne sortira de cet hôpital que mort. Une lente agonie de 5 à 10 ans. Cause probable de l'infection: pratiques sanitaires inadéquates. Mauvais lavage des mains avant l'utilisation de certains instruments: pas assez de savon, pas assez de savonnage, et souvent même pas de gants pour travailler.

Là-bas, 70% des médecins se lavent mal ou du bout des doigts et seulement quelques secondes... C'est sûrement pas comme ça chez nous, voyons, Dédé !... Nos normes, à nous autres, elles ?...

Par contre, dans un hôpital exemplaire, on a pris diverses mesures pour améliorer l'hygiène chez le personnel soignant et on a considérablement réduit le taux d'infection des malades.)

Ce vendredi-là, je renonce –temporairement– à mon idée d'écrire un livre sur mon expérience malheureuse des derniers jours. Car tous, peut-être histoire de me faire la morale et de me remonter le moral, me disent que c'est une chance d'avoir eu cet avertissement de la vie, du ciel et de mon vieux coeur stressé. Les croyants disent que Dieu m'a aimé. Le personnel me suggère que j'ai de la chance. Je vais jusqu'à demander à Solange de m'acheter des billets de loterie. Car je me suis débarrassé de cette habitude stérile depuis 18 mois au moins.

Je commence à me sentir chez moi dans cet ailleurs douillet qui surveille de si près vos intérêts. Quand la visite est partie, que la distribution des médicaments est faite, je m'allonge dans la paix et la détente. Pourquoi me faire du mauvais sang puisque, veut veut pas, je dois traverser une période d'attende... Après, on verra.

Rappelle-toi le titre de ton premier roman, Dédé. *Demain tu verras*... Parole de promesse. Promesse d'avenir. Avenir meilleur. Ce facile travail à la chaîne vous guide vers la somnolence bien plus aisément que le calcul des moutons qui passent et passent, qui vont et viennent vers les isoloirs de la démocratie...

12

Comme sur un nuage

Je me suis retrouvé enfin seul avec moi-même et mes propres ondes. Rien pour les perturber. La nuit est profonde et silencieuse comme dans ma chambre à la maison. Mais pas tout à fait car des petits grains de lumière traversent les blessures du rideau et s'en vont parsemer le plafond d'étoiles qui se groupent en essaims...

Je peux avec aisance et bonheur imaginer mon corps au repos, alangui, calme comme un ruisseau d'été bougeant paresseusement ses eaux fraîches dans le sous-bois.

Il me semble que la grâce possède mon âme tout entière, l'imbibe dans toute sa substance vaporeuse et immatérielle. Pourrait-il s'agir des effets de l'hostie sainte qu'est venu me donner, de main à main cette fois, ce jeune et vaillant aumônier ? Ou est-ce la solitude bénie qui laisse tranquilles dans leur champ d'action les courants d'ondes de mon cerveau apaisé ?

L'Ativan ne nuit sûrement pas à cet état de molle euphorie. Ativan, substance magnifique aux airs de femme douce et donneuse...

Soudain, j'entends un bruit léger, tout juste perceptible, à peine réel. C'est ma porte qui s'entrouvre et laisse passer... comme un nuage. Mes yeux agrandis perçoivent d'abord des couleurs nuancées qu'entoure et met en valeur le noir pur des alentours.

Ces beautés changeantes aux tons de rose, de bleu, d'or et de vert appartiennent à des voiles diaphanes superposés, tourbillonnants et qui protègent le corps d'un ange. Un ange grand à l'éclatante nudité féminine, qui approche de mon lit en me regardant intensément de ses yeux bruns offerts. C'est sa lampe-stylo qui me permet de voir les reflets irisés de ses pupilles étincelantes.

Mais un moment, la magie s'efface et ma logique plate et prétentieuse style SRC se demande comment cette infirmière a pu se faufiler ainsi sans être vue, sans être arrêtée par le système, par la bride de sa propre pudeur, par la crainte de se faire surprendre, congédier et de voir son nom biffé à demeure des listes de personnel soignant de tout le pays. Ou c'est peut-être ce qu'elle recherche inconsciemment car elle n'est pas une jeune femme. J'ai devant moi en effet la belle grande qui fut la seule personne de tous ceux rencontrés à l'hôpital depuis mon arrivée ayant osé questionner le système devant moi qui le picosse sans arrêt comme un chef d'opposition morose et dépité ayant devant lui un premier ministre arrogant et populaire...

Mais sa voix me ramène à mon extase sentimentale, spirituelle et... charnelle.

– C'est moi, Hélène... (nom d'emprunt).

– Comment as-tu...

Elle éteint sa lampe-stylo et je sais qu'elle fait les derniers pas l'amenant contre mon lit; et je la devine dans l'obscurité; et je sens ses parfums exquis. Tous mes sens me parlent et me confient des secrets délicieux...

– J'ai fini mon chiffre à minuit et là, je me suis changée de vêtements dans la salle des toilettes...

– On pourrait nous surprendre...

– J'ai surpris l'infirmière de garde à flirter fort déjà et elle ne me verrait pas même si elle apparaissait...

Les mots sont murmurés et le ton contient des propositions exaltantes. Il faut bien dire que l'interaction médicamenteuse, addition du Tenormin, de la Nitro et de l'Ativan, me rapprochent des glorieuses sensations de mon adolescence. Mais il faudrait peut-être une petite dose de peur pour ajouter à l'excitation :

– Je pourrais me plaindre, moi...

– Je gage que tu ne le ferais pas...

Et elle me touche droit entre les jambes, là où le ciel insuffle au corps de l'homme le désir de la vie à perpétuer. Toutes ses couleurs me reviennent par l'imagination, toutes ses odeurs m'enivrent, celle de la femme surtout dont trop de femmes se défendent. Ce fut un frôlement fugace et qui reste présent dans son absence.

– Comment as-tu su que je te... désirais ?

– Le regard masculin ne trompe jamais une femme le moindrement observatrice et expérimentée...

Je souffle une objection pour que dure et s'amplifie le désir :

– Tu es mariée...

– Un gars charmant que j'aimerai encore davantage si je me repose avec toi cette nuit.

– C'est mon côté créatif qui te... fascine... soit dit sans prétention...

– L'important n'est pas de savoir pourquoi je suis là, mais de se bâtir à deux une heure d'éternité...

Je croirais entendre ma maîtresse des belles années. Peu sensuelle dans les gestes, elle passait par le dévouement des mots pour m'atteindre.

– Je voudrais te regarder... dis-je.

Elle s'assied sur le lit, pose sa lampe sur le bureau de chevet et l'allume vers nous. Les nuances de ses voiles, se rapprochant de sa peau nue, ont changé et maintenant, elles chatoient, imprimant à ses formes des courbes neuves, graciles et un peu félines.

– Je suis un mauvais amant, dis-je, la voix résignée.

– A moi de juger.

J'ose la toucher de mes mains fébriles, l'une à l'épaule, l'autre à la cuisse; les voiles ne font qu'ajouter aux frissons qui s'emparent de mes doigts. Et voilà que la fièvre les emporte malgré mon désir de prolonger encore le désir vers ces vagues d'ondes chaudes qui émanent de sa poitrine et de son entrejambes. Pour mieux s'offrir, elle s'étend à côté de mon corps endiablé, mais c'est pour me prendre elle aussi dans la volonté de velours de ses paumes habiles.

Qu'ils s'incarnent, tous les systèmes du monde, tous les docteurs à sourcils froncés, tous les meneurs et leur violence froide, tous les dictateurs démocrates et hypocrites cachés comme des acariens dans les fibres du tissu banco-politico-médiatique, toutes les célébrités et leurs fausses valeurs, tous les moutons qui bêlent à la sortie des isoloirs, et qu'ils ne fassent tous qu'une seule personne et que cette personne arrive dans cette chambre pour nous désunir que mon désir d'Hélène n'en subirait pas le moindre ombrage. Il est maintenant infini et pas même la mort ne le pourrait assassiner.

Je n'ai pas à m'inquiéter d'elle, de son bien-être; elle y voit par ses forces et en plus bâtit les miennes. Son souffle comme une douce musique sidérale me parvient du fond de l'univers et des âges pour envoyer à mon coeur les signaux qui le font s'accélérer. Elle touche ma chair avec plus de vigueur et je presse la sienne. Homme et femme se cherchent, se trouvent, se cherchent encore...

Enlevé de la terre par la magie d'Éros, emporté vers les étoiles par les caprices de Vénus, je finis par entrer chez elle, par la porte grande ouverte et si glissante... Des images odorantes me transportent...

Brusquement, la porte de la chambre s'ouvre. Des roulettes annoncent qu'on pousse à l'intérieur un lit mobile. Je n'arrive pas à retenir mon rêve qui se sauve, s'enfuit, disparaît, ne laissant que des effilochures et mon corps dans sa glorieuse érection.

Je reconnais la voix de la grande Hélène pourtant qui dit en même temps que la lumière du 457 éclabousse le plafond sans trop me toucher à cause du rideau tiré :

– Ça va moins jacasser ici que dans la salle avec trois femmes, dit-elle sans se soucier de mon sommeil.

Visiblement, on effectue un autre transfert de malade. Mais je demeure à moitié somnolent grâce à l'Ativan et à mes bouchons de cire. La gloire cependant s'estompe entre mes jambes et y laisse un avenir penaud.

Ce qu'elle dit me fait deviner qu'il s'agit d'un homme. Il aura la voix moins perçante... Je me trompe. Il possède une voix puissante, celle de tous les maréchaux-ferrants que j'ai connus dans ma vie, y compris mon père.

– Peut-être que c'est eux autres qui vont se trouver ben débarrassées...

L'homme est âgé, c'est clair. L'éclat de rire dont il fait suivre sa phrase le dit encore plus que le timbre de la voix quand il parle.

Il ajoute :

– Ça sera pas nécessaire de changer ma couche, il s'est rien passé...

Une forte odeur d'urine se répand dans la chambre. Je devine qu'on est à mettre le patient dans son nouveau lit. Pourquoi diable ne l'a-t-on pas transféré plus tôt dans la soirée ? Il frise les onze heures maintenant.

Des voix se mêlent.

Un autre petit coup... Encore un peu... C'est ça... Je fais de mon mieux... On va prendre votre pression pis on va vous laisser vous reposer, monsieur H...

J'entends la poire qui souffle le brassard. On se rend aux toilettes.

– Besoin d'autre chose ? demande la grande Hélène.

– Tout est diguidou de même...

– Bonne nuit...

– Ouais...

Et le lumière s'éteint.

Je suis complètement réveillé à me demander pourquoi j'ai rêvé que la grande et moi, on s'envoyait dans le cosmos... Elle n'est pas vilaine, cette infirmière, mais de là à me faire voyager dans l'espace intersidéral, y'a une marge que seul l'Ativan pouvait combler...

Je sursaute tout à coup. Mon nouveau voisin vient de bâiller et le bruit est immense, se terminant comme un bêlement de chèvre. Puis il rote à deux ou trois reprises et ça résonne aux quatre coins de la chambre. Puis il produit des sons bizarres avec la bouche. Et ça sent l'urine de plus en plus fort...

Se faire brutalement sortir des bras de Vénus au beau coeur d'un soir tranquille et plonger dans un univers de bruits puissants et désagréables, d'odeurs fortes et persistantes, d'images remplies de vieillards malades et agonisants dont vous faites déjà partie par le biais de votre cerveau que de nouvelles sources de stress viennent alimenter, y'a qu'à l'hôpital où on peut vous faire vivre ça. C'est comme si dans la même minute psychologique, on vous transportait d'un lumineux bordel céleste à un camp de concentration hitlérien pour prisonniers condamnés.

Comment dormir maintenant ? Comment retourner aux rêves colorés et charnels de tantôt ?

Monsieur H bêle soudain.

Je bâille.

La grande Hélène partira à minuit. Elle retrouvera son mari endormi dans leur lit aux ressorts de matelas habitués...

Passent les heures, passe la nuit.

C'est l'odeur d'urine qui me réveille.

Peu de temps après, une infirmière vient prendre la pression de mon voisin. J'apprends à travers le rideau que c'est une infection de vessie qui l'a conduit à l'hôpital. L'homme ne marche plus depuis un an. Il est incontinent et doit porter une couche.

Ça va en faire, des bactéries à surveiller et à combattre, ça ! Pourquoi diable n'a-t-on pas transféré ici un autre cardiaque: il n'en manque pourtant pas, de cette race-là. Bon Dieu de Sorel, ils le font exprès. Moi qui avais mis en veilleuse mon projet de livre sur les dangers de l'hospitalisation, voilà qu'on le réveille avec mon samedi, 4 novembre.

L'infirmière vient à moi directement, sans passer par les toilettes pour s'y laver les mains. Car elle a vidé le pot à urine du 457, l'a rincé vivement et remis près du client. J'ai tout entendu ça mais pas de lavage des mains. Alors même qu'elle prend ma pression, le rideau s'ouvre brusquement derrière elle...

– Fait beau soleil à matin, s'exclame le 457.

– Super beau, dit l'infirmière, garde M à qui j'ai déjà raconté une partie de ma vie les matins précédents.

– Aucune nouvelle à mon dossier concernant ma coronarographie ?

– Quand quelque chose se produira, c'est le médecin qui vous donnera le renseignement.

– De toute manière, ce serait surprenant si on nous demandait le vendredi.

– Et encore plus le samedi...

Sitôt qu'elle est partie, le 457 finit d'ouvrir son rideau d'un geste brusque.

– Autant prendre toute la clarté qu'on peut, les journées sont rendues courtes, dit-il de sa voix énorme.

On s'échange des banalités. Il dit qu'il a faim, qu'il arrive d'une salle où il était alité parmi trois autres malades, tous des femmes. Je le traite de chanceux. Il rit. C'est un personnage tout blanc à visage carré et au sourire généreux. Dès son premier mot, on sent qu'il vous aime. On a même du mal qu'il puisse faire tous ces bruits désagréables avec sa bouche. Peut-être ne s'en rend-il pas compte lui-même tant il possède un naturel bon enfant.

N'empêche qu'il sent mauvais.

Et je ne vois pas du tout comment je pourrais continuer d'écrire des alexandrins dans cette chambre. Quant à la bibliothèque, probable qu'elle demeure fermée durant la fin de semaine. Me voilà ben amanché...

En attendant le petit déjeuner, mon compagnon me raconte une partie de sa vie. Il fut cultivateur dans une paroisse des environs puis a tout vendu et s'est mis à travailler le meuble et un beau jour, il a quitté le pays pour s'établir aux États-Unis où il a vécu durant près de 20 ans avant de revenir ici pour finir ses jours. Il a 79 ans, n'a jamais eu d'enfants, reçoit une pension américaine et vit dans un centre luxueux avec sa femme qu'il a d'ailleurs épousée sur le tard.

Personnage très sympathique, n'empêche que sa présence est très lourde pour moi. Je mange à contrecoeur puis j'essaie d'aligner quelques vers mais je n'y parviens pas car il a toujours quelque chose à dire. Pour lui, un hôpital, c'est un lieu pour fraterniser, pas pour travailler comme je le fais. Il est indépendant de fortune et ne saurait se soucier du fait que je ne puis m'arrêter, moi, ne serait-ce qu'une semaine, une journée.

Même si je devais lui expliquer que ma société s'empare de mon travail et le 'communise' sans compensation juste, il ne comprendra pas. A lui comme à la grande majorité des gens, mon métier d'auteur, c'est du beau chinois et il n'en connaît que des idées préconçues, de celles qui font l'affaire des éditeurs subventionnés.

Son grand besoin à lui, c'est le placoting. Le mien, c'est le silence. J'ai beau m'étendre sur mon lit, lui tourner le dos, il ne comprend pas. Et parle, parle sans jamais s'arrêter.

Et quand il lui arrive de se taire, il multiplie les bruits bizarres qui me rappellent la chèvre, la loutre, le canard et toute la faune sauvage ou domestiquée du pays. Avec peut-être en plus les reniflements de quelques spécimens américains ajoutés à son large répertoire.

Mais comment ne pas aimer cet enfant de 80 ans ?

Je réussirai tant bien que mal à m'isoler au cours de la journée et pourrai coucher sur le papier plus d'une trentaine d'autres vers. Et donc vivre par l'imagination en 1888 avec Augusta McGiver, serveuse de l'American House et Jack Warren, le chasseur de primes.

Et c'est ainsi que maintenant, tout l'Ouest pullule
De mauvais garnements, hors-la-loi toutes sauces
Qui finissent leur carrière dans une fosse.
65 Eh bien moi, je les aide à la creuser... Surprise ?

AUGUSTA
On le pensait.

WARREN, *sortant son revolver*
Les truands, je les neutralise
Avec ceci; je les conduis devant le juge
Qui les réclame.

AUGUSTA

Donc tu préviens le grabuge,

On peut dire ?

WARREN

T'as tout saisi, chère Augusta.

AUGUSTA

70 C'est drôle que tu restes pas dans les États.
Le beau gibier pour toi se trouve par là-bas,
Pas ici à Mégantic.

WARREN

Je passais par là:
Le vent d'été m'a conté au creux de l'oreille
Que par ici, parmi quelques bonnes bouteilles,
75 Je pourrais peut-être faire une bonne chasse.

AUGUSTA

Y'a qu'un mandat d'amener contre lui qui fasse
Que Morrison soit un jeune homme recherché.

WARREN

Un innocent ne cherche pas à se cacher.
S'il n'a pas tiré dans l'horloge des Duquette
80 Comme il en est accusé, qu'est-ce qui l'inquiète ?
Et s'il n'a pas tronçonné les billes de bois,
Pourquoi se dérober aux appels de la loi ?

AUGUSTA

Les Morrison se sont fait spolier leur terre...

WARREN

L'homme ne peut être justicier solitaire;
85 Il doit passer par le tribunal pour ravoir
Ce qu'il croit lui appartenir.

AUGUSTA

Reste à savoir
Si la justice n'a pas deux poids, deux mesures.
Ces gens-là sont confinés dans une masure
De Marsden après avoir perdu tous leurs biens.
90 Ils ne possèdent plus que la honte et des riens.
Les parents de Donald, Murdo et Sophia
Ont travaillé en véritables parias
Durant quarante ans pour se ramasser du sol,
Pour se bâtir de maison, de grange. On leur vole
95 Tout ça plus tous leurs meubles et tous leurs animaux.

WARREN

Ils ne peuvent prouver leur droit que par des mots,
Tandis que leur créancier avait des écrits,
Lui, pour fonder sa requête. Sa preuve crie;
Celle des Morrison n'a que l'honneur pour force.

AUGUSTA

100 Tout le canton sait que l'affaire fut retorse.

13

Biochimie personnelle

La mienne fait en sorte qu'à l'adolescence, par exemple, dans les courses entre jeunes, je n'arrivais jamais à suivre les autres. Moins d'adrénaline sans doute. Moins d'injection de glucose dans le sang par mon propre métabolisme. Ou quoi encore ? Il m'a toujours suffi d'ingurgiter 2 bières un peu rapidement pour tomber à moitié soûl. Voilà pourquoi je n'en prends jamais. Un médicament, me semble-t-il depuis toujours, a un effet plus rapide et plus important sur moi que sur des gens de mon âge, de mon sexe, de mon poids...

Appelons ça la sensibilité du métabolisme.

C'est peut-être elle qui a fait de moi un romancier i.e. un artiste qui par définition est plus réceptif que la moyenne des gens aux images reçues, aux sons et aux autres stimuli sensoriels. Ce qui nourrit le mental et rend la sensibilité de l'âme plus aiguë elle aussi. Une disposition naturelle accentuée qu'il vaut mieux posséder si on veut écrire mais qui va sûrement handicaper le banquier, le chirurgien, le technicien.

Chacun son métier. Chacun ses dispositions naturelles. Chacun sa vie. Et à la base, chacun sa biochimie.

Ceci pour dire que ce dimanche le 5 novembre, j'aurai la visite de ma fille et de sa mère. Je suis séparé d'elles depuis quinze ans et ne les vois qu'une ou deux fois par année et pourtant, le coeur est toujours avec elles. **Ce n'est pas normal.** Et les gens, même les meilleurs, ne parviennent pas à comprendre cette fidélité qu'ils prennent pour un accrochage dû à un vain sentiment de culpabilité puisque je fus celui qui a quitté la maison.

Pourquoi les systèmes humains fondés sur la norme refoulent-ils ce qui est anormal ou bien s'en servent-ils uniquement pour se rassurer et se nourrir eux-mêmes. Par exemple, de regarder la pauvreté à l'approche de Noël et de l'oublier par la suite.

(Hier, –fin décembre– cette ridicule de SRC, même si à peu près personne ne l'a suivie, s'est précipitée à Mirabel pour accueillir cette pauvre Céline Dion mal prise dans un banc de neige à New York. Star-system oblige. Il faut donner à la superstar les ondes publiques pour dorer encore plus son **image** et celle de la SRC. Devenue multinationale en elle-même, la chanteuse possède tout ce qu'on peut désirer: santé, jeunesse, talent, gloire, notoriété, appui du grand capital, mais **plus elle en a, plus on lui en donne.** Pauvre société pyramidale aveugle et inconsciente qui crée de toutes pièces les richesses impensables et par voie de conséquence les pauvretés atroces. Et, histoire toujours pour cette crétine de SRC de courir l'écoute, à l'inverse on organise des quêtes pour les pauvres dans la même journée. On donne plus que tout et mille fois trop à la plus riche qui elle n'est, somme toute, qu'une voix et une image en premier plan devant le grand capital de Sony (Japan): attitude méprisable et archi-têteuse de la SRC qui contribue à enrichir encore plus la multinationale nippone.)

Retournons donc au 5 novembre, dimanche. L'aumônier nous visite, le bruyant 457 et moi. Il est question de l'assassinat de Rabin, ce qui me laisse complètement indifférent. Je réagirais bien plus fort si c'était Arafat. Sans rapport avec mes opinions politiques et simplement parce que l'image d'Arafat est imprimée bien plus en profondeur dans ma tête. La vue d'un enfant assassiné en Bosnie ne nous sensibilise que les quelques secondes du reportage qui nous montrent son corps. Celle d'un grand personnage nous horrifie. Que des milliers d'enfants de par le monde meurent de faim chaque jour n'émeut à peu près pas le Québec, mais que Lucien Bouchard soit en danger de mort à cause d'une vilaine bactérie et voilà que les trois quarts de la population ont les yeux au bord des larmes. C'est que l'image de Lucien Bouchard est en nous –et nous ressemble– tandis que celle des enfants de la misère n'y est pas –et ne nous ressemble pas–. Bref, nous sommes de parfaits égocentriques. Et nous l'ignorons.

Loin des yeux, loin du coeur: pas forcément !

Je me suis marié à l'âge de 21 ans en 1963. Et vierge. Dans le vrai sens du mot puisque je suis Bélier de nature. Une jeune femme extraordinaire. Toute de qualités. Belle. Généreuse. Joyeuse. Aussi exceptionnelle comme mère attendrie qu'amante aimante ou fillette énervouillée et émerveillée devant les petites gentillesses. J'ignorais ma chance.

Et puis un mélange d'épreuves, d'imprévus et d'ambitions, les miennes et les siennes, a provoqué une séparation 'temporaire' qui a duré trop longtemps. C'était la seconde partie des années 60 avec tout ce qu'on en sait aujourd'hui de bouillonnement social, de découverte de tout et surtout du moi, de rêves de liberté et de clinquant venu d'outre-frontière et qui vous polissait l'esprit et le repolissait...

Je voulais comparer, savoir qui elle était, qui j'étais, qui étaient les autres... On voit le jardin d'Eden (des voisins) à côté de sa liberté et de son enfermement dans les traditions et les jugements déjà faits par la société, et tous ces arbres aux fruits tentateurs finissent par vous emporter dans le lit de quelqu'un d'autre. Dès lors, vous êtes cuit car le conformisme, tenace comme un pitbull, vous enferme dans ses mâchoires. Il vous mord. Vous courez. Vous trébuchez encore. Et il n'y a plus moyen de rien rattraper.

Et c'est quand tu découvres que tu possédais un trésor que tu t'aperçois que tu l'as perdu. C'est aussi bête que ça, la vie ! Et l'idée de ne pas avoir été le seul à dilapider ses gains n'a rien de consolant. Mais rien n'est tout à fait noir et la souffrance morale grandit ceux qui apprennent à l'utiliser au mieux de ce que peut leur prodiguer son ferment.

Je suis à réfléchir à sa venue dans quelques heures. Et à celle de ma fille qui a de plus en plus de difficulté à s'intégrer au système d'éducation dans lequel elle travaille depuis 8 ans.

Elles me manquent tant depuis toutes ces années...

Mon bruyant voisin me distrait de ma réflexion en me parlant (ou fut-ce le jour suivant ?) de l'intrusion d'un individu plutôt douteux au 24 Sussex Drive, à Ottawa, à la demeure des Chrétien. L'homme aurait-il lu mon roman **Présidence** dans lequel un homme bizarre tente le même coup, mais à Québec, chez les Parizeau ? Et même si c'était, quelle est l'influence réelle des oeuvres de fiction sur ceux qui s'en nourrissent ? La télé violente incite-t-elle à la violence ou bien défoule-t-elle les violents ? La porno pousse-t-elle au viol ou bien décompresse-t-elle les maniaques dangereux ?

Quelqu'un s'est plaint déjà de ce que mon livre **Nathalie** (suicide chez les jeunes) paru en 1982 pouvait comporter un aspect incitatif pour d'aucuns, les plus sensibles. Et cela aussi a pendant longtemps hanté mes pensées profondes les nuits les plus agitées. Jusqu'au jour où j'ai compris que tout un chacun essaie constamment de se dégager de ses propres responsabilités sociales et que le meilleur moyen consiste à trouver des boucs émissaires. Faire porter le chapeau à des individus bien identifiés libère et sert bien les intérêts du système. Haro sur le baudet !

C'est ainsi que le système (tissu banco-politico-médiatique) détourne l'attention agressive du public vers les plus démunis et les moins nantis ainsi que les petits et moyens salariés et leur demande de payer la note des extravagances gouvernementales de 1976 à 1994 grâce auxquelles des minorités qui forment tout de même des générations entières (d'hommes nés de 1930 à 1960) se sont enrichies et munies en plus du nécessaire vital pour jusqu'à leur mort, de surplus considérables et de superflu détestable.

Le système va jusqu'à leur faire croire, ce qui n'est pas tâche difficile, qu'ils n'ont plus les moyens de payer de nouvelles taxes...

Celui qui s'est introduit chez les Chrétien couteau à la main passera pour un malade mental et sans doute l'est-il, mais son cas parle. Tuer un homme public a valeur de symbole. Lorsque des pans entiers de plusieurs générations souffrent de la **violence froide systémique** et que cela va s'accroissant, il n'est pas surprenant qu'on veuille assassiner les premiers ministres. Il s'agit simplement d'une réponse douloureuse à une souffrance immense. Et on en verra de plus en plus, de ces tentatives, en général ratées par ceux qui les font. En plus de celles faites par des intérêts occultes, donc par le système lui-même au fond, et réussies le plus souvent, celles-là... ce qui fait que Lucien Bouchard marche dans les traces de Lincoln et sur des oeufs encore plus fragiles...

Car au fond, c'est la démocratie systémique que nous pratiquons qui ne fonctionne pas, elle qui permet à l'extrême richesse et à l'extrême pauvreté de se côtoyer à quelques milles de distance en pleine Amérique du Nord. Et un attentat contre un chef d'État n'est rien d'autre en réalité qu'une tentative par la misère elle-même de briser l'intolérable miroir qui lui réfléchit sa propre image absurde.

La misère est suicidaire et cherche donc à détruire la cause qui lui donne naissance soit le système que représente au plus haut degré son plus haut gradé soit le premier ministre ou le président.

L'attentat politique rôdait peut-être dans la tête de celui qui s'est introduit chez les Chrétien, mais **l'attentat social** nous attend, là, dehors, tout prêt à frapper à la porte de nos pays dont la pitoyable mentalité faussement démocratique empire chaque année à vue d'oeil et de nez.

– Saviez-vous que pour rentrer dans une soûl à cochons de nos jours, il faut se doucher pis mettre un costume ? C'est pour pas contaminer les bêtes...

Mon compagnon de chambre interrompt abruptement ma réflexion qui se promenait sans but depuis le déjeuner.

– Ah !?

– Le gars qui est venu me voir hier, c'est lui qui disait ça. C'est mon neveu, ça...

– Ah !?

Pourquoi me dire cela tout à coup ? Le pauvre homme cherche-t-il à se faire pardonner pour ces infections qu'il a et craint de me faire attraper par la voie de je ne sais quelle 'entité microbienne ou virale' ou quoi encore ? Tout comme moi, et d'ailleurs tout le monde, il n'a pas eu la chance de suivre un cours de Santé 101, Santé 201, Santé 301 quand il a fait sa première, deuxième, troisième année. Des gens de 18 ou 20 ans de scolarité ne savent même pas ce que c'est qu'une extra-systole...

Le système est raffiné. Il fait en sorte que les porcs soient protégés au maximum de la contamination. Mieux que les humains à l'hôpital. Mais les porcs, on les mange tandis que le cannibalisme n'est le lot des privilégiés que métaphoriquement.

Je ne rallonge pas le propos. Il faut que j'aille me laver la tête. On m'a dit qu'il y avait pour ça un lavabo quelque part en face du poste de garde, où je pourrai enfin, après 9 jours sans l'avoir fait, me savonner et 'shampouiner' le cuir chevelu à satiété, moi qui ai l'habitude de le faire vigoureusement chaque matin depuis trente-cinq ans et plus...

Il y a là, à côté de la cuvette, une sonde à vessie et un pot de chambre. Et de la cendre de cigarette. Les microbes, quand on les côtoie chaque jour, c'est bien connu, ont moins de prise. Aurait fallu demander ça aux Aztèques et autres Indiens d'Amérique... Mais moi, je vis entre quatre murs 365 jours par année et ne sors pour aller au McDo qu'au petit matin alors que la majorité des bactéries dorment encore. Je n'ai pas développé l'immunité que possèdent les gens qui travaillent depuis des années dans le milieu hospitalier. Vais-je résister aux 'bibittes' de ce pauvre monsieur R ? Ou bien vais-je développer quelque infection insidieuse qui se déclarera dans 3, 6 mois ou 2 ans ? Et on cherchera où j'ai pris ça...

Je dois subir toutes ces bactéries, ce stress de devoir attendre à l'hôpital pour garder mon tour sur la liste des futurs 'coronarographiés'... ou pour l'accélérer, ce tour...

De retour au 458, je vais finir ma toilette à la salle de bains sans bain et voilà que je me trouve dans le bord du dos un point rouge que j'aperçois pour la première fois. Et ça commence ? me dis-je. Puis je rejette l'idée en me promettant de ne jamais parler de mes frayeurs infantiles à qui que ce soit pour ne pas qu'on se moque...

Le 457 se remplit de visite au tout début de l'après-midi et on emprunte même mes chaises en promettant de les remettre quand ma visite arrivera.

Je tire le rideau en leur disant que ce sera mieux pour leur intimité. Ils sont bruyants et je n'ai pas envie de participer à la conversation.

Enfin ma fille et sa mère arrivent. Je voudrais les embrasser, mais il y a ce vieil enfermement de toujours qui retient les émotions des gars de mon âge loin au creux du coeur, sans doute dans le même coin où se trouvent les blocages anticipés que l'on découvrira probablement lors de la coronarographie. Un coeur compressé ne peut faire autrement que de finir par sauter. C'est ce que le mien a un peu fait avec un coup de pouce du système de santé voilà 9 jours et s'apprête à mieux faire un de ces quatre...

On récupère une chaise. Chacun trouve une petite place dans mon château-fort de 4 X 4 où nous sommes d'ailleurs 4 puisque mes visiteuses ont avec elles un vieil ami de ma fille.

Le sujet immédiat: mon cher coeur.

– Qu'est-ce qui t'a pris ? demande Bibiane avec un ton à la blague mais qui, je le connais bien, cache de l'inquiétude.

– Faudrait demander au docteur.

Et va recommencer le récit de ma mésaventure, de ma réflexion sur tout ça, de ma colère et de ses justifications, récit au bout duquel, j'entendrai les inévitables paroles que voici.

– Tu l'aurais fait pareil, ton infarctus, et t'aurais pu en mourir, me dit-elle, sachant que notre fille et son copain seront sans doute d'accord.

Je continue d'être seul à penser que le système fut responsable de mon accident cardiaque pour les raisons que j'ai déjà mentionnées et expliquées dans ce livre.

Mais ça n'a aucune importance puisqu'elles sont là et que leur présence m'apporte un grand bonheur, et qu'il n'y a en ces moments aucune place pour les tracasseries, les discussions vives ou la contrariété.

Quand elles repartent, j'ai le pressentiment que je ne les reverrai plus. La gorge me serre et cette fois, je ne peux me retenir de les serrer contre moi toutes les deux. Et je me cache vivement derrière mon rideau pour pleurer. Je doute que je pourrai jamais me refaire une vie en dehors d'elles, autrement, je l'aurais déjà fait au cours de ces 15 longues années de solitude et d'attente inutile.

Par chance, mes pressentiments ne valent pas souvent cher et je les reverrai toutes les deux au jour de l'An.

Pour l'heure, j'essaie de traverser ce qui reste de ce dimanche sans laisser trop de sentiments négatifs me corroder l'âme. Mon voisin me parle des dernières nouvelles recueillies à la télé par ses visiteurs; tout tourne autour de Rabin et Chrétien. Quel repos de n'avoir pas de maudit appareil de télévision devant le nez ! Pas achalé par cette mouche à marde qui vous court partout et vous suce chaque jour une partie de votre moelle cérébrale. Télé de la confusion, de la violence, des têteux, des gens d'image, de l'hypocrisie, télé du système qui vous intoxique un peu plus chaque jour. Mourante télé dont j'espère un jour, peut-être grâce à Internet, me débarrasser à jamais...

Et puis me voilà à me reconnaître des symptômes du rhume. Enchifrené quelque peu. Parfois des dards me percent la poitrine et ça n'a rien à voir avec le coeur ou bien ce seront des douleurs typiquement atypiques...

Tiens, je vais continuer ma pièce de théâtre et tâcher d'aligner quelques alexandrins avant de m'endormir. Peut-être que jamais personne ne les lira. A moins que je ne les livre, ces vers pas toujours reluisants, à travers un ouvrage sur ma mésaventure.

Et on retourne à ce bar de Mégantic en 1888. Voici le début de la scène deuxième alors qu'arrive un client appelé le Sauvage.

Scène deuxième
Les mêmes + le Sauvage

AUGUSTA, *à voix retenue*
Voici venir Pete Leroyer dit le Sauvage,
Un homme sombre qui vient parfois au village
Pour vendre des peaux et se soûler.

WARREN, *sans se retourner*
Un Français ?

AUGUSTA
A moitié indien à ce que l'on en sait.
105 De par sa mère.

WARREN
Sans doute père inconnu ?

AUGUSTA, *en confidence*
Il prend une place pour ne pas être vu,
Là, dans le coin, sous l'escalier. Je vais le voir.
..... *(elle se rend à la table)*
Et qu'est-ce que je peux bien te servir ce soir ?

LE SAUVAGE, *montrant un rouleau d'argent*
Un gros gin. Du vrai. Pas de scotch. J'ai de l'argent.

AUGUSTA,
110 Tu sais que je dois te faire payer avant
Même si on dirait que t'as pas l'air cassé.

LE SAUVAGE
Un hiver payant pour moi. J'ai pas mal chassé
Pis dans mon rouleau, y'a des piastres pour toi,
Belle Augusta.

AUGUSTA

Oui ? Combien ? Et moyennant quoi ?

LE SAUVAGE

115 On va se promener un peu au bord du lac...

AUGUSTA, *impatiente*

Paye, l'ami, et remets l'argent dans ton sac.
Prends le train et rends-toi à Montréal en ville:
C'est là que tes piastres te vaudront des filles.
(elle retourne derrière le bar)

WARREN, *avec un clin d'oeil*

Les serveuses de bar se font des à-côtés
Par chez nous...

AUGUSTA

120 On a une autre moralité
En Canada.

WARREN

Des frisons de jupons, c'est bon
Pour les frissons.

AUGUSTA

Moi, je danse avec les garçons
Dans les soirées parfois, mais pas sur une scène;
Par ici, ça serait regardé comme obscène.

WARREN

125 Je n'voulais pas dire...

14

Hantise

Lundi, 6 novembre. Je tousse en regardant par la fenêtre le matin clair qui s'étend sur la ville encore somnolente. Et je pense au virus de la grippe qui se répand comme une traînée de poudre chaque année... Attention à vos mains, nous recommande-t-on partout.

Hier soir, un jeune homme a distribué les médicaments. Pour se montrer plus serviable et gentil, il a extrait ma grosse pilule brune de son enveloppe et me l'a présentée de main à main. Puis la douce petite Ativan... Au McDo, on dresse les jeunes filles à ne jamais toucher à la nourriture avec leurs mains, mais à l'hôpital, on peut fouiller, semble-t-il, dans la couche de quelqu'un et ensuite présenter à son voisin, main nue sans lavage vigoureux, une pilule. Après tout, une pilule, ça ne saurait faire que du bien à celui qui la prend...

Une fillette de 5 ans du nord-est des États-Unis est morte d'une cause que la médecine n'a pu identifier et combattre. L'autopsie a révélé que son cerveau s'était transformé en une sorte de gélatine... Il aura fallu un médecin enquêteur au nez plus fin que celui de Sherlock Holmes pour comprendre. La fillette avait été infectée par un microbe qui ne se trouve que dans le sud américain tandis qu'elle vivait beaucoup plus au nord. Mais l'automne précédent, la famille avait reçu la visite de parenté venant du sud. La fillette avait joué avec son petit cousin dans le carré de sable. L'organisme microbien avait survécu tout l'hiver sous le sable puis avait infecté la fillette quand ses jeux de l'été suivant recommencèrent.

Ainsi résumée, l'histoire paraît grosse, mais on a réuni toutes les preuves nécessaires.

Qui sait ce qu'un patient sain ne va pas contracter dans un hôpital ? 80,000 Américains périssent chaque année, tués par leur système de santé dans les hôpitaux, en raison d'une pratique médicale incompétente ou indifférente... On l'a vu...

Pourquoi ne suis-je pas chez moi ? Pourquoi cet autre gaspillage de $500. aujourd'hui par le système. Juste pour me garder sur une liste d'attente ? Mon état est stabilisé. Ma pression continue d'être bonne. Tout est normal. Et je risque d'attendre encore une semaine ou deux.

Je pourrais travailler chez moi. Doubler, tripler le rythme de production de ma pièce ou bien entreprendre un nouveau roman: j'en ai 30 à écrire avant l'an 2000, je n'ai pas de temps à perdre. Et puisque je ne suis pas subventionné, ils seront donc un apport réel à la société, et pas du superflu intello comme il y en a tant.

Vers les sept heures, garde M vient prendre ma pression. Elle se sert de l'appareil à la tête de mon lit. D'autres préfèrent le leur. Plus juste, disent-elles. Mais qui transporte peut-être de l'infection... Je préfère la méthode de garde M après tout.

Je me sens souillé de partout.

Je n'ose pas me gratter pour ne pas risquer de m'égratigner.

Je respire à bouche fermée.

Je me vois dans le miroir de mon esprit et c'est l'image de Howard Hugues* que j'aperçois. Les millions en moins.

(*Il avait la hantise des microbes.)

Après déjeuner, je quitte la chambre et vais me réfugier au bout du couloir dans un coin où seules mes jambes peuvent être aperçues par celles et ceux qui prennent l'ascenseur.

J'ai la ferme intention de pondre au moins cinquante

alexandrins aujourd'hui.

Après en avoir aligné quelques-uns, voilà que Mark Twain se présente sans s'imposer. Il reste debout et fait mine de repartir, mais la conversation s'engage et dure. D'autres s'y joignent. L'avant-midi s'égrène.

En après-midi, mon amie vient me visiter. Elle est dépressive. La visite des miens l'inquiète. Je la rassure du mieux que je peux. Mais il me semble que ce n'est pas à moi de rassurer qui que ce soit. Je veux plutôt me faire plaindre à mon tour. En tout cas, le temps que je serai hospitalisé.

Le docteur R me voit. Je lui demande un congé de fin de semaine. C'est Mark Twain qui m'a renseigné là-dessus. On peut quitter le samedi et revenir le dimanche.

– Pourquoi pas du vendredi soir au lundi matin ?

– On est sévère, dit le doc.

Je songe:

"Ou bien on ne veut pas perdre l'argent des visites médicales."

Mais c'est une pensée mesquine que je rejette dans l'arrière-scène de mon esprit.

On a mis un suppositoire à mon voisin la veille et voilà que sa couche a coulé. L'odeur est épouvantable. Je vais me plaindre à l'infirmière en chef au poste de garde.

– Pourquoi, sacrement de bonyeu, ne pas mettre les cas de coeur avec les cas de coeur, et les cas de couche avec les cas de couche ?

– Vous n'êtes pas seul à l'hôpital...

– Je suis ici à cause d'une prodécurite de fonctionnaire, je gaspille mon temps et l'argent public, j'occupe inutilement un lit et en plus, on m'impose le stress d'un voisin trop malade et peut-être contagieux...

– Il n'est pas contagieux...

– C'est vous qui le dites.

Un peu plus tard, c'est la bibliothèque mobile qui passe de chambre en chambre. La bénévole croit dur comme fer qu'un auteur est forcément un grand consommateur de lecture. Je lui réponds ce classique archi-usé: "Quand je veux lire un livre, j'en écris un." Elle me regarde drôlement. Puis son visage s'éclaire et elle me dit qu'elle prête souvent certains de mes ouvrages. Je lui dis que l'important pour un auteur de profession n'est pas d'être lu mais d'être acheté. Elle me regarde encore plus bizarrement que la première fois et repart confuse en débattant ses vieux préjugés tenaces...

Je trouverai une heure pour me rendre à la bibliothèque et quelques vers rallongeront ma pièce.

Le Sauvage fait des propositions voilées à Augusta la serveuse devant Warren, le chasseur de primes. Puis on discute de l'injustice faite à Donald Morrison...

AUGUSTA

Le reste, c'est pareil.
C'est tout, l'ami Warren. Et un petit conseil:
Ne cherche pas de filles perdues par ici.
Le shérif Edwards leur indique la sortie
Dès qu'elles ont descendu à l'American House.
130 La ville de Mégantic n'est pas au Kansas.

WARREN

Ah! si tu avais donc vu Abilene et Dodge !

AUGUSTA

Et si toi, tu avais vu Marsden et St-Georges !

WARREN

L'ennui est mortel; mais le rire n'est pas le mal.

LE SAUVAGE, *à Augusta qui retourne à sa table*

Toi, tu penses que si je vas à Montréal...

WARREN, *à voix forte*

135 Le shérif se sent fort devant de faibles femmes,
Mais pour rechercher le cow-boy, il perd sa flamme.

AUGUSTA

Edwards croit en la parole du père Murdo
Qui a juré bien des fois devant le Très-Haut
Avoir payé à chaque année la somme due
140 Sur l'hypothèque de la ferme revendue.

WARREN

Un bon shérif doit se soumettre au tribunal.
Le jugement de la Cour met un point final
A l'affaire.

AUGUSTA

L'affaire commence tout juste.
Donald Morrison jure qu'un sort moins injuste
145 Leur sera fait dans un nouveau procès.

WARREN

Erreur !

AUGUSTA

Il dit qu'il sortira ses vieux d'un tel malheur,
Qu'il va récupérer la terre et les bâtisses
Et qu'il fera cesser la terrible injustice.

WARREN

Aucune chance !

AUGUSTA

Et toi, le Sauvage, là-bas,
150 Donne ton idée. Entre un peu dans le débat...
(Le Sauvage hausse les épaules.)

Et c'est dans ce monde du siècle dernier que se terminera ma douzième journée d'hospitalisation suite à une visite à l'urgence pour un mal de dos qu'on a fait se transformer en infarctus...

Coût pour la société à ce jour: $6,000.

Le jour 13 commence sur un bâillement de chèvre de mon voisin. J'ai perdu un bouchon de cire au cours de la nuit et rien n'échappe à mon oreille droite dans ma somnolence matinale. Garde M éclate de son rire servile. Un camion à vidanges se fait aller juste sous nos fenêtres.

Il y a une forte odeur d'urine dans la chambre.

Je suis résigné.

Je prends une revue qui traîne sur mon bureau depuis quelques jours. Un article attire mon attention. Il a pour titre: "Le parachute doré des députés." Des phrases me tombent sur le cerveau comme des braises.

"Les députés d'Ottawa se sont octroyé le régime de retraite le plus généreux du Canada. Leurs prestations sont un vrai parachute cousu d'or. La coalition nationale des citoyens publie régulièrement la liste des sommes que certains députés peuvent espérer accumuler. En tête de liste, Jean Charest, qui pourrait toucher jusqu'à 4,2 millions de dollars..."

On comprend pourquoi le bonhomme s'est fait un si ardent défenseur du fédéralisme. Comme on peut le voir, le fédéralisme profite à d'aucuns dans une **société qui déshabille Pierre pour enrichir Paul qui roule déjà en Cadillac.**

Et plus d'un million d'enfants canadiens n'ont pas de quoi manger et cela empire d'une année à l'autre. Et la dette nationale sera payée par les moins capables de le faire. La voilà, la démocratie canadienne. Une démocratie de porcherie, ai-je écrit au premier ministre lui-même. Et nos chers privilégiés du camp adverse nous proposaient de nous bâtir une imitation de Canada avec un Québec souverainement porcin, petite porcherie coincée entre deux parcs d'une autre.

Mon voisin ronfle bizarrement. Je poursuis ma lecture.

Et comme le souligne l'économiste Ted Mallett, "la générosité du régime de retraite des députés se répercute sur celui des fonctionnaires fédéraux, qui influence à son tour ceux des fonctionnaires provinciaux, des professeurs, des employés des sociétés d'État, etc. On parle de milliards de dollars."

Les régimes de retraite sont symboliques de la manière dont les députés conçoivent leur travail et administrent les fonds publics.

Je me demande combien de députés de ces 30 dernières années sont passés par le chômage, l'aide sociale ou les bas salaires. Ces trois catégories totalisent pourtant entre 1 et 2 millions d'individus au Québec. Des gens au fond non représentés... Mais lisons encore.

Parlant du nouveau régime de retraite des députés fédéraux, un ancien vérificateur général adjoint du Canada affirme que ce régime est encore de quatre à sept fois plus généreux que ceux des secteurs public ou privé. Un autre dira de façon plus incisive que si le Parlement consolide les régimes de retraite –ce qu'il s'apprêtait à faire il y a quelques mois– tandis qu'il scalpe la population, il est digne de mépris.

Et j'ajoute que voilà un autre bel exemple de l'incroyable *violence froide* dont nous sommes les victimes, nous du bas peuple. Et ces gangsters sont les premiers à crier que la violence n'arrange jamais rien. Rien... sauf quand c'est eux qui la pratiquent...

Écoeuré de lire sur la grandeur du système politique, je m'empare du Journal de Montréal de la veille, qui traîne sur la tablette de la fenêtre. C'est Ginette Reno qui fait la une. Star-system. Autre système pourri à l'image du grand. Et comme base, cette incommensurable propension d'un peuple à se péter les bretelles, à se contempler le nombril, à s'émerveiller devant ses propres exploits. Et la semaine prochaine, ce sera Céline, la super-nova Céline. Céline, Céline, Céline... on en mange à toutes les sauces et même en smoked meat. Non, mais faut-il que nos journalistes dépourvus de scrupules et surtout d'imagination manquent d'esprit de travail à ce point, qu'ils courent tous et toujours vers les gens d'image, vers le plus facile, vers la performance. Plus trou-du-cul que ces gens-là, tu sombres dans l'abysse de l'Atlantique. Ça, c'est creux !

Pendant que je me fais du mauvais sang, mon voisin est emmené je ne sais où pour je ne sais quoi et voilà que garde M vient prendre ma pression. Je me plains de ce qu'on m'agresse en ouvrant les rideaux.

– Et si on les laissait fermés une heure ou deux par jour ?

La tête et les yeux lui tournoient.

– Vous devez penser que vous n'êtes pas seul dans la chambre, fait-elle en douceur et à travers un rire léger qui en dit long sur mon égoïsme.

Je me rebiffe:

– Ça veut dire qu'on peut m'agresser de soleil toute la journée tandis que moi, je n'ai pas le droit d'agresser l'autre d'ombre une seule demi-heure par jour.

– Il est **normal** d'ouvrir les rideaux le jour...

Le mot est lâché une fois encore. Normal. Si t'es normal, t'as tous les droits. Si tu l'es pas, t'as rien à dire.

Ce monde est fait pour d'aucuns et les autres sont exclus. Les petites boîtes du Noël du pauvre sont déjà en place chez McDonald's. Elles permettront à certains moins nantis de goûter quelques douceurs et surtout aux mieux nantis à nourrir leur bonne conscience... pour le reste de l'année. Et les affamés pourront toujours crever de janvier à décembre. De toute façon, les médias n'en parleront plus. Le bon peuple peut dormir l'âme en paix. On a inclus les exclus pour une semaine ou deux. La terre peut continuer de tourner.

A 53 ans, j'ai encore besoin de travailler tandis que la plupart sont au bord de la retraite. En fait, je recommence sans arrêt à zéro parce que cette société me vole à mesure ce que je gagne en s'emparant de mon travail pour le 'communiser' via le prêt public subventionné de mes livres.

Mon voisin est un retraité sans enfants. Il a travaillé toute sa vie. Bons salaires. Seize ans aux États. Pensions américaines, lui et sa femme. Pensions de vieillesse. Intérêt sur épargne. Capital. Il vit dans une villa luxueuse qu'il qualifie de "comme à l'hôtel"...

Et moi, dans cette chambre d'hôpital, je dois vivre à sa mesure parce que lui est normal et moi pas. Il aime le soleil, lui, comme tout le monde. C'est donc moi qui dois subir sa loi, son caprice... Et pourtant, c'est un personnage généreux qui n'impose rien... Il ne se rend pas compte, c'est tout. Comme le reste de la société normale qui s'accommode du système...

C'est ça aussi, de la violence froide. Sauf qu'ici, elle est faite involontairement... par du ben bon monde...

Plus tard, je disparais. Caché dans mon petit coin du bout du couloir près de l'ascenseur, je fais avancer ma pièce. Pendant ce temps, on me recherche partout. On me croit à la bibliothèque, à la cafétéria, à la boutique. Contre toute attente, on a reçu un appel de l'hôpital Laval. Coronarographie: demain. Il faut me préparer. On doit me raser, m'installer un petit machin piqué dans une veine du bras, et auquel on n'aura plus qu'à se brancher là-bas afin de ne pas perdre de temps. Un taxi me prendra tôt le matin et on me ramènera en ambulance le soir même. Ou si on me dilate une artère à l'aide du ballonnet, on me gardera une nuit là-bas et le matin suivant, je rentrerai directement chez moi par mes propres moyens.

Une surprise m'attend à mon retour à ma chambre: on a décidé de transférer le 457 ailleurs. Avec un mourant, saurai-je plus tard. Quelqu'un qui n'a plus sa connaissance. Et donc qui ne saurait se plaindre des bâillements de chèvre, de l'odeur d'urine et de caca, des mini microbes et autres vétilles du genre. Il sera au bord de la fenêtre et jouira de tout le soleil qu'il voudra.

C'est avec un pincement au coeur que je le vois partir après le repas du midi. Il était bon, respectueux et généreux, ce vieux monsieur R, et je regretterai sa bonne humeur et son rire franc.

Une heure plus tard, on me donne un nouveau 457. Une femme cette fois. Un cas de coeur plus un mal indéterminé. Elle est dans la soixantaine avancée, un peu sourde et ignore ce qui lui est réellement arrivé. Il semble qu'on ne l'a pas bien renseignée sur son état. Mais comme elle est branchée par télémétrie, j'en déduis qu'elle a fait une crise de coeur, elle aussi.

Elle est tranquille, discrète, timide. Et tient son rideau fermé. Et quelle chance: j'ai besoin de me décontracter. Il faut dire que cet examen ne me dit rien qui vaille. Ma faire inciser l'artère fémorale et entrer un cathéter dans le corps jusqu'au milieu du coeur, ça me séduit un peu moins qu'un rêve érotique.

On vient me picosser le bras. Ça fait mal. Il faut qu'on se reprenne à trois fois pour trouver une veine. C'est qu'on pique sur le dessus tandis que de beaux courants bleus sillonnent l'intérieur du membre. On en trouve une enfin et le travail est fait.

Puis c'est la tonte. Tout le ventre et les environs du sexe sont mis à nu. Faudrait surtout pas me laisser un poil égaré quelque part dans le coeur. Et moi qui pensais que c'était pour mieux travailler sur moi...

Mark Twain me rend visite et m'encourage. Solange fait de même. J'ai la chienne même si je sais que ce n'est rien du tout. Les préposés aux bénéficiaires tiennent tous le même langage. Pas même le Ativan ne parvient à me déstresser.

Je m'endors en pensant : "Qu'est-ce que ça serait si je devais me faire faire des pontages ? Je sécherais de peur et deviendrais statue comme la femme de Loth, pas moins, sûrement pas moins..."

15

Peur

Je me réveille tôt. Mais ne suis pas nerveux même si on va me fouiller dans le coeur ce jour-là. Ou bien je le suis et ne m'en rends pas compte. C'est tant mieux !

Ils sont des milliers à avoir subi cet examen bénin et 'y'a rien là'. C'est la réflexion qu'on me fait à gauche et à droite depuis qu'il fut décidé que l'on me passerait cette coronarographie permettant d'évaluer l'état de mes artères coronaires et celui de mon coeur en général suite à cet infarctus, provoqué par le bon doc L qui voulait ressusciter les pseudo-douleurs angineuses (atypiques) que j'aurais eues selon un 'dramatique' constat de la médecine lors de mes marches matinales depuis cette grippe du mois d'août.

Je ne me crois pas exempt de blocages. C'est une chose que je devine d'ailleurs. Mais j'ai le sentiment qu'on pourra me dilater au cathéter si on devait trouver une sténose. A moins qu'on ne me trouve une artère bloquée à 100%

Le taxi vient me prendre.

Même si je cours depuis quelques jours d'un étage à l'autre, à la bibliothèque, à la cafétéria, il faut me descendre en chaise roulante à l'entrée de l'urgence. C'est la consigne. Une fois là, je peux marcher jusqu'à l'auto.

Le conducteur est peu loquace. Les milles roulent sous les roues. Et les pensées défilent dans ma tête. Je me rappelle ce jeune homme qui l'avant-veille est venu me parler à 6 pouces du nez pour me dire qu'il avait été mis en isolation parce que souffrant d'hépatite B. Un couloir d'hôpital serait-il pour ceux qui n'y travaillent pas depuis des années et dont le système immunitaire est peu musclé, cent fois plus dangereux qu'une route fréquentée ?

A l'hôpital Laval, j'entre sur mes deux jambes. Pas besoin d'avoir l'air mort pour y être admis puisque tout est déjà décidé sur papier entre hôpitaux, entre services, entre médecins.

Un de mes frères s'est fait charcuter ici en 1952. Six côtes coupées en un premier temps pour se faire un passage vers le poumon gauche. Puis, six mois plus tard, ablation du poumon. A peine un an ou deux après, la médecine proposait des médicaments pour guérir la tuberculose. J'ai toujours qu'on aurait dû le renseigner mieux afin qu'il attende et sauve sa peau sans devenir l'handicapé qu'il sera par la suite. Mais ce n'était qu'une impression.

L'objet de ce livre n'est pas de vanter les immenses progrès de la médecine, je le redis. Et ce n'est pas la médecine elle-même qu'il vise mais ce qu'il y a de **systémique** dans le domaine de la santé. Système basé sur la norme et qui fait, par exemple, que des millions de dollars sont gaspillés chaque année pour simplement faire attendre des gens comme moi, comme Mark Twain et mon voisin de chambre, vendeur d'autos, tandis que des milliers de gens sont impitoyablement renvoyés chez eux après des chirurgies majeures, et que maints lits nécessaires ne le sont plus tout à coup à cause de la nouvelle norme édictée par un fonctionnaire qui s'intéresse au budget de l'État, pas à l'état de santé du monde.

Je crois de plus en plus que l'État devrait être mis hors d'état de nuire.

Car l'État fédéral et le provincial ont agi de façon à ce que la récession se prolonge et devienne décroissance. A l'image d'un corporatisme profiteur, on coupe et recoupe des emplois. Donc des services. Ces nouveaux chômeurs paient peu ou pas d'impôt. Puis se transforment en bénéficiaires de l'aide sociale. **On fait avec des êtres éco-**

nomiquement sains des êtres économiquement malades. Et pour plusieurs, on les rend malades pour de vrai. Cela coûte cher à l'État par manque à gagner et par services obligés. Mais personne dans un système ne raisonne plus loin qu'à vue de nez. Obsession du déficit: tout passe par là. Déficits causés par des idiots et que ces mêmes idiots réclament de gérer...

On me donne la chambre 97. On s'occupe de mes affaires. Je n'ai plus qu'à me laisser faire. Après tout, un patient est un patient et il n'a pas à s'en mêler. C'est la consigne dans le système de santé. C'est la norme. C'est ça. C'est tout. Si tout un chacun veut s'en mêler, on en viendra à trouver des gens qui voudront s'opérer eux-mêmes ou le faire faire par un deuxième voisin. Une salle d'opération n'est pas une salle d'audience...

Les couloirs d'un hôpital sont à l'image des rues de la ville. Étroits ici. Circulation intense. Et comme les plafonds sont bas ! Je me rends compte que cet environnement exerce une certaine pression sur moi. C'est en pensant à mon hôpital de campagne qu'une image de 'liberté' se forme dans ma tête. Là-bas, les 'corridors' sont hauts, larges, lumineux et somme toute pas très achalandés.

Business is business !

La pression est quand même normale et la préposée m'annonce que mon examen aura lieu sous peu. Un brancardier vient me prendre et je fais un tour de lit qui me conduira via l'ascenseur un ou deux étages plus bas. Une fois dans le couloir de la salle d'examen, on aligne mon 'véhicule' contre le mur. Une infirmière vient prendre livraison de mon dossier et repart. Peu de temps après, elle vient m'annoncer qu'une des machines à coronarographie est en 'dérangement' et que je devrai donc attendre là un certain temps, les deux autres étant utilisées pour des cas très urgents. Puis elle vient me porter une couverture car il fait très froid dans ce secteur.

L'expression 'en dérangement' me trotte par la tête. Et si elle se dérangeait tout à coup, cette machine capricieuse, tandis que j'ai un cathéter dans le coeur ? Et puis je cesse de croire à cette 'panne' et pense plutôt qu'il s'agit d'un retard de quelqu'un, probablement le docteur examinateur.

Car si la machine était 'dérangée' comme on me le fait croire, on me retournerait à ma chambre, ne sachant pas combien de temps il faudra pour la réparer.

Au bout d'une demi-heure, on vient me prendre et je roule jusqu'à la table d'examen sur laquelle on me fait glisser. Des hommes et des femmes en vert s'affairent à me badigeonner d'un produit rouge cuivre. On me plastronne. Il fait froid. J'examine les environs. Le plafond est très haut. Les machines sont impressionnantes. Tout est sombre et clair à la fois. On se croirait dans un studio de cinéma. Je dis ça sans savoir puisque je ne suis jamais allé dans un studio de cinéma. Mais j'imagine que c'est comme ça.

Le docteur examinateur s'approche, se présente, explique ce que je sais déjà par un montage qu'on m'a présenté à mon hôpital. Je pense que je ne tiens pas à voir battre mon coeur sur écran et on ne me l'offre pas comme cela se fait habituellement, m'avait-on dit. On devine mes pensées, semble-t-il.

– Et l'incision ?

– C'est dans l'aine. Une légère brûlure... Rien du tout.

Je suis peu rassuré.

Mais il dit vrai. Quelques minutes plus tard, je sens la brûlure... C'est moins perceptible qu'une piqûre. J'en suis étonné puisque c'est tout de même l'artère fémorale qu'on coupe.

Alors commence un long processus d'introduction du cathéter.

– Prenez une longue inspiration, gardez-la... relâchez.

J'ai les mains sous la tête et ma situation est inconfortable, surtout à cause du froid. La machine bouge...

– Prenez une longue inspiration, relâchez.

Et une bonne douzaine de fois, ces mots me reviennent en alternance. Alors le docteur me fait un reproche :

– Vous ne la prenez pas fort, votre inspiration !

Est-ce une façon de me préparer à l'annonce de blocages qui diminuent ma capacité respiratoire ? Il fallait le dire, j'aurais pu faire mieux. Ou bien a-t-il eu un problème qu'il impute aussitôt à ma façon de me comporter?

La fois suivante, je mets le paquet.

– Et maintenant, vous sentirez une chaleur dans tout l'abdomen.

En effet, elle se répand, cette chaleur, et elle est plus importante que je ne l'avais anticipé. Mais la sensation est de courte durée. Le temps de prendre des clichés, je crois et l'effet se dissipe.

Je regarde souvent l'opératrice de la machine, qui se trouve derrière un écran 7 ou 8 mètres au-dessus de moi vers la gauche. Seule sa machine l'intéresse et ça me rassure: on n'est pas là pour faire de la relation publique.

– Vous pouvez baisser les bras, me dit une voix, sans doute celle de l'assistant du docteur.

Je conclus que l'examen comme tel est terminé et cela se confirme quand je sens une forte pression sur l'intérieur de ma cuisse. On est à appliquer le pansement compressif dont on m'avait parlé à l'hôpital déjà...

Puis le jeune médecin vient me parler.

– On va aller vous faire part des résultats au cours de la journée.

Je veux savoir :

– Pas fait de ballonnet ?

– Non... je vais aller vous expliquer tout ça aujourd'hui à votre chambre.

Je suis déçu. On m'a examiné mais on ne m'a pas réparé. Suis-je irréparable ? Je pense aussitôt qu'il me faudra un ou des pontages. Et pourtant, je conserve le sentiment que ma situation n'est pas si grave... On devrait me dire un simple mot, une petite phrase pour que je sois au moins à demi-rassuré... Je me rassure moi-même tandis qu'on me fait rouler dans les couloirs en direction de la chambre 97. Je suis d'humeur. Une coronarographie: 'y'a rien là'. Et je suis tout rempli des bienfaits de la médecine, de ses progrès incroyables... Pour avoir accès à son poumon en 1952, on a dû amputer mon frère de six côtes et moi, on m'a inspecté le coeur en vingt minutes et sans la moindre douleur. Et tous ceux-là qui ont eu des pontages soutiennent que c'est trois fois rien comme intervention. On leur coupe le sternum à la 'scale saw', on leur tire des veines du corps, on coupe les artères du coeur et on fait des ponts. A bien y penser, j'ai pas envie...

Je passe une heure dans une salle intermédiaire. Il faut que mon artère fémorale au point de l'incision continue d'être fortement pressée par un appareil simple dont on viendra relâcher les mâchoires en les dévissant chaque quart d'heure. Puis on me retourne au 97 au bout tout à fait d'un couloir.

A ma chambre, on me branche sur l'appareil à pression qui va s'exécuter de lui-même toutes les demi-heures. Les robots sauvent du temps, coupent des 'jobs' et donc des impôts; il faut donc repenser la circulation monétaire parmi les citoyens, mais le système refuse de le faire, et il s'appuie sur l'égoïsme à courte vue des mieux nantis et le souci de se faire réélire des politiciens. Après avoir **enrichi tous ces Paul qui roulent déjà en Cadillac,** les gouvernements ne trouvent pas mieux pour réparer les effets néfastes de leur maladministration que de déshabiller les petits Pierre des classes moyennes en descendant. Clivage dangereux qui garde le pays sur la voie de la décroissance.

On ne tarde pas à me servir à manger. Un de ces sandwiches au bran de scie comme on les appelait au collège. Du jambon écrabouillé ou je ne sais trop quoi. Mais j'ai faim et ça entre.

Comme à mon arrivée, je suis seul dans cette salle à quatre lits. Les préposées sont peu loquaces mais par chance, l'homme qui passe la polisseuse à plancher se montre jasant et il prend au moins une demi-heure à faire un travail qui normalement prendrait quelques minutes. Je n'ai pas le sentiment qu'il perd son temps. Il est de ces gens qui sentent les problèmes des autres et veulent apporter leur petite contribution pour y remédier. Il paraît de mon âge et je tomberai quasiment en bas de mon lit quand il me parle de ses 68 ans.

Il me raconte sa haute lutte contre le tabac et parle de l'intervention 'facile' qu'il a lui-même subie pour des pontages. Décidément, on en trouve partout, de ces coeurs pontés. C'est peut-être une mode...

– Non, dit-il, c'est le résultat d'un mode de vie qui

n'est pas tout à fait le bon. On a vécu à la course et on a couru après les problèmes de coeur...

Dehors, l'heure doit commencer à se faire sombre. Quelque chose me le dit. J'entends des personnes se parler du 97 (moi) et mentionner qu'on vient d'appeler à mon hôpital d'où on m'enverra une ambulance. C'est que je dois sortir de l'hôpital Laval sur un lit, pas sur mes pieds. Tout n'est pas joué. Je ne suis pas guéri. Je dois attendre. Attendre le verdict du docteur qui m'a fait passer la 'coronaro'...

Il vient vers seize heures, emportant avec lui le schéma d'un coeur humain avec des chiffres fatidiques sur les vaisseaux artériels. Je reste couché, le bras droit qui soutient ma tête à moitié soulevée. Il m'explique avec son crayon...

Côté droit: une sténose de 30%. Aucun problème. Le côté droit est bon pour longtemps sans doute. Côté gauche, la seconde branche de l'artère en Y est obstruée à 50%

– Pas de pontage là non plus, dit-il de sa voix basse et mesurée.

Mais voilà que ça se gâte sur ce que j'appelle la 'longue branche' en me rappelant le bar célèbre de Dodge City du temps du marshall Dillon.

– La sténose est à 80% et trop longue pour être écrasée par le gonflement d'un ballonnet...

Je parle pour lui :

– Ce qui veut dire un pontage ?

– On aurait plus de succès avec un pontage qu'avec n'importe quoi d'autre.

Je pose vite une question qui devait avoir germé à mon insu... au cas où je serais ainsi dans une situation floue, à cheval sur la clôture en quelque sorte.

– Sur médication, est-ce que je peux compter sur 5 ans sans problèmes ?

– Je pense que oui...

Et là, il me parle de mon diabète, ce que je prends pour un lapsus de sa part. Et puis j'ai hâte de savoir autre chose.

– Et l'infarctus : quels dommages ?

– Aucune séquelle apparente... dit-il en substance.

– Aucune nécrose ?

– Aucune trace.

– Y a-t-il eu infarctus ou pas ?

– Tout ce que je sais, c'est que nous n'en avons repéré aucune trace.

– Ça parle au yable: un infarctus invisible !

Je tâche de lui faire dire qu'il n'y a pas eu d'infarctus et seulement une chute de tension sur ce tapis roulant mais il ne veut rien ajouter sur le sujet et revient aussitôt à son schéma noir.

Et il répète ce qu'il a déjà exposé quant au long blocage de la grosse artère de gauche. Je lui pose une question.

– Y a-t-il en vue une technologie nouvelle, par exemple au laser, qui remplacerait avantageusement les pontages et pourrait éviter de scier le gars en deux puis de lui remplacer de la tuyauterie cardiaque ?

Mon style le fait sourciller. Et à nouveau, il revient sur l'idée du diabète en disant qu'il vaudrait peut-être mieux y aller avec un pontage vu le caractère évolutif de cette maladie...

– Mais, docteur, je ne sache pas que je souffre de diabète... Qu'est-ce que c'est ?

Il sourcille encore et reprend le dossier en mains...

– Voyons, me suis-je trompé de dossier ?

Il avait bel et bien mon dossier, mais l'erreur se produisait dans sa tête. Peut-être avait-il parcouru celui d'un diabétique avant de venir me faire part de mon état cardiaque et des possibilités de guérison.

Et il me dit que de toute façon, ça n'y change que fort peu de chose. Ou je choisis la médication avec les désagréments que cela comporte ou je choisis la chirurgie qui réglera mon cas pour 15 ans.

– Et mes chances de crever sur la table ? La peur pourrait me tuer, vous savez...

– 1%.

– Je ne la raterai pas...

– Ce pourcentage est fait de personnes âgées en mauvaise condition physique.

– Et si on vous faisait une coronarographie, docteur, pourriez-vous aussi avoir des sténoses à 50% ou plus.

– J'espère que non...

– Je veux dire... y a-t-il des statistiques ? L'homme de la rue dans la cinquantaine moyenne, quel est son état cardiaque ?

– On le sait par les autopsies ou après les infarctus...

– Des cas certains.

– Non, il n'y a pas de statistiques sur les gens en général.

– Donc une sténose à 80%, ça ne veut pas dire grand-chose. On peut vivre avez ça jusqu'à 80 ans peut-être. Il a fallu 53 ans pour que le blocage de la longue branche atteigne 80%. Mathématiquement, j'ai donc des chances de survivre encore 16 ans si je surveille mon mode de vie et stabilise mon taux de cholestérol par la poursuite d'un bon régime pauvre en gras saturés et si je fais de la marche quotidienne ?

– Peut-être que oui, peut-être que non... mais le meilleur résultat serait celui qu'on obtiendrait par des pontages.

L'échange se poursuit un quart d'heure encore mais ce sont des redites.

Il a environ quarante ans, paraît bien en santé.

Je le salue, le remercie.

Mais je ne suis pas sûr que j'avais le visage reconnaissant comme j'aurais dû l'avoir. Car il semble avoir accompli pour moi un bon travail. Je me console en pensant que je ferai partie de ceux qui nous stimulent non par leurs félicitations mais plutôt par leurs questions et leurs doutes.

Les ambulanciers arrivent sur le coup de dix-huit heures. Je me montre surpris de leur célérité. Ils me disent qu'ils sont partis dans la minute qui a suivi l'appel. Mais je ne suis pas étonné puisque la préposée m'avait prévenu au sujet de leur promptitude en disant:

– Avec ceux de par chez vous, les patients n'attendent jamais plus que le temps qu'ils mettent à venir ici.

J'en tire fierté. Une fierté de Québécois, c'est national, c'est régional, c'est local... **La fierté n'est-elle pas l'admiration indirecte de nous-même ?**

On m'attache sur le lit-civière.

– Il fait très froid dehors, me dit l'un.

J'ai du mal à le croire puisqu'il faisait doux ce matin-là. Il me plaint pour rien sans aucun doute... Mais il n'en est rien puisque c'est un vent mordant qui nous reçoit à l'extérieur.

Le véhicule est très bruyant et je ressens toutes les bosses du chemin. Pas d'importance quant à moi mais je plains les blessés qui doivent se faire transporter là-dedans. Les ambulanciers sont joyeux et sympathiques.

Je retrouve ma chambre deux heures plus tard. Il faudra que je prenne le temps de réfléchir à mon futur. Tant d'éléments vont influencer ma décision de me faire opérer maintenant ou plus tard. Je n'ai pas les moyens de m'arrêter de produire. Le système m'a volé mes moyens toutes ces années via le prêt public de mon travail et les faramineuses subventions à la concurrence. Je survis d'un livre à l'autre et ne puis m'arrêter. On ne peut survivre de sécurité du revenu à $500. par mois quand il faut $425. pour payer son loyer. Et la bouffe. Et l'électricité. Et les assurances. Et le téléphone. Et la voiture. Et les vêtements. Et tout et tout.

Même si ça ne coûte rien de se faire opérer, je n'ai pas les moyens de le faire. Pas le temps parce que le système du livre basé sur le grand système approuvé de tous (banco-politico-médiatique) et qui ne cesse de vanter sa splendeur démocratique et de l'imposer comme valeur suprême, m'a privé de mon 'durement gagné', me déshabillant **pour enrichir un peu plus tous ces petits Po-Paul qui roulent déjà en Cadillac.**

Ce n'est rien, des pontages sauf que ça coûte deux mois de votre temps et je n'ai pas ces deux mois en réserve, même pas deux semaines...

16

Indécision

Même si je voulais m'en remettre à une évidence ou à la médecine, je n'aurais pas de réponse. Je suis sur la ligne, sur la clôture et je dois faire un choix difficile.

Nous sommes le quinzième jour de mon hospitalisation et je ne peux me plaindre de ma voisine puisqu'elle est discrète et paraît aimer elle aussi la solitude. En tout cas, elle tire le plus souvent le rideau entre nous et cela me permet de penser.

Peser le pour et le contre... To be or not to be...

Non, je n'ai pas les moyens financiers de m'arrêter deux ou trois mois, mais au train où vont les choses, l'État assumera-t-il dans quelques années les coûts d'une intervention telle que le pontage coronarien. Ou bien un ministre de la santé aussi bandit que la masse de nos gouvernants nous montrera-t-il sa mine attristée et nous dira-t-il avec une désolation affectée –car s'il devait avoir besoin de pontages, lui, (ou elle) aura les moyens de se les payer–

– Pus capab... not' bon et généreux gouvernement voudrait ben mais y'est pus capab... (Durant des décennies, on a enrichi Paul en Cadillac pis asteur, ben, y'a pus rien que Paul qu'a les moyens de se faire ponter. Paul, tu comprends, c'est un gars important qui donne d'l'ouvrage au p'tit monde...)

Des millions de personnes enrichies par les politiques gouvernementales passées possèdent des surplus et du superflu, les banques s'enrichissent incroyablement, des familles sont milliardaires, des pans entiers de la société habitent dans des maisons luxueuses et courent l'étranger chaque année, mais on peut pus monter les taxes... **Et on va déshabiller Pierre pour que Paul continue de rouler dans sa Cadillac.** J'ai osé dire à Jean Chrétien que mon pays ce n'est plus un pays, c'est une porcherie, et en ce jour de décision, je le pense comme jamais. Et je pense la même chose du Québec car ce n'est pas là une affaire de séparation mais de mentalité odieuse des gagnants.

Ça sent la merde dans ce pays, que voulez-vous, monsieur Chrétien !

La concentration bancaire –l'une des pires au monde– fait en sorte que la créativité est exclue de ce domaine et ne favorise donc aucunement la créativité de ceux qui ont affaire à ces robots-rouages, simples exécutants d'une politique érigée en système, un système à l'image toujours du grand, lui-même axé sur la course effrénée des pseudo-gagnants, l'ambition démesurée, la consommation excessive, le matérialisme pur.

Ça sent la merde dans ce pays et les gens démunis de moyens n'arrivent plus à se démerder. On fabrique le chômage à la chaîne tant dans le privé que dans le public. Après avoir enrichi Paul, on refuse de prélever un morceau de tôle de sa Cadillac pour tâcher de colmater les brèches énormes faites à notre économie par ces fous qui nous ont gouvernés depuis 2 ou 3 décades. On peut toujours masquer l'odeur par de prestigieux voyages de premiers ministres en missions commerciales médiatisées à l'autre bout du monde.

Je m'en vais dans mon petit coin caché près de l'ascenseur pour tâcher d'aligner quelques alexandrins tout en laissant mûrir les matériaux de ma décision, mais c'est peine perdue et tout continue de tourner dans ma tête.

Pour tout dire, je n'ai même pas emporté mon cahier ni aucun autre papier. Ai-je au moins du papier mental ou bien mon esprit n'est-il qu'une ardoise sur laquelle je barbouille à foison, efface et barbouille à nouveau ? Toujours les mêmes concepts à travers les mêmes obsessions. Je me dis qu'il finira par en résulter une réponse inconsciente qui ensuite fera surface...

Donc en ce 9 novembre, j'ai deux routes devant moi: celle menant à la chirurgie cardiaque ou bien celle passant par la médication et le mode de vie.

Au départ, je n'ai pas envie de vivre à n'importe quel prix. Pratiquer un métier dans lequel on est obligé de se battre quasiment seul contre des forces gouvernementales écrasantes. Se faire voler légalement tous les jours. Ne jamais être sûr du lendemain. Toujours risquer de se faire démolir par une critique issue des intérêts du système. Une seule chose vous garde en selle: c'est le bonheur qu'on trouve à créer. Enfanter. Et espérer que le pouvoir politique tombe un jour enfin entre des mains créatrices capables de **mettre l'État hors d'état de nuire**, pour faire changement des grosses pattes d'imbéciles qui nous administrent depuis 30 ans. (Je viens encore de voir la photo de mon nono de député qui se vante d'avoir 'sorti' une subvention de $100,000. comme si un symptôme de notre subventionnite aiguë était signe d'un summum de vertu.)

La journée s'écoule. Le docteur C passe par ma chambre mais ne me trouve pas; il reviendra demain. Mon amie me visite. Ma fille me téléphone. Je parle, je parle et je parle. Et rien ne se dessine clairement dans ma tête. On verra demain, on verra bien...

Décision

Dix novembre, un vendredi. Quelque part au début de l'après-midi, ma chambre se remplit tout à coup. La grande infirmière R me visite tandis qu'un interniste voit ma voisine de chambre. D'autres sont là, dont je ne me souviens plus de l'image. La discussion s'anime autour de ce diagramme de mon coeur qui me fut offert par le docteur de Québec. Je le braque au visage de l'interniste et lui glisse vivement la question:

– Dans un tel cas, une médication serait-elle aussi valable qu'un pontage ?

Il répond oui catégoriquement. Peut-être a-t-il senti dans cette indécision qui s'exprime par ma question, le désir qu'on me réponde par l'affirmative. Mais il paraît compétent. Il en donne l'air. Je crains toujours les gens qui se montrent trop sûrs d'eux. Mais, veut veut pas, ça nous influence, surtout s'ils disent quelque chose qui nous convient.

Plus tard, c'est à moi de recevoir la visite du médecin qui me reproche aussitôt ma 'disparition' de la veille. On m'a cherché un peu partout y compris à la bibliothèque. Est-il mécontent d'avoir perdu un client ce jour-là ou est-il sur la défensive, sachant que je suis souvent retranché derrière les apparences de l'attaque depuis cet infarctus provoqué ?

Notre discussion ne mène nulle part.

Il me conseille de me faire évaluer les réserves du coeur par le test du thallium. Non, mais il est malade ou quoi. La coronarographie a révélé que j'avais le coeur en bon état sans même de traces d'infarctus et que l'artère principale du coeur est bloquée à 80%. Quel besoin d'un autre test ? On peut prendre une décision à partir de ces données. Si j'ai refusé le test du thallium avant la coronarographie, pourquoi diable l'accepterais-je maintenant ? Qu'est-ce qu'on ne me dit pas ? Cache-t-on quelque chose ou bien suis-je un cas intéressant ?

La voie du lièvre, c'est d'aller tout droit au pontage. On opère, on règle le cas et j'oublie ce problème. Celle de la tortue, c'est la médication, le mode de vie, le contrôle permanent. Apprendre à vivre avec mon coeur tel qu'il est et lui donner toutes les chances possibles. Il y a des inconvénients et des avantages des deux côtés.

Contrôle de l'hypertension.

Contrôle de l'alimentation.

Contrôle de la production.

Contrôle de l'action.

Contrôle des émotions.

Contrôle de la télévision.

Même si je choisis la voie de la chirurgie, il faudra par la suite que je contrôle tout ça ou risquer de devoir subir d'autres attaques comme ce voisin de chambre de la semaine précédente, parti pressé avec ses pilules de survie.

Le plus dur sera sans doute la contrôle de la production. Car si deux de mes titres de l'année sont lents, je me retrouverai devant une grande incertitude et donc un nouveau stress.

Pourvu que je tienne le coup sur le plan financier, que je trouve les fonds ou le crédit nécessaire pour faire imprimer mes nouveautés, je n'aurai aucun problème. Mais allez expliquer à un idiot de banquier que votre produit fut toujours rentable malgré la pourriture du système, qu'il est en mesure, ce produit, même non subventionné, et face à la concurrence grassement subventionnée, d'assurer non seulement votre subsistance mais de générer 20%, 30% d'intérêt sur investissement, il vous demandera bêtement:

"T'aurais pas un chalet qu'on prenne une garantie ?"

Comme si les valeurs humaines, le talent, l'expérience et le travail ne signifiaient rien du tout à côté d'un vieux chalet. On peut bien se retrouver en pleine décroissance économique avec des mentalités pareilles. Mais cette mentalité enrichit tout de même le banquier, ce pitoyable citoyen... qu'il faudrait expédier au nord en isolation... avec tous les merdouilleux qui forment l'État...

On verra en février, mars de l'an prochain, on verra...

Je me suis fait apporter mon caméscope. Il faut que je prenne des visages sur pellicule car si je n'ai pas encore pris de décision quant à ma santé, j'en ai pris une quant à mon écriture prochaine. Il faut que je raconte cette mésaventure à l'hôpital et mon titre est tout trouvé: **Hôpital: danger !**

Je ne veux pas tirer sur tout ce qui bouge ni accuser qui que ce soit, mais démontrer que ce sont les systèmes qui nous assassinent tous, mieux nantis aussi bien que démunis, un peu plus chaque jour. Et le faire voir par un exemple non pathétique mais patent; le mien. Par-dessus tout, je veux faire ressortir que l'État est devenu une créature malfaisante qu'il faut mettre hors d'état de nuire, qu'il faut museler, dompter avant de la ratteler au char de la nation pour le mener vers le bien, vers le vrai et le bon progrès.

Je me promène par les couloirs pour prendre des 'snaps' de dix secondes qui me permettront plus tard de décrire les personnes sans avoir eu à me rappeler leur image. Plus facile. Comme de décrire un paysage quand on est devant.

Je sais qu'on pourrait me le défendre, m'invectiver, me niaiser, mais tous s'y prêtent de bonne grâce. Faut dire que je ne prends aucun malade. Sauf Mark Twain qui s'y prête de bonne grâce. Et avec lui, je me mets à la recherche de monsieur H, mon bruyant voisin du 457 dont je n'ai plus entendu parler après son départ. Nous le retrouvons. Il fut mis avec un mourant. Je regrette un peu mes gémissements. Peut-être est-ce ma faute s'il est là... D'un autre côté, il ne doit pas déranger le mourant et on lui a donné une fenêtre, ce qui lui vaudra tout le soleil qu'il aime tant.

Ma façon de faire a-t-elle déplu à d'aucuns, simple hasard, toujours est-il qu'une heure plus tard, le docteur C vient me proposer de signer mon congé étant donné que je ne semble pas vouloir m'inscrire de suite sur la liste des futurs opérés du coeur. Il va faire la prescription des médicaments qu'il me faut: nitro en patches, tenormin, aspirine à effet lent. Et voilà!

Fidèle au poste comme toujours, mon amie vient me prendre une heure après le souper. Je suis en excellente forme physique et pourtant le froid m'assaille en sortant. Le vent d'automne est si cru...

J'aurai coûté $8,000. et plus (si on compte la coronarographie et tout) à l'État pour avoir eu la malencontreuse idée ce matin d'octobre d'aller me plaindre à l'urgence de l'hôpital d'une douleur irradiante dans le milieu du dos. La prudence excessive peut nous conduire loin quand un système nous prend dans ses engrenages **avec** notre consentement.

Je n'ai tissé aucun lien sérieux ou solide à l'hôpital et me souviendrai à peine des visages rencontrés tandis que les échanges verbaux se perdront encore plus vite. Heureusement, chaque jour, j'ai pris des notes dans mon cahier de la pièce de théâtre qui n'en est encore qu'à son premier acte. Et pourtant je subis un choc émotionnel en quittant les lieux. Enfant sevré de sa mère. Angoisse de celui qui retourne chez lui avec un infarctus dans sa poitrine, des médicaments dans ses poches et de l'incertitude dans la tête. Avec le sentiment d'une brisure... Rien ne sera plus jamais comme auparavant. Retrouverai-je l'enthousiasme d'écrire, de créer comme naguère. Bien sûr, j'ai pondu ces vers à l'hôpital, mais c'était par amusement, par temps perdu, comme font tous ces auteurs d'occasion qui causent tant de tort à ceux qui ont embrassé avec tout leur coeur et toutes leurs possibilités le métier ingrat des lettres.

Ça fait drôle de retrouver ses vieilles affaires après une hospitalisation. Ce n'est pas comme après une autre absence prolongée. Elles semblent en état d'hibernation. Le sourire de la première image de l'ordinateur me paraît attristé. L'imprimante reste bouche bée en me voyant et le télécopieur affiche son éternel dos rond.

Je touche chacune comme pour les apprivoiser toutes, comme si elles étaient des animaux domestiques en attente d'un lot de caresses avant de se remettre à leurs habitudes que je viens réveiller.

Puis je consulte mon livre sur les médicaments et cela m'inquiète. Tous ces effets secondaires seront pour moi, je le sais. Mon organisme est sensible et fragile comme celui d'un enfant et on me soigne, me semble-t-il, comme si j'étais un cheval. La pilule qui me fait le plus peur est l'Ativan au sujet de laquelle le docteur C m'a mis en garde. On parle dans mon livre d'assuétude, de symptômes de sevrage sérieux... On serait surpris de connaître le nombre de personnes accrochées aux médicaments, surtout de la catégorie des antidépresseurs et des anxiolytiques. Pourtant, j'en ai 30 entre les mains, de ces charmants petits comprimés, puisque sur le chemin du retour, nous nous sommes arrêtés à la pharmacie pour faire remplir l'ordonnance.

Je dois me défaire de l'Ativan sans tarder. Qu'importe

si je tarde à dormir puisque je pourrai le faire au matin sans personne pour venir m'en empêcher, qui s'amènera pour prendre la pression du voisin ou tirer les rideaux sans ménagement.

Et je ne tarde pas à prendre ma douche. La première depuis plus de deux semaines, car à l'hôpital, il faut se laver à l'ancienne c'est-à-dire à la mitaine...

Avant de regarder la télé, je lis à mon amie les 40 nouveaux vers que j'ai alignés dans ma pièce *Duel rue principale*. Il s'agit de la scène troisième. Inachevée. Enfin le héros de l'histoire, Donald Morrison, entre en scène. Il apparaît au bar de l'American House où discutent déjà Augusta, la serveuse, Jack Warren, l'Américain chasseur de primes de même que Pete Leroyer dit le Sauvage.

AUGUSTA

Tiens, en parlant de la bête, on lui voit la tête.

DONALD, *le pas long, l'air joyeux*

Salut les boys! Un beau soir pour faire la fête!

AUGUSTA

Jack Warren, le voici, l'homme qui t'intéresse.
(Jack se lève pour partir)
Tu t'en vas déjà ? Reste ! Y'a rien qui te presse
155 A part... la peur...

WARREN

J'allais aux toilettes dehors.
A bien y penser, je vais attendre plus tard.

NORMAN

J'aime ce bar: le plus western de par chez nous.

AUGUSTA

Bonsoir Donald, bonsoir Norman, asseyez-vous!
Comme d'habitude ?

NORMAN

Scotch.

DONALD

Aussi un pour moi.

160 Et un pour notre cher ami Jack Warren.

AUGUSTA

Quoi ?

DONALD

A moins qu'il refuse de boire avec des gars
Comme nous deux: des Écossais du Canada...

WARREN

A cheval donné, qui va regarder la bride ?

AUGUSTA, *indiquant la face de Warren puis les pistolets de Donald*

Hey Jack, l'éclairage te donne un air livide.
165 As-tu froid ? Pourtant, c'est juin et c'est très chaud...
C'est-il les pistolets que tu trouverais beaux
Au point de vouloir les essayer ?

DONALD, *entourant l'épaule de Warren*

Lucius
Est mon bon ami. Un peu comme mon anus.
Je ne peux m'en passer même s'il pue un peu.
170 Pour gagner son whisky, chacun fait ce qu'il peut.

NORMAN

D'aucuns chassent l'orignal, comme le Sauvage,
D'autres, les hors-la-loi...

DONALD

Il faut plus de courage
Pour descendre un malfaiteur et c'est plus payant.
(Le Sauvage tend l'oreille)
Faut pas croire comme lui *(Norman)* que c'est répugnant

175 D'abattre un bandit pour la récompense. Non!...
(Norman et Donald lèvent leurs verres)
Levons nos verres. Tu bois, mon Jack ? Buvons...
A la santé de notre ami Pete Leroyer,
Ce fier métis qui s'est donné pour seul foyer
Les forêts du canton...

NORMAN

Santé!

WARREN

Santé!

AUGUSTA

Santé!

180 A tout le monde, sauf que moi, je bois du thé.

LE SAUVAGE

Heu, heu, heu, heu...

DONALD

Le Sauvage connaît par coeur
Tous nos grands bois. Et c'est lui le meilleur pisteur
De Marsden à Whitton, de Ditchfield à Lingwick.
C'est l'homme le plus connu de tout Mégantic.

AUGUSTA

185 Excepté Donald Morrison.

NORMAN

A la justice!

WARREN

Donc à la loi!... Soit dit sans aucune malice!

(Les verres sont posés. Morrison toujours debout sort soudain ses armes. Il pointe un revolver vers le Sauvage et l'autre sur Warren.)

DONALD

Deux hommes qui traquent le gibier et qui chassent
A l'année, suivant tout ce qui bouge à la trace,
Sans recul, sans frissons, sans hésiter jamais
190 Auront pas peur de mes deux beaux faiseurs de paix,
C'est certain...

(Les deux personnages visés sont consternés.)

NORMAN

Deux fois six coups, ça étend douze gars.
Et six coups dans le même, ça fait des dégâts,
Oh! monsieur oui !

WARREN

Moi, je ne cours pas la bagarre.

DONALD

Je sais que tu ne me cherches pas. Pas encore...

17

Réadaptation

Il me faut reprendre la cognée. J'hésite. La peur. Chaque fois dans le passé que j'ai écrit ou édité autre chose qu'un roman, je me suis brûlé les ailes. En 1992, je n'ai pas pu rentabiliser *Aux armes citoyen!* un essai sur le système dans lequel nous vivons. Le public féminin ne veut pas de ces choses-là et les gars du Québec ne lisent pas de livres, toute leur pensée se formant à partir des journaux du matin qui, eux, forment celle des médias électroniques. En 1986, j'ai eu des problèmes avec une collection de livres d'un genre inventé: romance astrologique. Décidément, il est risqué pour un auteur d'ici de sortir d'une certaine spécialisation bien qu'on ne puisse m'étiqueter à l'intérieur du genre romanesque puisque je suis passé du roman historique (*La Sauvage, Le Trésor d'Arnold*) au roman de moeurs (*Rose* et suites) puis au roman satirique (*La Belle Manon, Présidence*) pour revenir sur ces genres périodiquement.

Et puis la consommation de culture (pas l'emmerdante que dégustent les intellos chiants, intellos, mais l'autre, l'authentique, la populaire) est à la baisse. Et puis le public sera peut-être 'tanné' d'entendre parler en mal du système de santé. Le livre de Lanctôt. Le grand virage ambulatoire. Des cas très médiatisés comme celui de cet homme laissé mourant sur le parvis de l'hôpital Fleury.

Ne devrais-je pas plutôt finir la collection des Paula (*La Voix de maman, Un beau mariage, Femme d'avenir*) par le dernier de la série, très demandé parce qu'annoncé dans les trois précédents: *Une chaumière et un coeur* ?

Ou passer sans hésiter à mon grand projet de roman historique (1759) en 2 tomes d'au moins 600 pages chacun, et intitulé: *Au premier coup de canon* ? Comme il me tarde d'entrer dans la vie de Geneviève Picoté et Catherine Pauzé, les deux héroïnes que je porte en moi depuis plusieurs années et qui, je le sens dans mon ventre, ont hâte de venir au monde.

Ah! mais il me faut aussi poursuivre la série des **Rose** qui doit compter 5 livres et en demande donc 3 autres après *Le Coeur de Rose*. Ne serait-ce pas le moment pour *Rose et le diable*, le troisième de la série ?

Pour me faire une idée, je vais questionner autour de moi comme j'ai commencé à le faire. Pour savoir si le sujet de *Hôpital: danger!* est susceptible d'intéresser. Je veux bien jouer au missionnaire et raconter mon cas pour rendre service à d'autres, mais je dois aussi survivre et ma première préoccupation se situe là.

Toutes les opinions seront favorables, d'autant que tous s'intéressent à leur propre corps bien plus qu'à l'Histoire lointaine ou récente. Aussi, presque chacun peut raconter un cas d'erreur médicale ou d'incompétence.

A ce propos, revenons au samedi 11 novembre. Ce jour-là, mon amie et moi discutons de simple survie matérielle. Elle me parle d'un parent qui voilà une vingtaine d'années a investi $20,000. dans une industrie vestimentaire. Du chandail. L'État a enterré l'entreprise de subventions. Et les chandails ne font pas l'objet de prêt public; en effet, il serait ridicule de penser qu'il puisse exister quelque part au monde des 'chandail-o-thèques' subventionnées.

Au domaine du livre, elle et moi avons investi la même somme mais n'en avons récolté qu'une subsistance précaire. Bien sûr qu'il se consomme bien plus de chandails que de livres mais pourquoi en plus le système subventionne-t-il le producteur de chandails tandis qu'il déshabille l'auteur de livres via le prêt public subventionné, sans compensation adéquate et juste pour le créateur ? Parce que le système, dans sa définition même, est anti-créativité, le neuf le mettant forcément en danger. Sa réaction est donc d'étouffer la créativité si grande chez l'être humain, et de la récupérer à son compte pour la museler et l'atteler à son service à travers un petit système à son image, comme celui du livre et de l'édition par exemple.

Les gens à l'aise ne trouvent pas trop les moyens de se payer un livre par année mais ils ont celui de s'offrir 20 chandails. Ils sont étouffés par les taxes dans des maisons cossues et payent les factures entre deux voyages à l'étranger ou trois achats de luxe. Plus personne n'est responsable de l'exclusion dont sont maintenant victimes au Québec plus de 2 millions d'individus. Exclusion pour beaucoup du minimum vital et pour les autres du nécessaire quotidien. Et bien sûr, pas question pour eux de la moindre qualité de vie en dehors de la simple subsistance. Chasse gardée, ça, les quelques douceurs de ce monde !

Il fut un temps où on pouvait identifier l'oppresseur; plus maintenant. C'est un système démoniaque qui nous conduit les uns et les autres vers le pire. Ce système a fait en sorte que l'Occident ne tende pas la main à la Russie, pays qui est une gigantesque bombe à retardement. Le refus aveugle du plus fort de comprendre que son propre bien passe par le soulagement du plus faible et le système qui s'enracine dans ce refus sont la garantie la meilleure de notre déchéance générale. Ceci dit sans lavage de cerveau de type apocalyptique. Le bon sens le dit simplement.

Henry Ford a doublé le salaire de ses employés du jour au lendemain pour leur donner la chance d'acheter ses voitures. Il a compris que son bien passait non par l'esclavage et l'exploitation des hommes mais par leur propre bien-être. 80 ans plus tard, nos gouvernements pratiquent le contraire et font en sorte qu'on puisse **déshabiller Pierre pour enrichir Paul qui roule déjà en Cadillac.**

J'ai voulu, moi aussi, profiter du plan Paillé de démarrage d'entreprises pour enfin, après 18 ans d'efforts soutenus, sans subventions ni crédit bancaire, disposer du capital requis pour multiplier la rentabilité de mon produit. Refus par 4 banques à cause d'une faillite causée précisément par l'absence de crédit bancaire donc de l'essentiel fonds de roulement. Ce même plan Paillé a servi à enrichir des fraudeurs. Et bien sûr que le fils d'un père nanti et solvable a pu obtenir, lui, grâce à la signature de papa, le capital de risque dont il avait besoin. Pourquoi a-t-on mis ce programme entre les mains du banquier ? Parce que banquiers et politiciens couchent ensemble et sont de la même race maudite. Point final !

Qu'on m'enlève de l'intérieur des artères coronaires les résultats du stress négatif de ces 20 dernières années – responsabilité de l'action gouvernementale imbécile au domaine du livre et de l'édition– et je n'aurais peut-être aucun blocage. Mais au contraire, le système voudra me faire croire que j'en suis le premier et seul responsable, que je n'avais qu'à m'adapter à lui et à ses codes... puisque de toute façon, il finit par casser tous les rebelles qui le défient et refusent de se laisser récupérer...

Mon état physique est bon tout de même. De la force coule dans mes veines et me permet de vivre un sentiment de révolte devant l'injustice sociale et planétaire et d'indignation devant le **manque de conscience sociale et planétaire** des nantis du monde entier.

Je me coucherai sans trop d'anxiété tout de même malgré les réflexions du jour. Je suis sorti de l'hôpital et heureux de l'être même si tout ce bourdonnement qui m'a tant stressé dans les premiers jours me manquera sûrement dans ce silence de ma demeure isolée.

Une demi-heure plus tard, au bord de la somnolence, je sursaute puis me lève en catastrophe. Véritable état de panique. Coup de fouet. Jamais de toute ma vie je n'ai ressenti cela. C'est comme si j'étais enfermé entre des murs invisibles, dans une camisole de force. J'ai déjà vu cela au cinéma et n'y ai jamais trop cru. J'ai déjà visité quelqu'un dans un établissement psychiatrique et les malades y paraissaient tous d'un calme olympien. Rien de tel avec l'état dans lequel je me vois. Je commence à marcher de long en large dans les pièces en me demandant ce qu'il advient de moi. Quelque chose me pousse à me jeter en bas de quelque chose. Dieu merci, je ne suis pas au dixième étage avec fenêtre sur cour de ciment.

Je cours au livre des médicaments et relis ce qui concerne l'Ativan. Voici ce que je peux lire au chapitre risques et précautions.

"Les benzodiazépines (dont l'Ativan fait partie) sont considérées sûres pour la plupart des gens, mais leur danger réside dans le risque de dépendance qu'elles entraînent lors d'un traitement prolongé. C'est pourquoi elles sont généralement prescrites pour des traitements de deux semaines tout au plus. Quand on les utilise à long terme dans les cas d'**anxiété aiguë** chronique et d'états de **panique**, leurs effets thérapeutiques sont évalués à la lumière des risques de dépendance.

L'interruption d'un traitement prolongé aux benzodiazépines s'effectue sous surveillance médicale, car elle peut causer des symptômes de **sevrage**, de l'**anxiété** aiguë, des **cauchemars** et de l'agitation. Certaines personnes font un usage abusif des benzodiazépines, à cause de l'effet sédatif qu'elles procurent. C'est pourquoi on les prescrit avec prudence aux gens dont les antécédents médicaux indiquent des tendances à l'alcoolisme ou à la toxicomanie."

Pourquoi m'a-t-on prescrit cette cochonnerie ? On m'a jugé à vue de nez à l'hôpital. Je n'étais ni en état d'anxiété ni en état de panique après mon infarctus. Mais le norme veut qu'il en soit ainsi des cas de coeur. Et de plus, je me suis trop exprimé et dans un langage de romancier. Cette réflexion sur le pont de Trois-Rivières me revient et je commence à comprendre. Toutes ces visites de gens qui me faisaient parler sur mon problème et parler encore devaient s'inscrire dans le cadre d'une thérapie entrée elle aussi dans les normes.

Si on avait soigné la personne et non les symptômes ou les apparences, on m'aurait renseigné sur la nature de ce médicament, on aurait cherché à savoir qui j'étais et quelle est ma façon habituelle de m'exprimer. Mais on a sauté aux conclusions et on a pris un être stressé certes pour le jeter au bout de 15 jours dans un état de panique frôlant la folie destructrice. Tout comme mon organisme réagit très fortement au moindre médicament, le voilà qui réagit tout autant en l'absence du dit médicament. Mais je ne suis plus qu'un souvenir, qu'un dossier pour le système de santé qui lui, m'a mis sur le bord du chemin dans un état dit stabilisé comme il était de son 'devoir' de le faire. La suite, il s'en contrecrisse royalement... ou bien, devrait-on dire de nos jours, démocratiquement...

Je marche, je marche, je marche. Je prends des comprimés de Relaxol. Je tente de me coucher mais je me redresse comme un ressort. Il me faudra quatre heures de cette agitation incessante avant de pouvoir m'étendre à nouveau. Du jamais vu... Alors je peux sombrer dans le sommeil paradoxal. Et les cauchemars commencent, qui me suivront jusqu'au moment d'écrire ces lignes (2 mois plus tard) et, je le crains bien, pour longtemps encore.

Les effets de tout ça, anxiété et cauchemars, auront des conséquences qu'il me semble encore impossible d'éviter: énorme difficulté de concentration, trous de mémoire, incohérence dans l'assemblage des matériaux mentaux nécessaires à la construction d'un livre.

J'aurais très bien pu traverser mes 16 jours d'hospitalisation sans Ativan et maintenant, je ne devrais pas lutter contre toutes ces fâcheuses conséquences. Mais la norme était là. On guettait le moindre symptôme d'anxiété et dès lors, le système a agi.

A l'époque de la médecine à domicile –et c'est pourquoi je favorise le virage ambulatoire– le docteur connaissait la personne de son patient et pas seulement les symptômes de son mal. Connaissant ma façon de m'exprimer, ma sensibilité morale et ma sensibilité aux médicaments, jamais le docteur de campagne ne m'aurait fait prendre de l'Ativan. Jamais, j'en suis sûr ! D'aileurs, un jeune docteur que je verrai tard en janvier me dira que l'Ativan est de la *merde qu'il faudrait soustraire du protocole...*

On a tendance à attribuer au médecin les progrès de la médecine tandis que ces progrès sont essentiellement dus à des créateurs dans le domaine, à des chercheurs qui ont trouvé de nouveaux médicaments, de nouveaux traitements, de nouvelles techniques chirurgicales, aidés par les progrès de la science et de la technologie.

Quant au médecin de tous les jours, il n'est qu'un exécutant qui applique les connaissances qui ont vu le jour grâce à d'autres esprits. Voilà pourquoi il travaille sur la maladie et non sur le malade. Et puis son matérialisme et ses incessants besoins de beaucoup d'argent lui font écourter les rendez-vous de sorte qu'il n'a plus de temps à consacrer à la personne humaine.

Il faudra une nouvelle race de médecins. Je la crois en trains de se constituer. Des docteurs comme ceux de jadis, capables de visiter le corps et l'âme des malades, désireux de prévenir la maladie par leurs conseils. Des généralistes dans toute l'acceptation du mot, pas des prescripteurs de produits chimiques dangereux pour beaucoup de gens.

Si un docteur d'autrefois avait eu la panoplie des médicaments d'aujourd'hui et des moyens et connaissances modernes, il aurait fait des miracles grâce à sa mentalité. Car c'est avec discernement et parcimonie qu'il aurait établi des ordonnances. Et si cette médecine plus empirique devait se reproduire au siècle suivant, on fera des miracles. En attendant, on fabrique des zombies à l'aide de la pharmacopée.

Mais le médecin d'aujourd'hui n'est pas coupable: il est lui-même un objet entre les mains du système qui lui a implanté des maîtres-mots dans le cerveau: ambition, compétition, consommation. Il doit maintenir son standing. Et puis le client –lui-même dépersonnalisé par le système– en veut, des pilules, sinon il ira voir un autre docteur. On consomme sa santé puis quand elle montre des symptômes de dommage, on voudrait la réparer en courant vers un docteur-garagiste.

Pourquoi n'ai-je pas demandé des renseignements sur les médicaments qu'on me donnait à l'hôpital ? Pourquoi l'école ne m'a-t-elle pas donné des cours de Santé 101, 201, 301... au lieu de me bourrer de mathématiques ? Jamais je ne me suis servi de ma géométrie analytique mais comme il m'aurait été utile de connaître l'action des anxiolytiques ces derniers temps. Et puis non, ça n'aurait pas de bon sens pour le système, il faut que le citoyen soit endormi, dépersonnalisé, remodelé selon la norme, rendu normal quoi...

Mon dimanche sera plus que pénible. Je suis perdu. Vidé de quelque chose. Coupé de quelque chose. Il me semble que j'ai fait le tour de la planète et que je me suis rendu compte au bout du voyage, comme les Anciens, qu'elle était plate. Décroissance. Morosité généralisée. Problèmes planétaires. Problèmes sociaux. Pauvreté. Pollution. Matérialisme indéracinable. Injustice. Iniquité. Absurdité. Loi des forts en gueule ou en sous. Tout ce qui nous afflige m'afflige doublement, triplement à cause de cet état pathogène que mon hôpital si maternel m'a laissé en legs indésirable. Criminalité. Racisme. Drogues. Faim. Guerre.

Et ce journaliste qui se porte à la défense de Radio-Canada dans le journal de Montréal dans un article d'une malhonnêteté intellectuelle raffinée, incomparable. *La SRC rassembleuse*, soutient-il. Rassembleuse en effet de moutons bêlants dépersonnalisés par les médias. La SRC *catalyseur, étalon culturel*, dit-il aussi. Ce gars-là doit prendre de l'héroïne pour nous servir dans la seule petite page qu'il a à composer chaque matin de telles âneries vides de sens et de conséquences. *SRC, faiseuse d'identité culturelle*. Mon oeil, mes yeux! *Élitistes et présomptueux, les politiciens* ? C'est tout autant la SRC qui se définit comme cela. *Dix cents par jour par Canadien*, ça fait $36. sur le dos de l'enfant qui vit sous le seuil de la pauvreté qui ne mérite pas cette taxe-là pour tant de gaspillage et d'imbécillité radio-canadienne. La privatisation de la télé publique *signifierait la disparition de la télé telle qu'on la connaît aujourd'hui* ? Évidence évidente. Et après ? Le progrès fait des disparitions, c'est de toute époque. *Nous n'aurions plus qu'une télé à la carte*. Mais bravo pour la *télé de chacun* car c'est elle qui, en passant par la repersonnalisation des individus-numéros comme les aime ce journaliste, permettra peut-être de défaire cette société pyramidale en décroissance et tueuse de créativité qui nous emporte tous vers le pire. Toute la pensée du journaliste est systémique, inféodée aux pensées hiérarchiques, donc favorable au système radio-canadien. Il ne se gêne pas pour frapper à gros coups de poing enduits de mayonnaise le système politique pour qu'il garde ses grosses pattes à patauger dans la chose culturelle.

Il faut privatiser Radio-Canada au plus sacrant. C'est la seule façon de lui offrir une purgation essentielle et d'y ramener la décence budgétaire. Seule façon de se débarrasser des dépenses indues et des vieilles sorcières à poireaux qui hantent nos écrans depuis si longtemps.

Si comme s'en plaint ce journaliste, personne à part lui-même ne se lève pour défendre Radio-Canada, c'est peut-être que plus personne ne veut cautionner l'indécence, l'excès systématique d'une télévision archi-super-de-luxe et historiquement prétentieuse et arrogante. Et puisque, plus catholique que le pape, la SRC joue à la télé privée, qu'elle en assume tout le prix, un prix qui inclut forcément la privatisation.

Tout m'angoisse et même des riens comme cet article sans valeur et sans poids enrobé de mots choisis et de tournures frisées.

Ce soir-là, je mange une boîte de soupe Campbell. Une crème de poulet. Elle me fera un poing au milieu de la poitrine une partie de la nuit. Au moins, ça m'évitera des heures à 'cauchemarder'. Au matin, je regarde l'étiquette sur le contenant. Il y a assez de chimie là-dedans pour vous brûler un estomac toute une nuit.

On a accepté peu à peu l'édulcoration insidieuse des bonnes choses par des éléments à caractère corrosif. Parmi ces choses, la soupe Campbell et... Radio-Canada... Ses vertus de jeunesse ne justifient pas qu'on nous en impose les infirmités, les oedèmes de l'âge 'adulte', car par peur de la sclérose, et pour la masquer puisqu'elle n'a pas pu et su l'éviter, la SRC a donné dans la démagogie des sports de masse, des émotions-clips (Scoop) et **du rire de rue**. (La drôlerie irrésistible dans Popa et Moman pour 4 Québécois sur 5, c'est qu'on y trouve enfin plus niaiseux que soi. Comme dirait Claire Lamarche: ça fait du bien. Ça rassure sur sa propre intelligence et quand on est rassuré, on a le rire à portée des lèvres... Et ça rassemble, comme dirait le journaliste. Ça rassemble à l'étage des nonos...)

D'aucuns me pardonneront ces propos à cause de ces maudits médicaments dont je tente de me sevrer, sans compter ces patchs de nitro qui me montent à la tête et me font de plus en plus souffrir à mesure que je suis de plus en plus actif le jour. Mais je dois dire que dans mes meilleures journées, le fond de la pensée reste le même bien que moins incisif dans la formulation...

Je dis depuis 20 ans et dirai encore dans 20 ans que l'État doit être mis hors d'état de nuire... Là où s'infiltre l'État, ça finit toujours par puer. Et la SRC, c'est une patente étatique... Point final quant à moi !

(Et que penser d'une télé publique qui couvre comme la SRC l'a fait la sortie du film porno du soldat Cloutier tandis qu'elle refuse d'avance ses ondes à un auteur de 26 ouvrages tirés à plus de 200,000 exemplaires et qui sont lus des milliers de fois par jour dans les chaumières grâce au prêt public subventionné. C'est ça, le triomphe de l'image sur le bon sens et la créativité, et c'est inacceptable sur les ondes publiques... à un tel degré de bassesse et de ridicule.)

18

Un jour à la fois

Novembre: mois des cauchemars.

Il n'y a pas de serpents dans mes rêves, pas de crocodiles qui cherchent à me bouffer, ni d'esprits malfaisants qui menacent et vous donnent la chair de poule, signal, quand ça m'arrive, que j'ai froid et suis mal recouvert. Non, rien de ça, mais des situations simples, quotidiennes dans lesquelles je suis réduit à l'état d'impuissance. Chaque nuit que le bon Dieu amène, ce sont de nouveaux cauchemars et le fond est toujours le même: je n'ai pas de prise sur les événements auxquels je suis confronté.

En voici des exemples.

Je rêve que j'ai vendu des pièces de tissu à un commerçant ambulant qui ressemble à s'y méprendre à l'acteur Anthony Quinn. Il a le droit de me rapporter les morceaux invendus par lui et il le fait. Sa femme a dressé la liste de ce qu'il devra me payer, mais il exige que je fasse moi-même les calculs pour que je sois certain de leur honnêteté. Mais je n'y parviens pas. Le chiffres se dérobent à mesure que je les écris. Je n'arrive plus à faire des additions. Je suis incapable de mesurer le tissu.

J'ai beau lui répéter que j'accepte les chiffres de sa femme, il ne veut rien savoir. Puis il s'assied à une table avec 4 ou 5 personnes et pète de la broue en attendant mes résultats. Il n'est méchant envers personne, mais il fait un discours antisocial enragé, hurle contre la société, se démène et rit à travers sa colère...

Malgré toute sa patience et sa gentillesse envers moi, je me culpabilise de plus en plus de ne pouvoir arriver à lui donner la preuve de son honnêteté...

Ainsi raconté, ce rêve ressemble à un simple rêve et non à un cauchemar, mais ce que je ressens quand il se déroule est affreux. Ne pas parvenir à poser un geste qui vous fut toujours si simple rend fou. Ne pas avoir de prise sur le quotidien, c'est comme de vivre en Christopher Reeve, coupé de tous ses moyens. Ici, ses moyens intellectuels.

Le mal moral est si grand que je me réveille le coeur qui cogne et l'intérieur de la tête et ressemble à un moteur électrique surchauffé. Bon Dieu, mais quel poison a-t-on introduit dans mon système ? Est-ce seulement le sevrage de l'Ativan qui produit une telle réaction ou bien le dois-je aussi aux effets des patchs de nitro ?

Je me rendors et un autre cauchemar survient.

On dit dans mon livre des médicaments que l'usage prolongé (2 semaines) des anxiolytiques réduit votre sommeil paradoxal (rêves et cauchemars) et augmente votre sommeil léger mais aussi que le sevrage augmente considérablement le sommeil paradoxal donc les rêves et les cauchemars. Mais on ne dit pas combien de temps ce 'dérangement' va durer. (Au moment d'écrire ces lignes, je ne suis toujours pas sorti de ce piège et mes nuits sont écourtées, et mon énergie est diminuée de moitié à cause de ce manque de repos véritable et équilibré.)

Comment le système en est-il arrivé à assassiner aussi aisément le sommeil d'un homme ? Le sommeil est l'oxygène de l'âme. La tentation est forte de reprendre des Ativan pour enfin dormir plusieurs heures de suite mais ce serait me préparer des lendemains pires encore.

Et puis il y a les trous de mémoire. Il suffit de lire ce livre pour s'en rendre compte. Je suis répétitif parce que j'ai oublié ce que j'ai écrit précédemment. A chaque page, je me demande: "Ai-je déjà dit ça ou non ?" Mais je vais livrer l'ouvrage tel que je l'ai pondu afin que mon lecteur se rende mieux compte des dommages qu'une jolie petite pilule blanche peut causer à un cerveau.

Bien sûr que si j'étais manoeuvre ou retraité ou quelqu'un d'emporté par le tourbillon d'un métier ou d'un autre, je ne m'en rendrais pas trop compte et attribuerais ces trous aussi à l'âge; mais je sais comment fonctionne mon cerveau pour l'avoir suivi durant mes 20 ans ou presque d'écriture. Je connais les capacités réelles de ma mémoire. Et je sais que ce séjour à l'hôpital les a réduites de moitié, ce qui est très grave dans le cas d'un écrivain.

Je veux sortir mes bottes d'hiver du placard d'entrée. L'ampoule est brûlée. Je la change. Puis j'oublie tout à fait de sortir les bottes. Pour beaucoup de gens, pareil oubli sera normal. Pas pour moi. Mais c'est surtout le nombre de fois où ça m'arrive qui est inquiétant.

On a tué George Washington à force de le saigner. Tout le monde médical y croyait en ce temps-là, à cette thérapie euphorisante. Qui dit que dans un siècle, on ne se rendra pas compte que ces affreux anxiolytiques non seulement creusent des trous dans la mémoire mais déclenchent le processus irréversible de la terrible maladie d'Alzheimer ? Qui dit ?

Et depuis les jours de ce sevrage jusqu'au moment d'écrire ces lignes deux mois plus tard, je serai terriblement anxieux en certaines périodes de la journée, surtout au bord du soir quand la fatigue m'atteint le plus.

Mais revenons à mes cauchemars puisque j'en ai annoncé plus d'un exemple.

Me voici devant la console de la station de radio où je travaillais en 1970. Il y a tous ces boutons à tourner, toutes ces clefs, les tables tournantes, les magnétocassettes, le log (feuille de route) rempli de messages commerciaux... Je ne parviens pas à contrôler tout ça et pourtant, il le faut. Y'a le public à satisfaire, y'a les patrons à contenter, y'a mon emploi à sauvegarder. Mais je n'arrive pas à tout concilier... J'oublie des messages. Je ne trouve pas la cassette où se trouve tel ou tel message. Les tables se brisent. Je manque de mots pour boucher les vides... Quelle poisse !

Autre cauchemar. Je suis dans une salle de classe. Je reconnais certains collègues de naguère. Nous devons changer d'endroit pour passer un examen. Tous se précipitent vers la porte qui mène à l'extérieur. Je serai le dernier. Je n'arriverai pas à temps. Quoi faire ? Je décide de passer par la voie des airs. Je m'envole. Mais je vois tous les autres sous moi, qui courent vers la bâtisse de l'examen et me devancent. Je me désespère. Mais je trouve un autre espoir. Et alors je prends une attitude aérodynamique à la Superman pour ne pas être retenu par l'air et le vent. Mais voilà que des branches d'arbre me bloquent le chemin. Je lâche prise et me dis 'au diable les examens'. Et voilà que par enchantement, je me retrouve dans la bâtisse, un des premiers. Mais alors, je me rends compte que je ne sais rien de la matière examinée. Ce sont des maudites mathématiques. Et je n'en sais pas un mot, pas un chiffre, pas une formule, pas un iota... Rien du tout... Et j'en deviens si désespéré que je me réveille en peine, crispé, en malaise... (Mes notes de maths étaient pourtant plus que convenables autrefois...)

Le plus que j'avais en cauchemars naguère, c'était le rêve de la console de radio et ça m'arrivait une ou deux fois par année avec bien moins de pression, de stress et d'angoisse...

Maudits irresponsables de nous fourrer de l'Ativan dans le corps !

(Ce matin –d'écriture– de janvier, j'ai parlé à un enseignant de 47 ans et j'ai pu constater qu'il est tout aussi ignorant que moi –avant ma mésaventure– de tout ce qui touche les maladies et les médicaments. Et je suis certain qu'il aurait pu me parler de maintes choses. C'est un personnage qu'on sait très intelligent et cultivé rien qu'à lui parler quelques minutes. Inimaginable tout ce qu'on pourrait sauver comme société et comme individu si seulement on nous donnait des cours de Santé 101, 201, 301 à l'école... Mais le système de santé tout comme le grand système –banco-politico-médiatique– nous veut aveugles pour que nous lui donnions toute notre confiance et qu'il puisse prendre entre ses mains notre destinée, et qu'il puisse nous conduire vers le mal de vivre qui nous rendra encore plus dépendants et exploitables...)

Une semaine après ma sortie de l'hôpital, la secrétaire du docteur L me convoque à un rendez-vous. Elle me demande d'emporter avec moi des espadrilles pour le tapis roulant. J'en tombe en bas de ma chaise et suis incapable de faire un commentaire. Tant mieux, c'est au doc que je le ferai.

Tout le monde passe sur le tapis roulant quand on les soupçonne de crime cardiaque. Oui. Tout le monde se faisait saigner y compris Washington en 1799, et celui qui aurait mis ce procédé en doute aurait fait rire de lui.

J'ai encore bien moins la forme physique qu'avant mon hospitalisation puisque je n'ai plus refait ma marche matinale ni ma technique Nadeau depuis tout un mois. Je me sens fatigué. Pourquoi vouloir encore m'agresser avec ce moyen d'investigation. Vitesse sous-maximale avec thallium dans le sang, m'a dit le docteur R pour me rassurer. Ce n'est pas du tout rassurant puisque je me demande pour quelle maudite raison on n'a pas procédé par cette recherche de type médecine nucléaire au départ. Question argent peut-être ? Je n'en sais trois fois rien.

On ne savait rien de l'état de mes coronaires quand je suis monté sur ce tapis et pourtant, on a monté à la vitesse d'éperonnage (4e). Et ce n'est qu'hors de mes propres limites que j'ai bêché. Et maintenant qu'on m'a causé du dommage avec un test trop violent pour moi, on veut en revenir à un test plus doux. Non, mais c'est-il moi, le pas intelligent là-dedans ? Y'a quelque part quelqu'un **qui met la charrue en arrière des boeufs pour faire oublier qu'il l'a mise en avant un bout de temps...**

Mais j'irai, à ce rendez-vous, avec une liste de questions dont la dernière sera la suivante: "Comment me délivrer de ma phobie maladive du tapis roulant ?" Comme ça, j'espère bien que le doc comprendra le traumatisme psychologique aussi bien que physique qu'il m'a causé avec son test, aussi **normatif** soit-il et aussi admis par l'ensemble du système de santé sera-t-il.

Les journées passent. Je continue à entrer dans mon nouveau livre. Les difficultés sont grandes. Il me vient rarement des trouvailles, de ces phrases-vérités aux airs d'aphorisme ou de ces métaphores souriantes, dont je n'étais jamais dépourvu plus d'une journée lors de l'écriture de mes romans. Bien sûr, ce n'est pas le même genre de livres mais tout de même, la vibration intérieure n'est pas souvent là.

Tous les jours, je suis poqué. Comme assommé. Vertige. Manque d'énergie. Mais le plus dur, c'est le sommeil. Hachuré par les cauchemars. Brisé par les réveils répétés. Et cette fatigue si profonde qu'elle vous fait vous sentir dans une fosse noire d'un espace infiniment lointain.

Et la mémoire comme un gruyère... L'ai-je dit ?

Vendredi, le 17, passé dix heures, me voilà dans le bureau du docteur L. Seul à seul pour la première fois depuis qu'il a provoqué ma crise cardiaque dont le système et bien des intégrés au système voudraient que je lui sois reconnaissant.

J'ai ma liste de 34 questions dont la dernière... vous savez quoi... ou bien avez-vous aussi des trous me mémoire ?

Voici ces questions.

1. Existe-t-il des statistiques sur les blocages coronaires chez l'homme de la rue pris au hasard ?

2. Quelle est la signification réelle d'un pourcentage de blocage d'artère ?

3. En cas de crise, quel temps m'est-il donné pour me rendre à l'hôpital ?

4. Pourquoi mon infarctus ne m'a-t-il laissé aucune trace?

5. Qu'est-ce qui a témoigné de cet infarctus ?

6. Le graphisme de la machine aurait-il pu indiquer simplement un spasme cardiaque comme le docteur R en a évoqué la possibilité ?

7. Un infarctus sans nécrose, est-ce possible ?

8. L'élévation du taux des enzymes du coeur peut-elle avoir une autre cause que l'infarctus ?

9. Suis-je plus à risque maintenant que dans un mois ?

10. Suis-je moins à risque maintenant que voilà 1 mois ?

11. Considérant mon mode de vie surveillé, mon hypertension surveillée, et sans tenir compte de mes antécédents familiaux, quelle pourrait être la part du stress dans l'encrassement de mes coronaires ? Très significatif. Peu. Ou pas du tout ?

12. Pourquoi est-ce que je sens les extra-systoles ?

13. Est-il possible que mon artère principale soit bloquée depuis 10 ans ? 20 ?

14. Si voilà un mois mon risque de crise cardiaque était, disons à 80%, diminue-t-il grâce à une juste perception de la réalité, à une médication suivie et à un effort physique mesuré et à l'intérieur de mes limites ?

15. Dans l'état actuel des choses, comment dois-je envisager la marche ?

16. A quel rythme ?

17. Pouvez-vous me décrire diverses douleurs atypiques ?

18. Qu'en est-il du Pravachol dont on vante tant les mérites dans les médias ?

19. Peut-on remplacer la nitro par du Tenormin ?

20. Comment abandonner la nitro sans danger ?

21. Doubler le Tenormin peut-il trop ralentir le coeur ?

22. Avec Pravachol, Aspirine et Tenormin, quelles sont à peu près mes chances d'infarctus d'ici 5 ans ? 10 ans ?

23. Quels sont les effets secondaires de ces médicaments?

24. Quels sont les effets de sevrage de la nitro ?

25. Peut-on être ponté sans hospitalisation d'attente et quel serait le délai ?

26. Y a-t-il en vue de nouvelles techniques pour remplacer la chirurgie des pontages ?

27. A quel % de blocage doit-on aller vers les pontages ?

28. Quel est l'impact d'un infarctus sur un nouveau contrat d'assurance ?

29. A quoi servirait une épreuve de tapis roulant ?

30. Quels sont les risques ?

31. Y a-t-il des alternatives au test du thallium ?

32. Comment peut-on se libérer de sa phobie du tapis roulant ?

Le docteur L est fidèle à son image. Il répond à toutes les questions avec un haut degré de compétence et sans jamais hésiter. Sans tout ce qui s'est passé auparavant, je monterais encore sur son foutu tapis, mais là, j'en suis incapable. Il grimace quand je lui pose ma 32e question. Cela veut dire que je refuse le test.

"Je vous appellerai dès lors que je serai assez fort physiquement et psychologiquement pour passer ce test du thallium," lui dis-je.

Il m'a donné 90 minutes de son temps. Jamais je n'ai eu un aussi long entretien avec un docteur de toute ma vie. Pourquoi m'a-t-il donné tout ce temps-là ? Pour m'intégrer au système ? Pour se faire pardonner quelque chose? Pour faire son plein devoir avec un patient pas facile ?

Je ne lui en veux pas. Il est très sympathique. Il sait écouter. Ses intentions sont sûrement louables.

Mais il est intégré au système.

Moi pas !

19

Suite

Derrière l'État et ses créatures, on retrouve toujours la mentalité de l'irresponsabilité systémique.

Le journaliste d'hier m'étonne encore ce matin. Voici ce qu'il dit de l'État ce jour.

– État irresponsable...
– État inconscient...
– État invisible (c'est qui, bordel ?)...
– État indécent...
– État dénaturé...
– État qui se croit plus grand que la vie...

Tout cela est vrai mais s'applique aussi aux créatures de l'État comme la SRC que le même journaliste défendait avec mordant voilà tout juste 24 heures. Paternalisme, esprit supérieur, gaspillage, remplacement de la créativité individuelle par des sommes massives, structure pyramidale, aucun sens du risque et de la véritable innovation, sclérose qui s'exprime par une fidélité indue aux indélogeables vieilles peaux de sorcières à poireaux, la mentalité étatique caractérise tout à fait Radio-Canada.

Mais quelle importance, la contradiction puisqu'il y a 24 heures d'intervalle entre une proposition et son contraire: qui s'en rendra compte ? Bien des politiciens se contredisent à l'intérieur d'un même discours et le public n'y voit que du feu.

Quand on est soi-même intégré au système, 'le poids de ses opinions penche du côté de ses intérêts'. L'intérêt du journaliste ici est évident. Dans les deux cas, on tire sur ces méchants anonymes qui constituent la bête étatique, ce qui fait plaisir au public et aux amis de la SRC.

L'esprit d'État, cet état d'esprit qui corrode les créatures étatiques y compris et surtout la SRC m'apparaît aussi nocif que celui qu'on sait, sans pouvoir l'identifier, derrière la mort tragique sur route mal déblayée d'un enfant innocent. Par sa violence froide, l'État en tue des milliers à petit feu, des enfants qui n'ont que le minimum vital et seront privés des moyens de s'épanouir. Et on trouve moyen de se payer une somptueuse tranche de culture à $36. par année pour chaque citoyen y compris les plus pauvres dans un pays qui, en ce tournant de siècle, dispose de toutes les ressources requises, ainsi que des infrastructures pour la production et la distribution pour permettre de nourrir, vêtir, loger, instruire et garder en santé tous les citoyens sans exception.

Dans de telles circonstances navrantes, nous n'avons plus besoin de boîtes à privilèges, quels que soient leur nom et leur vieux prestige.

Pour mettre l'État hors d'état de nuire, il faudra privatiser toutes celles qui, de ses créatures trop coûteuses eu égard à leur rendement, peuvent l'être. Et quant à moi, incluons à la liste le système de santé et le système d'éducation.

Mais revenons à ma personne malade.

La seconde partie de décembre et la première de janvier seront très pénibles. Vertige, vertige, vertige. Fatigue généralisée. Fatigue, fatigue... Concentration malaisée et surtout sommeil perturbé. Et acouphène dans l'oreille gauche en prime.

Je rencontre mon médecin de famille fin novembre. Il double ma prescription de Tenormin et réduit de moitié la force du traitement à la nitro. Et il ajoute une ordonnance pour un médicament qui permettra d'abaisser mon taux de cholestérol.

Je lui signale que son collègue m'a dit que mon taux de cholestérol ne justifiait pas une intervention médicamenteuse. Il me dit simplement qu'il n'est pas d'accord. Beau dinde que je suis, qu'est-ce que je fais là-dedans face à deux opinions opposées ? Rendu chez moi, je fouille dans mon livre des médicaments. J'y trouve que celui prescrit pour le cholestérol n'apporte rien de moins comme effets secondaires, et dans une incidence fréquente, que 1. Nausées, vomissements; 2. douleurs abdominales; 3. diarrhée; 4. étourdissements; 5. éruptions.

Et il n'est même pas question, comme dans bien d'autres cas, d'un ajustement de posologie pour régler ces 'petits' problèmes ou d'une meilleure tolérance à la longue.

"En voilà un qui se crisse de ma qualité de vie !" me dis-je alors.

"J'ai absolument pas envie de vivre ainsi durant 3 ans, 5 ou 10. Pas une maudite minute."

"T'es suicidaire: tu vas mourir, beau nono!"

"Je ne suis pas suicidaire, mais qu'est-ce que je perdrais à mourir ? Malade tous les jours et regarder à travers l'écran de télé l'évolution d'un monde tout aussi malade que moi: très peu pour moi ! Pas suicidaire mais si je meurs à cause de mon cholestérol, je m'en réjouis."

A la toute fin de cette visite, pour la première fois depuis que je le vois, le docteur R me parle de stress. Il aurait dû poser cette question dès ma première visite et indiquer sur son dossier quelques notes sur ma personne et mon métier. Même reproche doit être adressé à ceux qui m'ont examiné à l'urgence et poussé à l'infarctus pour le moins prématuré...

Vers le 15 décembre, je deviens complètement abasourdi. Incapable de prendre la position couchée sans que tout se mette à tourner. Plus capable de poursuivre l'écriture de mon livre. Au premier tiers de la nuit, je me réveille et ça tourne. Je dois marcher une dizaine de minutes avant que l'effet diminue. Même chose au deuxième tiers de la nuit avec périodes accrues de cauchemars. C'est comme si mon corps se retrouvait dans une espèce de gouffre sans fond. Je fais ma marche matinale de peine et de misère. Les choses s'améliorent un peu dans le courant de l'après-midi quant aux étourdissements mais pas quant à la fatigue.

Le 20, je retourne à l'urgence. L'interniste examine mon dossier médical et me conseille de cesser l'ingestion de tout médicament. Le Tenormin, la nitro, tout ça cause du vertige...

– Le Tenormin vous assomme, dit-il. Vous avez besoin de quelque chose pour vous relever.

De plus, il m'apprend que ce Tenormin que je prends depuis quelques années peut causer de l'impuissance sexuelle. Ça, jamais le docteur R ne me l'a dit. Et pire, quand je lui ai mentionné que j'étais plus vigoureux à ce propos à ma sortie de l'hôpital, et que je croyais qu'il pouvait s'agir de la nitro qui accroit la circulation sanguine, il m'a dit sans expliquer : "C'est peut-être le Tenormin..." Quant à mon livre sur les médicaments, il ne fait pas mention de cet effet secondaire indésirable.

Période des Fêtes. Visites familiales. Excès de table. Confiseries à volonté. Mais l'état général s'améliore quelque peu quoique la fatigue soit omniprésente.

Retour chez moi en janvier. Rechute dans le vertige, les nuits désastreuses, cauchemardesques. Je poursuis ce livre resté en plan depuis 2 semaines. Il m'arrive d'avoir mal au creux du coude gauche. Quand ça se passe du côté gauche, je pense de suite au coeur. Je me mets à croire que l'arrêt des médicaments fait en sorte que le sang, à cause du blocage de la grosse artère coronaire, n'irrigue plus suffisamment le cerveau, ce qui provoque le vertige nocturne et ses suites.

Et je me mets à l'étude des médicaments et des maladies. Si on ne trouve pas ce que j'ai, si on ne met pas le temps qu'il faut à rechercher la cause de mes problèmes, je le ferai tout seul. De toute façon, je commence à être familier avec tout un vocabulaire médical et pas mal de noms de médicaments. Question santé, on (les gomme moi) en connaît pas mal moins que nos grands-mères. Et que les mères de nos grands-mères... Et les médecins, bien sûr, en savent beaucoup plus que les médecins de jadis. Il y a donc une dangereuse adéquation entre le savoir médical des gens d'aujourd'hui et celui de leurs soignants. Il m'apparaît de plus en plus que le grand système et cette créature à son image, le système de santé, veulent cela afin de mettre les patients dans un état de dépendance.

Le système a besoin d'accrochés.

Il cherche à faire de nous des accros.

Insidieusement.

Je ne faisais pas d'infarctus quand je suis entré à l'urgence en octobre. Trois tests l'ont démontré ainsi que l'évolution de mon mal de dos. Mais on a provoqué cet infarctus sur le tapis roulant et quasiment fait de moi un accro de la médecine. (Je n'en suis pas encore sorti au moment où j'écris ces lignes 3 mois plus tard).

Je n'ai pas besoin de prendre un médicament contre le cholestérol. Et pourtant, le docteur R veut absolument que j'en prenne. C'est un prescripteur. Il a voulu doubler ma dose de Tenormin par ailleurs. Pas besoin en tout cas selon le docteur L. Pas besoin en tout cas selon le docteur T. Pas besoin selon moi. Car je préfère une vie viable sans les effets secondaires de tels médicaments à des années de plus grâce à un taux de cholestérol plus bas.

Quelle est cette mentalité matérialiste de vouloir se donner des années de plus à tout prix ? Le longévité coûte trop cher à la société. Elle me coûterait trop cher. Certes, j'aime certaines personnes plus que tout au monde, mais pas au point de leur imposer les tracasseries que leur vaudra un vieux con malade. Et puis dans un autre univers, je leur préparerai d'agréables, de formidables surprises en les attendant: des chemins de roses dont toutes les mauvaises sorcières seront tenues à distance. Y compris les vieilles à poireaux de Radio-Canada. Un monde où il n'y aura pas de systèmes, pas de maudits gouvernements ni de... Non, je n'en ajoute pas...

20

Témoignages

Mon cas n'en est qu'un parmi des milliers d'autres ayant donné lieu à des erreurs médicales. Mauvais diagnostic. Médication impropre. Incompétence à trouver la cause d'un mal. Dramatisation. Trop de pilules. Accrochage du patient sur des médicaments dangereux à cause de la dépendance possible et des symptômes de sevrage qui vous poussent dans un état pire que celui qu'ils ont masqué.

Suivront quelques-uns de ces cas que j'ai glanés çà et là tout en parlant du mien autour de moi.

Comment ne pas dire un mot de tout le tort que les médicaments nous font sans trop qu'on ne s'en rende compte ? Mon travail d'écrivain consiste en un effort **maximal** de concentration plusieurs heures par jour, donc d'usage de certaines fonctions du cerveau dont particulièrement la **mémoire**. Ma mémoire me sert d'entrepôt de matériaux (souvenirs et connaissances comme le vocabulaire) et elle est sans cesse mise à contribution dans l'acte d'écrire. De plus, elle est essentielle pour faire évoluer les situations en évitant de piétiner, de redire les mêmes choses dans d'autres mots, empêchant la redondance. On me l'a sérieusement amochée, ma mémoire, avec l'Ativan et peut-être aussi les patchs de nitro. Le commun qui n'a pas à se servir autant que moi de cette partie de son cerveau attribuera ces trous à l'âge ou bien peut-être aux médicaments mais sans y attacher plus d'importance que ça. Dans un monde matérialiste axé sur le physique, il est bien plus grave d'être dépossédé d'un de ses membres que d'un morceau de ses attributs intellectuels.

Et quand on a moins de matériaux pour bâtir un scénario, des scènes, ou pour exercer des jugements sur les situations, le résultat est de moindre qualité.

Je souhaite que la pleine force de ma mémoire revienne car c'est un outil essentiel à mon travail de romancier. Et pas un ordinateur ne peut y suppléer...

Allons-y de ces cas où l'erreur médicale fut grosse et qui m'ont été relatés sans que je n'aie à faire une recherche systématique.

1. Carmen, en banlieue de Montréal.

Au bord de la quarantaine, elle décide de se faire faire une ligature par voies naturelles.

Le chirurgien est pressé car il doit prendre un avion à une heure P.M.

L'opération a lieu au cours de l'avant-midi.

Un vaisseau est brisé.

C'est l'hémorragie interne.

Il faudra trois heures pour qu'on prenne conscience du mal qu'elle a. Et on doit la ramener d'urgence sur la table d'opération.

Une transfusion est bien sûr nécessaire.

On se trompe de sang.

Arrêt cardiaque.

Soins intensifs sur une période de 2 semaines.

La jeune femme frôle la mort.

Deux erreurs le même jour.

2. Une dame de Saint-Jean.

Elle est enceinte de 2.5 mois.

La voilà qui claque une hémorragie.

On la transporte d'urgence à l'hôpital.

Examens.

Le test est négatif: elle n'est plus enceinte.

On décide de lui faire un curetage.

Le curetage fut mal fait comme on le verra plus loin.

La dame reste 3 jours à l'hôpital puis retourne à la maison.

Il lui semble faire de l'anémie. Elle a des nausées et des vomissements.

Cela dure des semaines.

De nouveaux examens (matrice) montrent qu'elle serait enceinte de 3.5 mois. On l'hospitalise à Montréal et son état est confirmé.

1. Le curetage fut mal fait puisqu'elle est encore enceinte.

2. Par contre, on lui affirme que la seule explication possible à son état (vérité ou fruit d'une imagination fertile) est qu'elle portait des jumeaux non identiques et qu'elle en a perdu un...

Et voilà, madame ! Go home and be happy !

Son fils est né et se porte bien !

3. Un jeune homme de Drummondville

Un étudiant de 16 ans.

Un fort, une 'bolle'.

Notes très élevées.

Se présente à l'urgence d'un hôpital.

On lui diagnostique une scarlatine.

Ordonnance: antibiotiques.

Une journée plus tard, son état a empiré. Il retourne à l'urgence. Une stagiaire lui trouve une mononucléose et force est de constater une erreur grave dans le diagnostic de la veille.

Les antibiotiques ayant pour effet d'affaiblir le système immunitaire, le jeune homme devra se faire hospitaliser.

On fera de lui un accroché des médicaments. Ses notes scolaires faibliront considérablement. Il perdra son esprit d'initiative et verra sa mémoire se remplir de trous (comme la mienne).

L'adolescent va ainsi traîner la patte durant six mois à la fois agressif et perdu, et perdre toute une année de scolarité.

Il retrouvera toutes ses capacités mentales après le sevrage complet de toute sa médication.

4. Une dame de l'Estrie.

J'ai déjà relaté ce cas.

On lui fait subir une opération qui lui ouvre la moitié du corps afin d'extraire une pierre au foie. Or, il existe la technique de bombardement aux ultra-sons; mais ni le docteur de famille ni le chirurgien n'en parlent à la patiente. Peut-être ont-ils fait ce qu'il fallait mais la personne restera toute sa vie dans le doute. Ici, la médecine ne s'est pas faite assez informative.

La cicatrice fait souffrir la patiente depuis cette intervention qui s'est produite voilà près de 2 ans déjà... Elle a connu d'autres personnes semblablement opérées et toutes ont confirmé cette douleur post-opératoire permanente.

5. Sandy, jeune adolescente de 14 ans.

Malade, elle est conduite à l'urgence où on signale une amygdalite.

"Mais on m'a déjà opérée pour les amygdales," lance la jeune fille.

"On pourrait avoir laissé des résidus," rétorque le docteur de garde.

Elle est jeune. Elle a confiance. Elle croit ça. Sa mère qui, comme nous tous, possède une confiance aveugle en la médecine, ne proteste pas et accepte le diagnostic.

Qui sait, peut-être l'ado fait-elle une amygdalite imaginaire: avoir mal à la chose absente...

Il en coûtera plus de $50. pour faire remplir l'ordonnance. Surtout des antibiotiques.

Une journée plus tard, la jeune fille perd conscience. On doit la ramener d'urgence à l'hôpital. Cette fois, comme dans le cas du jeune homme de Drummondville, on lui trouve une mononucléose, trouble physique pour lequel les antibiotiques sont tout à fait contre-indiqués.

Plus chanceuse que le jeune homme, il faudra trois semaines à Sandy pour récupérer.

6. Pierre de Boisbriand

Se sent très fatigué depuis des semaines.

Manque de souffle pour des riens.

Visite au docteur.

Radiographies pulmonaires.

Tout est beau.

Quelque temps après, des filets de sang apparaissent dans la salive.

Revue des radiographies: résultats inchangés.

Pierre va en voyage en Ontario avec sa femme à qui, au milieu du périple, il doit céder le volant à cause de sa fatigue profonde. Il doit interrompre une soirée-conférence. Maintenant, à sa chambre, il crache littéralement le sang comme un pleurésique d'autrefois.

Entré d'urgence à l'hôpital d'Ottawa, on lui trouve une tumeur au poumon gauche dont il faudra l'amputer au complet dans les plus brefs délais.

Encore des erreurs de diagnostics.

7. Jean-François

Voici un autre cas de mononucléose mal diagnostiquée.

8. Une dame de Laval.

Elle revient d'un voyage à Québec avec un intense mal de tête. Incapable de manger. Son mal rappelle une crise de foie.

Elle va à l'urgence où il lui faut attendre 8 heures. (Et moi qui me plaignais de mes 6 heures d'attente dans la crainte de faire un infarctus...)

"A l'urgence, tu meurs ou tu reviens," m'a-t-elle confié en riant après coup...

Bizarre tout de même, une crise de foie pour une personne qui n'en a jamais fait, qui ne boit ni ne fume, qui mange maigre et raisonnablement... elle pèse 88 livres...

Hospitalisée le lundi, les jours passent et on ne parvient pas à faire baisser sa température. Son mal de tête incessant devient insupportable. Elle en arrive à ne plus pouvoir supporter la lumière du jour.

On l'opère le vendredi. Ablation de la vésicule biliaire. Au réveil, son état empire. Le mal de tête perdure. Elle commence à délirer.

Le samedi, 2 microbiologistes la voient, font de la recherche, trouvent une salmonellose. Oedème des poumons. Délire.

Antibiotiques intraveineux.

Au bout de deux jours, la fièvre tombe.

Elle sera 9 jours sans manger aux soins intensifs.

"Il n'y a pas eu d'erreur," dit la médecine. *"La salmonellose a attaqué votre vésicule et il fallait l'enlever de toute façon. On ne l'a donc pas enlevée pour rien. On vous a guérie au bout du compte. Soyez reconnaissante. Vous n'êtes pas morte et au contraire bien vivante..."*

Essayez donc de répondre à la logique médicale !...

9. Une dame chez son dentiste.

Le dentiste ne se rend pas compte que la dame a une dent barrée et c'est un homme qui a un poignet plutôt bien développé. Si bien qu'il lui casse la mâchoire.

On en fera un procès qui n'aboutira pas. La défense peut se faire appuyer par une batterie d'experts...

10. Un cas drôle et léger.

Un vieil ami subit une entorse lombaire l'an passé.

Il goûte à l'urgence lente un bon matin.

Marche à demi-courbé tel un chimpanzé. Le dos barré quelque part.

Le docteur qui l'examine lui dit sans rire:

"Pourrais-tu toucher le bout de tes souliers avec tes doigts ?"

C'est en parlant simplement autour de moi que j'ai relevé ces dix histoires d'horreur. Il semble qu'une personne sur 3 peut en raconter un semblable. Mes lecteurs sont invités à me faire part des cas dont ils furent victimes ou témoins. Erreurs de diagnostics ou de médication. On pourra les ajouter à ceux-ci advenant un second tirage ou peut-être même en faire un livre au complet. Voir à la fin pour plus de détails.

Non, ce livre-ci ni le suivant sur le même sujet s'il devait voir le jour ne cherchent à réduire la valeur de la médecine et des soins qui nous sont prodigués à l'hôpital, mais ils ont pour objectif de mettre en relief les fautes du système de santé qui lui sont imputables parce qu'il est un **système** justement.

En leitmotiv au cours des chapitres précédents, j'ai voulu livrer quelques idées fondamentales:

1. Il faut **mettre l'État hors d'état de nuire** partout où il a fourré trop loin ses grosses pattes aveugles, partout où il **déshabille Pierre pour enrichir Paul qui roule déjà en Cadillac.**

2. Il faut rester en alerte devant tout ce qui est systémique à l'image du grand système (tissu banco-politico-médiatique) qui, derrière des dehors luisants, nous assassine tous un peu plus chaque jour.

3. Il faut que l'on taille une place valable et raisonnable à même les cours dispensés à l'école primaire et secondaire pour des **leçons de santé** (éléments de la santé, maladies, aspects curatif et préventif) puisque voilà notre plus grande richesse et que l'école doit nous montrer à la conserver **avant** de nous enseigner toute autre matière.

Du même auteur

1978	Demain tu verras
1979	Complot
1980	Un amour éternel
1981	Chérie
1982	Nathalie
	L'Orage
1983	Le Bien-Aimé
	L'Enfant Do
1984	Demain tu verras (2)
	Poly
1985	La Sauvage
1987	La Voix de maman
1989	Couples Interdits
1990	Donald et Marion
	L'Eté d'Hélène
	Un beau mariage
	Aurore
1992	Aux armes, citoyen !
	Femme d'avenir
	La Belle Manon
1993	La Tourterelle triste
1995	Rose
	Présidence
	Le Coeur de Rose
	Un sentiment divin
	Le Trésor d'Arnold

21

Vers la conclusion

Nous vivons dans une culture matérialiste où le quantitatif obsède, que l'on aime confondre avec le qualitatif. On nous présente chaque jour la performance comme étant l'excellence. (Patrick Roy et l'excellence de ses mitaines...) Sportifs, artistes, politiques, affairistes, vedettes d'une sphère ou d'un temps ont tous en commun le fait qu'ils courent aveuglément vers des cimes, vers une réussite de quelque chose au détriment de la réussite de leur vie. Même ceux qui se désolent de cette mentalité la servent chaque jour sans trop s'en rendre compte.

On a devant soi des ambitions qui grimpent des montagnes et n'ont d'yeux et de considération que pour d'autres ambitions, soit pour les concurrencer ou pour les célébrer comme on veut l'être soi-même. Et les gens de la vallée au ras du sol regardent vers les hauteurs, muets d'indifférence mais surtout d'admiration, ces performers que le système nous sert comme des modèles à imiter.

Même les défenseurs de la veuve et de l'orphelin donnent tête première dans cette culture de l'excès et de l'individualisme dévastateurs. Ce n'est pas en imitant des modèles qu'on trouve sa propre voie mais en la cherchant à travers soi-même, en développant ses propres richesses dans l'harmonie la plus grande possible.

A force de regarder des images et des illusions comme

les stars –des sports, du monde artistique, de la politique et autres–, les gros lots, les VIP, les personnages excessifs de l'imagination des autres, tout ce qui est brillant et grand, on finit par sombrer dans la morosité... C'est ce qui est en train d'arriver à plusieurs générations de l'abondance, du tape-à l'oeil et de la poudre aux yeux.

Les jeux olympiques, les sports professionnels, les produits culturels en bonne partie, le contenu médiatique, **tout célèbre le culte de la personnalité**.

Les systèmes sont construits là-dessus. Pyramidaux. Hiérarchiques. Générateurs de choyés et d'exclus avec au milieu la grande masse de l'indifférence dépersonnalisée.

Et la mondialisation des marchés n'y change rien. Le village global n'a de village que la métaphore. **Car les valeurs villageoises dorment sous les cendres de l'histoire et les vidanges du coeur.**

Il faudra sans doute les marques tangibles, évidentes, profondes de l'échec partiel* de cette civilisation pour qu'un changement se produise. Brutalement peut-être.

(*Partiel, car beaucoup de réalisations en sont sorties, qui auraient probablement vu le jour quand même et en mieux sans le culte de l'image et de l'avoir.)

Les deux bébés

On les confie à une nourrice à la pensée manichéenne et pour qui donc, se trouve d'un côté le bien et de l'autre la mal. Elle nourrit **le choyé** avec l'abondance de ses grosses mamelles. Il en devient joufflu, bourré de superflu nuisible qui va l'empêcher de se développer harmonieusement. En lui donnant **trop, elle le tue** à petit feu, à doses lentes, quotidiennement et systématiquement. Mais elle en fera un **Po-Paul qui va rouler fièrement en Cadillac** devant ses yeux fiers...

A l'autre, elle laisse les restes de ses tétons aplatis. Elle nourrit de riens cet exclus qui s'amaigrit et manque du minimum vital pour se développer harmonieusement. En lui en donnant **trop peu, elle le tue** à petit feu, à doses quotidiennes. Et elle en fait un **Pierre que les systèmes déshabilleront pour enrichir Po-Paul qui**

roule déjà sur le char du superflu.

Mais le processus sert magnifiquement le grand système (banco-politico-médiatique) et les petits systèmes à son image: santé, éducation, justice, star-system, sports professionnels, religions, culture, politique...

La démocratie au service du système

Quel bel exemple du pouvoir abusif de la démocratie que celui d'une minorité de citoyens de Terrebonne dont les taxes furent multipliées par 10 ou 20 du jour au lendemain parce qu'un groupe majoritaire appuyé par les élus (démocratiquement) municipaux a décidé par vote (démocratique) d'opter pour telle réglementation plutôt que telle autre.

Par ses programmes de subventions à des gens qui n'en avaient pas besoin, par l'universalité des programmes sociaux, nos sociétés, entraînées par les stars de la politique, les Trudeau, Lévesque, Johnson, Bouchard, Bourassa, Chrétien, ont pratiqué une véritable escroquerie sociale à retardement. Après la révolution tranquille, ce fut le hold-up tranquille qui a duré de la fin des années 60 au milieu des années 90. Un quart de siècle où par la voie de l'endettement public, on a enrichi Paul qui roule déjà en Cadillac pour ensuite démunir encore davantage Pierre qui est déjà démuni.

Car avec le seul fruit des intérêts sur ses surplus accumulés grâce aux largesses de l'État dans les années d'abondance, **Paul** pourra se payer des assurances qui mettront sa santé à l'abri pour le reste de sa vie. Sans compter que ses surplus le mettent à l'abri de tout problème financier pour le reste de son existence. Tandis que Pierre qui n'avait pas assez pour accumuler des réserves ou dont les réserves sont minces devra forcément se priver de l'essentiel et sans doute mourra-t-il dans les dettes.

Pire encore, on a 'holdupé' des pans entiers des générations montantes. Les gens de 45-75 ans n'ont pas eu à payer les dettes accumulées par leurs prédécesseurs puisque la dette publique était insignifiante quand eux se sont servis dans la richesse collective; et non contents de prendre le maximum pour leur présent et leur futur garanti par ces surplus qu'ils ont constitué avec la complicité étatique, ils ont hypothéqué l'avenir des jeunes en les endettant par avance jusqu'à l'intolérable. Les 45-75 ans ont vampirisé leur propre descendance: très beau, ça! Et ils en sont fiers. Et ils s'en fichent.

Et pour se faire réélire, les politiciens qui leur ressemblent –combien sont issus des classes moyennes en descendant ?– leur répètent sans cesse qu'ils sont surtaxés et ainsi cherchent et parviennent à culpabiliser les masses afin ne pas toucher aux premiers et à leurs privilèges comptabilisés en biens possédés et en épargne sous toutes ses formes.

C'est pourtant par la taxation des surplus que l'on pourra sortir de la décroissance et s'engager sur la voie d'une nouvelle croissance économique incluant l'équité sociale et planétaire.

Les pattes étatiques.

Si l'État dans un pays en voie de développement doit se faire moteur de développement, répartiteur de richesses, bâtisseur d'infrastructures, rassembleur autour de projets collectifs, il en va tout autrement dans un pays dont l'économie est en vitesse de croisière.

Alors il faut un État-démarreur pas un État-moteur.

Alors il faut un État-chien de garde, pas un État-Robin des Bois.

Alors il faut un État discret, pas un État vedette.

Alors il faut un État bon père de famille, pas un État nourrice.

Alors il faut privatiser au maximum.

Privatiser

On trouve cent fois plus de ressources en soi-même quand on dépend essentiellement de soi-même pour bâtir quelque chose.

La première préoccupation de l'État dans un pays dont l'économie est en vitesse de croisière devrait consister à permettre à l'entreprise privée en voie de naître de trouver le carburant nécessaire pour prendre son envol. Ceci en vue de la création de nouvelles richesses sans lesquelles le progrès est impossible. De ce souci se dégagera une tendance constante vers le plein emploi.

La seconde préoccupation de l'État dans un tel pays sera d'assurer à tous ses citoyens dans l'ordre qui suit: soins de santé, services d'éducation, sauvegarde de sa culture.

Plutôt de couper dans sa fonction publique et dans les services publics pour payer l'endettement qui a permis la création de surplus dans des millions de greniers, et donc de gérer une décroissance et de provoquer un fossé croissant entre les choyés et les exclus, l'État (fédéral et provincial) doit à la fois taxer les greniers et créer des canaux permettant de **diriger** les surplus vers la création de nouvelles richesses.

Mais l'État est rendu fou par le processus démocratique qui amène chacun à vouloir son morceau dans l'immense curée ayant fabriqué les dettes et déficits que l'on connaît dans cette mentalité des gagnants via laquelle on a extorqué Pierre (les Pierre: les démunis de la génération plus la jeunesse à venir) pour enrichir Paul qui roule déjà en Cadillac.

Dans ce livre, il fut question d'un cas patent, le mien, où via un système mi-privé mi-étatique, on met un homme et son travail en pièces détachées pour les distribuer à d'autres. En moins évident, voici le cas de 20% à 25% de la population et la situation s'aggrave. On peut démontrer pour chaque exclus comment le système s'y est pris pour le dépouiller de son dû (même si c'est un jeune qui n'a pas encore travaillé et ne possède rien de tangible) et le donner à quelqu'un d'autre. Voilà pourquoi je fais le procès de l'État et du système en général à travers ma mésaventure.

C'est le **système du livre** copié sur le grand système (banco-politico-médiatique) qui m'a fabriqué le stress nécessaire pour me conduire au tapis roulant et c'est **le système de santé** basé sur du normatif qui m'a conduit à la crise cardiaque sur ce foutu tapis en me poussant en dehors de mes limites personnelles comme on l'a fait au plus faible rameur de la galère en le forçant à suivre la manoeuvre jusqu'à la cadence d'éperonnage dans Ben Hur.

Il faudrait que soit entièrement privatisé le système du livre, que l'État s'en retire y compris des bibliothèques publiques. Il n'est pas normal que les gens des classes aisées puissent emprunter des livres qui furent achetés par des subventions étatiques et qui plus est, furent produits grâce à des subventions de l'État. C'est ça, démunir Pierre (auteurs et même enfants exclus n'ayant rien à voir avec le milieu du livre) pour munir Paul qui roule déjà en Cadillac. Il n'y a pas de chandail-o-thèque à Lac-Drolet et si j'ai besoin d'un chandail pour me vêtir, je dois me le procurer et le payer; comment se fait-il que l'industriel qui produit des chandails à Lac-Drolet peut, lui, aller à la bibliothèque municipale et emprunter mon travail que l'État met à sa disposition, et s'en servir comme bon lui semble. Qu'on privatise les bibliothèques et que l'État reste dans le décor comme chien de garde pour éviter les abus ou leur fermeture.

Qu'on privatise les sociétés d'État ! Car elles sont bien moins capables d'aller chercher dans leur monde les ressources profondes que ces gens recèlent. Mais qu'on regarde donc ce que ça fait, du maudit socialisme, là où ça passe ! Lauzon répondra que le néo-libéralisme sauvage ne vaut pas mieux et il aura raison. Une seule voie peut s'ouvrir aux économies et aux mentalités: la privatisation de tout ce qu'il est possible de privatiser, le retrait de l'État le plus possible de tout ce qui va bien, son engagement dans les priorités sus-mentionnées:

1. Favoriser la **création de nouvelles richesses**. Pas en subventionnant les riches mais en aidant les entreprises en panne de carburant (naissantes ou en difficulté) à en trouver. (Si cela devait nuire à des entreprises florissantes et que ça les mette en difficulté, alors qu'on les soutienne à leur tour puisqu'elles seront alors en difficulté.)

Il doit se débarrasser de ces monstres dévorants serviles du système comme Hydro-Québec, la SRC et toutes ces "pierres sous lesquelles dorment trop de vers" pour parodier François Gendron.

Il doit assainir ses finances par une juste fiscalité, par une visite dans les greniers et par des encouragements et garanties derrière le capital de risque en dehors du système bancaire.

État axé sur la croissance d'abord, et non empêtré à gérer la décroissance. Et la croissance ne se peut sans la création de nouvelles richesses...

2. Il doit se faire chien de garde pour que des muselières soient ajustées aux appétits féroces et pour que tous les citoyens puissent bénéficier du minimum vital.

Bref, un minimum de gouvernement.

Fini l'État-providence, fini l'État-vedette. A nous l'État humble, bien intentionné, l'État mesuré, l'État intelligent, l'État mis hors d'état de nuire. Bon père de famille...

Je ne vois pas pourquoi on ne privatiserait pas tout le système d'éducation aussi. Les milliers d'arguments qu'on pourrait jeter à hauts cris contre ça ne l'emporteront jamais sur le plus grand de tous: la loi de la motivation de l'individu responsable.

Une polyvalente pourrait très bien être vendue à un groupe d'actionnaires locaux dont pourront faire partie d'abord tous ceux qui l'animent, cadres, enseignants, travailleurs. Les subventions nécessaires régiront en même temps les normes nationales. Des centaines de millions seraient sauvés chaque année et la qualité des études et des étudiants serait décuplée. Je ne prendrai pas un livre pour faire ma démonstration; mais 50 ans de vie et de perceptions m'en convainquent profondément.

Formidable tout ce qu'on pourrait sortir d'un tel système en créativité, en formation, en rendement, en qualité. Le jeu de la concurrence ferait sortir le laisser-aller, la drogue et les déchets. D'aucuns pourraient même ouvrir des écoles-dépotoirs pour ces déchets indésirables ailleurs.

Que l'on privatise le système de santé tout en s'assurant que les gens paient les services au prorata de leur état de fortune et de leurs revenus jusqu'au financement des gens démunis à cet égard. Qu'on accuse l'État tant qu'on voudra de devenir un Big Brother, mais qu'il sache la valeur de chaque citoyen afin d'éviter d'enrichir Paul qui roule déjà en Cadillac au détriment du pauvre Pierre qui ne dispose pas du minimum décent.

Que l'on modifie les lois touchant le monde bancaire et que dans chaque région, dans chaque municipalité puisse être fondée par le secteur privé une banque à capital de risque appuyée par certaines garanties de l'État (comme dans le plan Paillé).

Quand un pays comme le nôtre s'est doté des infrastructures de base dans tous les domaines, il doit passer à la privatisation optimale et se faire bougie d'allumage et chien de garde, rien d'autre.

Source du mal

J'ai l'air de prêcher, d'affirmer gratuitement, d'autant que mes pages sont limitées, mais je suis profondément convaincu par tout ce que j'ai traversé dans ma vie, par ma perception de la nature humaine, par les connaissances que j'ai de l'histoire du monde, que ni le libéralisme ni le socialisme ne peuvent solutionner maux sociaux et planétaires et que seul l'individu le peut pourvu qu'il ait sur le dos un minimum d'État, juste ce qu'il faut pour que les engrenages de la société baignent dans l'huile.

Dans les pays développés, quand l'État s'en mêle, la sauce se gâte et l'ensemble de la nation en souffre.

Mais comment le système politique qui est lui-même bâti à l'image du grand système pourrait-il se redéfinir au contraire de ce qu'il est ? Faudra-t-il que le pire survienne ? Faudra-t-il une intervention divine ? Je ne sais, mais il faudra en arriver à cette redéfinition et vite, surtout chez nous.

Et le système de santé, lui ?

État tentaculaire. Bureaucratie limace. Coûts exorbitants. Piètre rapport coûts/efficacité. Aucune entreprise étatique n'y échappe. Ni aucun système étatique.

Un ministre des finances après l'autre entre chez les fonctionnaires de l'État et leur dit: "On manque d'argent, les boys, bûchez pour couper les dépenses !"

Cela ne veut pas dire que tout ce qui en sortira sera mauvais. Le virage ambulatoire m'apparaît la meilleure chose eu égard non pas qu'aux problèmes budgétaires mais aux problèmes de santé eux-mêmes. Des citoyens en souffriront, certes, d'autres périront même, mais la santé de l'ensemble s'en portera mieux.

Mais il faudra aller plus loin et mettre les hôpitaux en vente. L'État restera derrière comme pourvoyeur de subventions et chien de garde. Et les patients paieront suivant leur capacité de payer. Logique. Simple. Efficace. Mais on peut ergoter des années dans le sens contraire. Comparer avec le système de santé américain. Comparer avec les oeuvres du diable.

Quand on va à la base de cette conviction, on retrouve le degré de responsabilité chez les gens du privé, toujours plus grand que celui des gens des secteurs publics. Quand une si importante masse de personnes est en cause, la différence devient immense, question rapport coûts/rendement.

Les gens les plus créatifs et efficace préfèrent le privé et le public affaiblit leur besoin d'excellence. De plus, les gens plus faibles et moins 'sécures' recherchent le confort douillet du public. D'où une tendance généralisée vers la sclérose et la stagnation dans le public mais une tendance vers la novation et l'initiative individuelle dans le secteur privé.

Voilà pourquoi il faut privatiser au maximum. Mais sans couper les services ou les emplois de manière sauvage comme les gouvernements le font de ce temps-là. Par degrés. En assortissant ces coupures de programmes suscitant la création de nouvelles richesses. De façon à ce que plus d'emplois nouveaux puissent être créés pour compenser ceux qui seront perdus.

Et pour cela, il faut bien plus qu'un plan Paillé de 300 millions $, il faudra des banques **locales** de développement soustraites de l'emprise des grandes banques et appuyées par des garanties étatiques. Car le plus grand problème de tous est celui de la circulation du carburant argent. Trop de gens en ont trop et trop de gens n'en ont pas assez. Toute la société en souffre.

Facile à dire, tout ça. Et faisable.

Suffit de faire ouvrir les greniers de l'épargne non pas pour les vider (ce que l'on fait d'ailleurs maintenant en vidant les caisses de retraite) mais pour inciter les épargnants à soustraire leur argent de l'emprise bancaire pour le transformer en capital de risque garanti par l'État.

Un immense encouragement à l'investissement et à la création donc de nouvelles richesses. La **croissance** ne peut passer que par cette voie. L'assainissement des finances de l'État sans cela n'est que **décroissance** avec son cortège de souffrances pour les classes moyennes en descendant.

Les experts.

Les économistes ne sont-ils pas la compétence, la connaissance en ces domaines. Le morveux de citoyen a bien assez de s'exprimer aux urnes parfois... Même si tout va de travers, on se tourne toujours vers les meneurs et les experts pour trouver les meilleures solutions. Pourquoi les experts n'expriment-ils pas ces choses ?

Parce que le processus ne va pas dans le sens de la pyramide systémique. Qu'il se situe hors du pouvoir bancaire et du grand capital et de la haute finance, lesquels ont besoin de cette pyramide.

Parce que ce processus n'est ni de droite ni de gauche, politiquement parlant et qu'aucun parti politique ne reflète donc ces valeurs.

Le nom politique de cette pensée le plus près de la réalité serait du **capital-socialisme**.

Les économistes se trompent une fois sur deux, c'est bien connu. Autrement dit, n'importe quel zozo peut faire aussi bien qu'eux en terme de prévisions. Et les météorologues ont plus de succès. Pourtant, le système s'acharne à nous offrir les données des économistes comme celles qui sont les plus valables, les meilleures. La pyramide systémique veut qu'il en soit ainsi, car ça la sert bien. Le commun n'est que quantité négligeable dans cette réflexion, tout juste bon à donner son consentement dit 'démocratique' aux urnes assoiffées des jours de scrutin populaire.

Alors continuons à jouer à la souque à la corde. Une partie des gens, les boulés, les nantis, tire à droite tandis que l'autre partie de la population, les moins nantis et ceux qui profitent d'eux aux élections, tire vers la gauche. Chaque groupe se ramasse régulièrement le cul dans la bouette à cochons et personne n'y gagne jamais vraiment rien. Qu'on pense aux deux bébés, le petit hagard et le gros joufflu !...

Mais c'est le match de la vie et le monde aime ça, la chicane et la destruction des autres.

Du capital-socialisme, c'est fou-braque, ça !

Si fallait que ça marche, mon Dieu, moé...

Conclusion

Si j'ai tant parlé de l'État et de ses créatures dans ce livre, c'est que je suis en mesure de l'identifier comme la cause **principale** de mon mal. Ce sont les politiques de l'État inspirées du grand système qui ont dirigé mes pas vers le tapis roulant. C'est la mentalité systémique et étatique qui m'a fait monter sur le tapis et m'a poussé hors de mes limites tout droit à l'infarctus.

Les gens intégrés au système –et la plupart le sont– voient les choses d'un tout autre oeil.

Tu devrais être reconnaissant de ce qu'on t'a fait et te sentir coupable de n'avoir pas été à la hauteur. Voilà ce que leur discours intégré me dit. Tu aurais dû ramer aussi bien que les autres de la galère sinon tu es à rejeter. On ne voudra même pas t'intégrer même si tu le voulais.

C'est le même discours qui me fut servi par le fonctionnaire fédéral du Cabinet du Premier Ministre dans la lettre que j'ai reproduite au début de ce livre. On me traite d'arrogant et d'ingrat parce que j'ai critiqué l'État fédéral d'endosser le DPP qui constitue une fraude légale envers les auteurs professionnels, qui fait qu'on déshabille les écrivains populaires pour enrichir les écrivains à temps partiel, lesquels peuvent tous compter sur une source de revenu souvent importante ailleurs, qu'il s'agisse de Petrovski, Bombardier, Bissonnette, Béliveau, Garneau, Parizeau ou Trudeau.

On te met en esclavage mais sois reconnaissant des miettes de table qui te sont généreusement offertes par ton beau et grand pays. Et l'état de ton coeur et de ta santé en général, on s'en contrefout...

Ce cheminement de 275 pages me suggère ceci comme conclusion.

Non seulement faut-il **mettre l'État hors d'état de nuire** mais il faudra en refaire un **outil utile** comme naguère, du temps où le pays se dotait des infrastructures modernes nécessaires à la production et à l'échange de biens.

Et pour cela, deux maîtres-mots :

PRIVATISATION
CAPITAL-SOCIALISME

Ajouts

1. D'entendre que nous vivons dans le plus beau pays du monde insulte et révolte ceux qui y vivent l'exclusion. Les favorisés, les inclus devraient s'abstenir de proclamer leur bonheur en public et leur chance, eux, les Po-Paul que l'État a enrichis en s'endettant.

Vivre **au-dessus** de ses moyens pour un État, ce n'est pas dispenser l'essentiel aux plus démunis puisque nous disposons de tout le nécessaire pour nourrir, vêtir et loger décemment tout le monde, c'est donner via le système des surplus et du superflu à ceux qui n'en ont pas besoin et priver les autres d'une partie de leur minimum vital, par exemple des services de santé et d'éducation.

2. Il fait bon d'ententre que la cybernétique pourrait faire sauter l'emprise du système (tissu b.p.m.) sur nos vies. Aussitôt que j'ai des sous, je me branche... ça urge...

3. La démocratie, une fois qu'on a voté, se moque de nous, les simples citoyens. Il faut des audiences d'un bout à l'autre du pays pour que les meneurs daignent jeter un oeil sur les opinions populaires. A quoi bon si ce n'est pour l'image puisque l'important, c'est le sondage et les élections, et que les 2 dépendent précisément de l'image ?

4. Si la méthode Robin des Bois n'est pas la meilleure à utiliser par nos États, elle est néanmoins essentielle. Et on la pratique partout. **En principe**, les mieux pourvus payent plus de taxes que les moins pourvus.

Le grave problème de tout le monde développé, c'est:

– trop d'argent d'épargne;

– trop peu d'argent de consommation.

Le banquier qui, d'habitude, permettait de rééquilibrer le bateau économique en modifiant ses taux d'intérêt n'y parvient plus. Il a perdu une partie de son pouvoir de redémarrage de l'économie. D'où une récession qui perdure et qu'augmentent les restructurations rendues nécessaires dans le secteur privé par la robotisation et la compétition internationale.

Les gens déjà équipés (maison, meubles, luxe...) ne dépensent plus assez justement parce qu'ils sont déjà équipés. De plus, en vieillissant, ils sont moins portés vers la consommation de biens matériels tout en devenant plus inquiets pour leur avenir à mesure que s'approche l'âge de la retraite. Et donc leur propension à l'épargne.

Tandis que les gens peu équipés (moins nantis, jeunes) n'ont pas assez d'$ pour consommer.

Pour ajouter à cette panne de la consommation, nos bons gouvernements intelligents

– coupent des emplois dans la fonction publique et créent des êtres économiquement faibles;

– coupent leur propre consommation de services et de biens (donc des jobs);

– refusent de hausser les taxes.

Bref, comme toujours, l'envers du bon sens d'un bout à l'autre. On ne voit plus que les déficits à réduire à court terme et que le pouvoir à garder absolument.

Quitte à me répéter encore, je soutiens que les gouvernements doivent se tourner vers les greniers des gens qui ont des réserves pour remettre le pays sur la voie de la croissance. Le faire de deux façons simultanément:

1. Taxer les surplus et le superflu.

2. Assortir d'un programme d'épargne-investissement

soustrait au contrôle bancaire via la création de nouvelles banques régionales et locales (privées) capables de faire appel à l'épargne publique, dispensatrices d'intérêts élevés, axées sur le capital de risque (de créativité entrepreneuriale serait plus juste) dirigé vers les besoins locaux et misant sur les vraies valeurs humaines.

(**Paillé** s'est fourvoyé avec son plan en le confiant à la gestion des banques. Un banquier prête à n'importe qui pourvu qu'il trouve des garanties en béton... pas en valeurs humaines.)

Dans le plan Mathieu ci-haut énoncé, tout est faisable et personne ne sera lésé puisque tout y est positif. On prend le chemin de la création de nouvelles richesses. On suscite de la concurrence aux banques, ces richissimes mauvais citoyens. On axe sur les besoins régionaux et locaux. On mise sur l'humain. Des gens créatifs et des gens prudents évalueront les projets d'entreprises nouvelles, pas des minus ultra-conservateurs qui ne comprennent que le vieux jargon bancaire profiteur.

Enfin, ce n'est plus dans ses dépenses que l'État doit couper, mais dans son gaspillage. Au contraire, il doit créer de nouveaux emplois., par exemple en environnement, pour suppléer les pertes d'emplois dans le secteur privé. Sinon nous continuerons d'aller de plus en plus vers un énorme clivage entre une minorité sanglante et une majorité dépendante.

Le P.M. fédéral, en même temps qu'il s'essouffle à courir en Asie devrait penser à ça.

Le P.M. provincial, en même temps qu'il valse avec l'idée de majorer les taxes, devrait penser à ça.

Mais on n'écoute pas le message de nos jours, seulement le messager. **Et la valeur du message du messager est directement proportionnelle au vernis de son image.**

C'est pus rien que ça, la joyeuse démocratie !

C'est ça, la mentalité des gagnants qui fait que les grandes gueules dominent partout et nous mènent joyeusement au dépotoir.

Alleluia !

Épilogue

Un jour à la fois... encore

On dirait que je remonte la pente petits pas par petits pas.

Les cauchemars diminuent.

La mémoire se fait plus étanche.

Les étourdissements sont moins fréquents.

Dans quelques jours, je verrai le docteur T qui m'a conseillé de cesser cette médication soupçonnée des maux démoralisants que je me suis mis à ressentir peu de temps après ma sortie de l'hôpital.

Trouvera-t-on les causes ?

Pourquoi ce vertige incessant ?

Dépression suite à l'infarctus ? Pourquoi pas à ma sortie même de l'hôpital ? Virus ou bactéries ramenés dans mes bagages ? Il y aurait fièvre quelque part.

A force de m'observer et d'étudier mes livres, de questionner les pharmaciens, j'en suis à me dire qu'il s'agit d'hypoglycémie ou de diabète. Ou bien un trouble de l'oreille interne. Syndrome de Ménière possiblement. Ou peut-être une tumeur quelque part dans la tête.

Cette dernière hypothèse va sourire à tous ceux, très nombreux, qui ne souscriront pas aux idées développées dans ce livre. Ça aura pour effet de soulager leur contrariété et bon, tant mieux !

Mon hospitalisation m'aura fait grandir, j'espère. "Tout ce qui ne tue pas fait grandir !" affirmait Nietzche. Et on tire bien plus de richesse de l'échec et de la souffrance que du bonheur et de la quiétude.

Le milieu hospitalier est trop douillet, trop maternel et il vous prépare à un sevrage douloureux quand vous en sortez. Sevrage quant aux soins. Sevrage quant aux médicaments. Et qui sait ce que vous y ramassez de germes de futurs problèmes légers ou graves.

Ce sont les médecins qui font le plus problème pour les raisons que j'ai expliquées. Mais ils sont prisonniers d'un engrenage systémique. Plusieurs y croient ferme on dirait, d'autres semblent plus humains.

Ainsi que je l'ai déjà écrit, il ne faut pas confondre les progrès de la médecine avec sa pratique actuelle. On ne saurait mettre la médecine sur un piedestal parce qu'elle guérit aujourd'hui ce qui tuait hier.

Il faut la questionner encore et toujours, la tenir en alerte. Comme le faisait ma mère, qui retenait le docteur par son sarrau pour lui poser des questions en 1952 et le gardait près de son lit de force tant qu'il n'avait pas satisfait sa curiosité et calmé son anxiété. De nos jours, l'Ativan remplace les mots.

Ce que je souhaite, et je le répète une fois de plus, c'est que l'école dispense des cours de Santé 101, 201 etc... Qui portent sur l'ensemble de l'individu, corps et âme. Sur le préventif plus encore que sur le curatif.

Ce que je souhaite aussi, c'est que le système de santé soit délivré de la mentalité systémique; et le virage ambulatoire pourrait, il me semble, beaucoup aider à cela. La privatisation surveillée encore mieux, je crois.

Ce que je souhaite enfin, c'est que le mot excellence remplace le mot performance, en santé comme ailleurs, que l'expression qualité de vie remplace l'expression quantité d'années. Bien vivre sa vie et ne pas viser une longévité misérable. Considérer que la mort n'est pas indésirable mais qu'elle nous conduira tous vers un mieux-être incalculable et indicible.

Le bien commun doit primer sur le bien individuel, certes, mais le bien commun ne doit pas détruire systématiquement le bien individuel.

Tant que l'État ne se fera pas bon père de famille avec une vision, une mission et une stratégie, équitable envers ses enfants et capable de les amener à voler de leurs propres ailes, sa demeure sera malheureuse parce que des nourrissons féroces mangeront la laine sur le dos des plus faibles qui, eux, garderont toujours le goût de la révolte dans la bouche.

Les luttes pour le pouvoir sont vaines et destructrices; les luttes pour la survie sont inévitables et nécessaires.

FIN

Si vous désirez raconter à l'auteur une histoire d'horreur dont vous avez été victime ou témoin et qui comporte une erreur de diagnostic ou toute autre erreur médicale, faites parvenir votre texte à l'adresse qui suit. Prenez comme modèle les cas relatés au chapitre 20 afin de résumer le tout de manière schématisée sans trop de broderie. Ou bien appelez l'auteur si vous n'avez pas la plume facile.

Il se pourrait, si le nombre suffit, qu'on publie en 96-97 un livre contenant ces cas.

André Mathieu, éditeur
C.P. 55, Victoriavllle, Qc
G6P 6S9
819-357-1940

et

Le Coeur de Rose

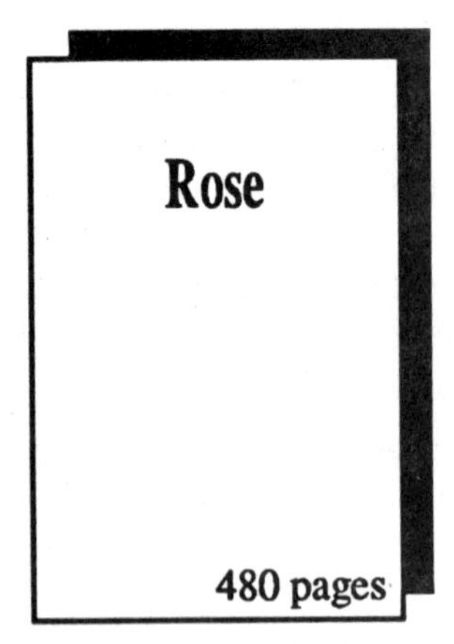

Elles ont beaucoup en commun: paroisse, époque (1950), culture, besoin d'amour... Mais elles sont fort différentes par l'âge, le caractère, le physique...

Voici Rose, 49 ans, séparée, aux prises avec son curé et sa chair... Et Rachel, 19 ans, maîtresse d'école qui hésite entre l'amour et le voile... Et Jeannine qui veut se caser. Éva, marchande et mère de grosse famille... Voici également Marie, veuve qui mange de la misère et qu'on cherche à damner. Et combien d'autres dont la vie anime le coeur du village !

Comment vit-on dans un monde fait par et pour les hommes quand on est femme et que c'est l'année sainte ?

Car dans *Rose* évoluent aussi les prêtres, le forgeron bougon, le maire-hôtelier, le marchand général, les jeunesses qui jouent du coude en faisant semblant de jouer au hockey, les gamins venimeux forgés à devenir des 'hommes'. Et l'aveugle, le professeur, le cultivateur, l'embaumeur, le tuberculeux, le quêteux...

Voici un roman qui plonge son lecteur dans un univers joyeux sans télévision où les valeurs humaines et villageoises comptent pour presque tout dans la vie de tous les jours.

Le Trésor d'Arnold

Le Trésor
d'Arnold

480 pages

Un amour sauvage.
Des femmes soldates.
Un trésor caché.
Des faits authentiques.

Automne 1775. Jemima Warner, Susan Greer et l'Indienne Jacataqua, trois femmes soldates, font partie d'une armée de plus de 1,100 hommes, lancée sur le Canada par la sauvagerie du Maine, le lac Mégantic et la Chaudière.

Le colonel Benedict Arnold, "Aigle noir dont le coeur sera transpercé d'une flèche"* dirige ces troupes et il connaît alors la plus formidable aventure de sa vie. Il cache un trésor et rencontre l'amour.

Basé sur la légende du trésor d'Arnold, ce récit relate le quotidien de l'armée, tout juste derrière les lignes de l'Histoire à laquelle il reste rattaché par d'innombrables fils.

Ce trésor pourrait valoir aujourd'hui jusqu'à **50 millions** de dollars américains, et c'est pour ça qu'on en voit d'aucuns parfois, 'marchant' la Chaudière avec un détecteur de métal.

Voici donc un roman d'aventures contenant tous les ingrédients du genre: amour, humour, guerre, argent, jolie femme audacieuse... Et pourtant, tout ça s'est vraiment passé... ou presque.

La vérité cachée que l'auteur poursuit sur 480 pages avec intuition et raison donne le goût de participer à l'excitante course au trésor... ou à l'amour !

Un sentiment divin

Un
sentiment
divin

Profitant d'une émission de télévision, talk-show où elles font partie des invités, quatre femmes qui n'ont pas froid aux yeux enlèvent un chanteur, superstar internationale qu'elles séquestrent dans un chalet des Laurentides.

Ce livre original à deux volets, c'est d'abord un roman de 225 pages contenant tous les ingrédients du genre : amour, humour, un 'zeste de sensualité', et surtout une joyeuse réflexion sur le pouvoir de la télévision et les conséquences du vedettariat.

En prime, l'histoire est reprise sous forme de pièce de 2,500 vers.
De l'inédit au Québec !

Présidence

Présidence

360 pages

Référendum sur la souveraineté du Québec annoncé. Campagne houleuse. Spectacles des deux côtés. Sondages inquiétants pour tous. Démocratie en danger. Jour du vote: le OUI l'emporte de justesse. Et ça tourne au vinaigre.

On instaure un nouveau régime politique et c'est une femme qui devient présidente de la jeune république. Guerre civile par batailles d'ondes. Pouvoir féminin vs pouvoir masculin... Nouveau référendum pour confirmer ou infirmer les résultats de l'autre...

Voici un roman de politique-fiction dont le message est clair : surveillons ces joyeux fous qui nous gouvernent comme on joue aux cartes. Un jeu de poker dont la règle de base appelée démocratie est une carte frimée...

Satirique et non partisan, **Présidence** déculotte hommes et femmes politiques et propose des **messages** d'une criante nécessité en notre époque où tout semble s'écrouler...

L'humour du livre va là où celui de la télévision ne peut pas aller. Très osé, parfois même trivial, il n'est toutefois jamais hargneux, gratuit, méprisant ou dégradant. Et toujours calculé même si l'ouvrage fut écrit en seulement 33 jours.

Rire garanti donc, sauf pour ceux qui s'y verront tout nus...

Aurore

Aurore

Aurore Gagnon mourait à 10 ans le 12 février 1920 après un martyre cruel. L'histoire fait partie du légendaire national.

Cet ouvrage situe l'événement dans une fresque d'époque allant de 1905 à 1923. Et pour la première fois, l'âme de chacun des acteurs de la tragédie est explorée en profondeur.

Loin de l'aride compte-rendu judiciaire, et au-delà de la seule torture physique, ce livre porte un regard nouveau sur le drame le plus pathétique de notre passé collectif. Et le côté souriant de la vie de la fillette fait aussi partie de cette histoire.

Jamais ouvrage sur le sujet ne fut plus complet et documenté. Et on y trouve plusieurs photos qui parlent.

Voici un livre qu'on relit plusieurs fois dans sa vie, et que toute famille veut posséder et garder.